월
야
환
담

．
．

월야환담 광월야 ·· 3

홍정훈 장편 소설

초판 1쇄 찍은 날 2017년 05월 08일
초판 1쇄 펴낸 날 2017년 06월 23일

지은이 홍정훈
펴낸이 서경석

편집책임 이창진 | 편집 이지연 | 디자인 신현아

펴낸곳 도서출판 청어람
등록번호 제387-1999-000006호 | 등록일자 1999. 5. 31
어람번호 제8-0094호

주소 경기도 부천시 부일로 483번길 40 서경B/D 3F (우) 14640
전화 032-656-4452 | 팩스 032-656-4453
http://www.chungeoram.com | E-mail chungeorambook@daum.net

ⓒ 홍정훈, 2017

ISBN 979-11-04-91297-9 04810
ISBN 979-11-04-91294-8 (SET)

광월야 · 3 ·

월야환담

홍정훈 장편 소설

도서출판 청어람

차례

第11夜

아웃레이지

1

그는 꿈을 꾸었다. 언제나 같은 꿈······.

쌉쌀한 가성 소다의 맛이 입안에 감도는, 물인지 약인지 분간조차 안 가는 수통 안의 물조차 달콤하게 느껴진다.

끝없이 펼쳐진 사막을 거닐다 보면 약간의 수분조차 신들의 음료라는 넥타르나 소마를 떠올리게 했다. 구름 한 점 없는 하늘 너머로 해가 떨어지면 해를 받아 붉게 타오르던 이집트 황금빛의 모래밭이 이윽고 거대한 거울로 변한다. 밤하늘의 검은 장막을 반사하는 고운 석영 가루들······.

그 순간은 마치 세상 전체가 거대한 빛과 어둠의 포말로 변한 것 같아서 이미 몇 차례나 보아온 광경이지만 넋을 잃고 보게 된다.

해가 지는 시간은 잠시 지나가고 인간이 만든 빛이 없는 하늘에는 오직 저 멀리 우주를 달려온 빛 무리가 반짝인다.

그는 정좌를 하고 자리에 앉아 눈을 감는다.

천랑성, 세이리오스의 아래, 태어난 운명의 별 아래 정좌를 하고 앉으면 과거와 현재, 그리고 미래가 그를 스쳐 지나간다. 마치 저 멀리 우주를 달려온 별빛이 그의 몸을 관통하고 지나가는 것처럼, 시간의 화살이 그를 관통한다.

예지가 그를 찾아온다.

잔혹한 시간이 그를 뒤에 남겨두고 떠나가는 모습을 본다.

시간은 모든 것을 때려 부순다. 푸르른 신록과 같던 소년이 어느새 겨울의 고목이 되어 거무스름한 주름진 피부에 휘감기고, 그조차 이내 곧 바스러져 사라져 간다. 피와 살로 이뤄진 것이 그러하고 금석으로 만들어진 것도 별반 다를 바 없다. 사람들의 인적이 없는 아름다운 사막 한복판에서 그는 시간의 무참함을 본다.

하지만 그 무참함은 개인의 영역이다.

큰 관점에서 보면 시간 속에서 인간은 번영한다. 인간들의 움집이 어느새 위대한 성채가 되고 이 성채는 이윽고 그들이 신들의 영광을 찬양하기 위해 짓던 첨탑보다 더 높아진다. 밤은 굴복하고 인간들이 피워 올린 이성의 불꽃이 밤새 온 세상을 밝힐 것이다.

그 모습은 너무나 아름답고 호화로워서 세속의 욕망으로부터 단절된 그조차 혹하지 않을 수 없었다. 하지만 세이리오스의 빛이 어루만지는 싸늘한 밤의 사막, 석영의 바다 위에 홀로 떠다니는 이성의 섬으로서 그는 예지에 집중한다. 눈앞의 번영이 일깨우는 탐욕 너머로 의식을 집중시킨다.

예지로부터도 방어된 비밀의 세계가 존재한다.

놀랍게도 그 예지를 방어하는 장치는 그 자신의 소행이다. 미래의 그가 자신의 동족들을 위해 펼친 거대한 장막.

물론 그가 그 장막을 뚫지 못할 리 없다.

그는 자신의 동족, 뱀파이어들이 어떻게 번성하는지, 미래의 자신을 피해서 엿본다.

인간들의 불꽃은 그의 동족들에게 하염없는 힘을 준다. 태양의 빛을 피해 숨어 다니는 어둠의 혈족들, 그들은 이제 더 이상 밤을 두려워하지 않고 어둠을 두려워하지 않으리라. 잔혹한 시간도 그들을 파괴하지 못할 것이니 이것은 옛 선지자의 약속과 같다.

'그대들 혈족이여, 번영하라.'

하지만 이 번영은 이윽고 독이 될 것이다. 희망찬 미래의 예지에 뒤이어 다시금 또 다른 예지가 찾아온다.

그는 몸서리쳤다.

두려운 모습… 참을 수 없는 고통, 피할 수 없는 파멸이 그를 타락시키고 지금까지 이 세상에 있어왔던 모든 악이 그의 손에서 재현될 것이다. 세이리오스 아래 적막만이 깃든 고요한 사막, 낮 시간 동안 달궈진 공기가 고운 모래 가루를 휘날리며 잔잔히 맴돌지만 그는 마치 거대한 모래 폭풍 안에 있는 듯하다.

시간과 예지가 그를 때려눕히면서 꿈은 끝났다.

새로운 테트라 아낙스는 눈 뜬다.

뱀파이어의 왕, 예지 능력과 텔레파시 능력으로 뱀파이어와 인간들의 세계를 분리하고 인간들을 초자연적인 광기로부터 수호하는 자, 월야의 수호자이며 세이리오스의 현자 아낙스.

그 정당한 후계자로서 그는 피로 가득한 불사의 관에서 잠들 자격이 있었다. 하지만 그가 잠자리로 택한 것은 조금은 고급스러우나 폴리에스테르 천으로 만들어진 침구로 덮여 있는 싸구려 침대다.

"일어났나? 서린."

테트라 아낙스의 다른 세 마리 뱀은 서린이 깨어나는 걸 기다리고 있었다. 서린은 쓴웃음을 지으며 그들을 마주했다.

"본래 테트라 아낙스는 잠을 자지 않았다. 서린, 네가 잠든 사이에 오라클 시스템은 우리가 손대지만……."

청년의 모습을 한 아낙스의 분신, 베이런이 못마땅한 표정을 지었다. 여성의 모습을 한 레베카도 잠에서 깨어난 서린을 보며 당혹스러워하고 있었다.

서린이 꾸는 꿈이 그들에게도 영향을 미친다. 아낙스의 분신으로 태어난 그들에게 아낙스의 의식이 흘러들어 오면 그들은 혼란스럽다.

정신이라는 것은 아무리 강력한 뱀파이어라 해도 인간보다 나을 게 없는 부분이다. 아니, 너무나 오래 산 뱀파이어들이 자아가 붕괴되고 정신분열증을 앓게 되는 건 흔한 파멸의 수순이다. 그런데 아낙스의 자아를 엿보게 되면 그것만으로도 미칠 것 같다.

잠깐 꿈에 영향을 받아도 이 정도인데 아낙스의 정신을 전부 물려받았다고 하는 서린의 상태가 걱정되지 않을 수 없다.

"…불만을 품는 이들이 늘어나고 있어. 무엇보다도 바로 조금 전 우리의 처형 부대, 나이트워커가 앙리 유이의 편에 선 아그니와 격돌해서……."

"순식간에 몰살당했어."

마틴이 말을 이어받았다.

"누가 그런 일을 저질렀지?"

서린이 그렇게 물어보자 모두 말문이 막혔다. 테트라 아낙스가 처형 부대를 만들고 자신의 율법을 어긴 이들을 제거하고 축출한 이래… 처형 부대가 멋대로 움직인 것은 이번이 처음이다. 철저히 사건을 조사해 보았지만 결론은 하나뿐이었다.

"부하들이 그만큼 널 무시하고 있는 거야."

마틴이 그렇게 말했다.

"오라클 시스템을 제거하고, 다른 뱀파이어들을 무작정 풀어 주는 네… 자비심은 좋아. 하지만 서린, 너 혼자서는… 아무리 네가 초월적인 존재라 해도 한계가 있다. 젠장, 이상하게 들릴지 모르지만 난 예전의 아낙스보다 네가 더 좋다. 그렇지만… 널 좋아하게 되면서 문제가 심각해졌어."

마틴은 그리 말하며 얼굴을 붉혔다. 어린 소년의 모습을 하고 있지만 테트라 아낙스의 백업 중 하나로서 오랜 세월을 살아온 그가 누군가에게 이렇게 노골적으로 좋아한다고 말한 것은 이번이 처음이었다.

서린은 싱긋 웃었다.

"고마운데."

"아니, 뭐 그런 의미로 듣지 말고 하여튼 간에……."

마틴은 서린이 오라클들을 동정하고 그들을 시스템에서 해방시킨 것을 높이 평가한다. 문제는 그렇기 때문에 서린을 아끼기 위해 오라클 시스템을 가동하라고 권유할 수밖에 없다는 점, 이 무슨 역설인가?

그가 노예를 해방했기에 사랑하지만, 그 사랑을 지키기 위해서는 노예제가 필요하다.

이렇게 요약될 수 있겠군.

오라클 시스템. 그건 다시 생각해 봐도 끔찍하기 짝이 없는 장치다. 과거의 테트라 아낙스는 인간이나 뱀파이어들을 주술적으로 개조해 그의 주술 장치로 삼았다. 그가 사용하는 예지와 텔레파시의 힘을 증폭시키고 인간들을 속이고 통제할 수 있도록 만들어진 이 장치에 일단 편입되면 그들의 뇌는 완전히 테트라 아낙스에게 굴종하게 된다.

인간의 뇌는 스스로의 생존을 위해 전력을 다하게 되어 있지만 그렇게 만들어진 오라클은 이미 생물이 아닌 기계다. 그렇다고 고통이나 감정을 느끼지 못하는 것은 아니다.

마틴이나 베이런, 레베카를 포함한 아낙스의 백업들은 당연히 인간적인 감정이 결여될 수밖에 없었다. 그들의 삶의 기원이 그러하였으니 다른 것들에게 자비심을 느끼기 힘들지. 하지만 오라클 시스템이 점점 비대해져 가는 것을 보면서 그들은 공포와 두려움을 느껴야 했다.

인류의 문명이 발달하고 정보 전달 속도가 가속화되면서 그

것을 기만하기 위한 오라클 시스템은 끝도 없이 커져야 했다.

뱀파이어의 수가 늘어난다. 그들을 처형하고 오라클 시스템을 늘려 나간다. 이걸 순차적으로 반복한 결과, 무엇을 위한 시스템인지 모르게 되어간다.

뱀파이어들을 지키기 위한 오라클 시스템이 어느새 그 자체로 거대한 폭군이 되어가고 있었다.

서린은 그런 오라클들을 상당수 해방시켜 주었다.

비록 뱀파이어라 해도 엄연히 고통을 느끼고 마음을 가진 존재. 그것들을 탄압하고 기계로 사용하는 것은 서린에게 있어서 참을 수 없는 악덕이었다.

어리석은 선택이다.

제왕이 된 자는 그만큼의 의무를 가지고 있으며 이 의무는 개인의 도덕성을 앞세울 수 없게 만드는 묵직한 족쇄다. 한비자나 클라우제비츠가 열변을 토했듯, 제왕에게는 개인의 사사로운 정에 이끌리지 말아야 할 의무가 있었다.

그러나 서린은 너무나 연약하다.

"다들 착각하지 마. 이건 나보다 이전의 아낙스의 뜻이야."

서린은 그렇게 말했다. 이전 아낙스, 고든이란 이름을 쓴 그는 그 옛날, 처음 이 땅에 왔을 때는 우아하고 아름다운 신적인 존재였다.

"그의 마음속에 선이 없었을 리 없지. 처음의 그는 선의 화신 같은 존재였으니까. 하지만 정의를 사랑할수록 이 세상을 싫어하게 돼. 인류애는 위대하고 아름다운 것이지만 인간 개개인은 그에 비해 시시하고 조잡하거든. 아낙스가 미쳐 버린 것은 바로 그 선과 정의를 사랑하는 마음 때문이었다."

마틴이 그리 말하자 레베카와 베이런은 어깨를 으쓱해 보였다. 동의하지만… 서린이 이 정도로 말을 들어먹는 놈이었으면 이렇게 고생하지도 않았다.

"괜찮아. 세건 형이나 내 형이… 이사카가 있으니까. 난 아마 최악의 아낙스가 되겠지만……."

서린은 예지의 힘이 아니라 자신의 가슴으로 그렇게 말하고 믿었다.

"둘 다 상당히 호구 기질이 있어서 말이지."

"윽."

마틴은 그런 서린의 말을 듣고 혀를 내둘렀다. 비스트와 이사카 베르게네프가 호구라고? 한 놈은 뱀파이어를 몰살시키기 위해 미쳐 버린 헌터, 다른 한 놈은 자신의 목적을 위해서라면 전 세계를 석기시대로 되돌려 놓을 각오를 한 전쟁광인데?

2

아르쥬나의 밤, 벌써 주차장은 만석이 되어 있었다.

뱀파이어 헌터들은 아르쥬나에 모여서 불안한 눈빛을 교환하고 있었다.

"테트라 아낙스가… 지고 있다지?"

다들 그 화제로 이야기꽃이 만발했다.

"진마 아그니라면 정말 동족도 가리지 않고 죽인다는 미치광이인데. 그래도 지금까지는 테트라 아낙스와 정면충돌한 적이 없었잖아?"

"테트라 아낙스의 새 수장이 영 별로인가 보지?"

"한세건이 뭔가 수라도 쓴 거 아냐? 머리에 칩이라도 박았거나?"

뱀파이어 헌터들이 그렇게 떠드는 와중에 아르쥬나의 문이 열렸다. 호랑이도 제 말 하면 온다더니만 한세건이 저벅저벅 걸어 들어와 딱 멈춰 섰다.

"머리에 칩 박아서 조종하는 기술이 뱀파이어 헌터에게 있을 리 없지."

이미 떠드는 소리를 들었는지 한세건은 그리 말하고 바에 앉았다. 다른 사람들이 보든 말든 배낭에서 책을 꺼내 희미한 조명 아래서 읽는데 임베디드 프로그래밍 서적이다.

'그동안 폭발물이나 장비들의 제어 장치에 싸구려 중고 휴대폰을 주로 썼었는데 수사망에서 내 패턴에 관심을 가질 거야. 폭발물 제어 장치, 감시 카메라나 통신 장비 등에 중고 휴대폰을 쓴다는 사실을 수사관이 알게 되면 중고 휴대폰 거래망을 역추적할 테니 슬슬 DSP 칩과 휴대폰을 혼용하는 방식을 써야지. 1,000개 단위로 사면 개당 50원 하던가?'

뱀파이어 헌터나 뱀파이어들 사이에서 한세건은 최강의 존재로 보이고 있었지만 한세건은 어디까지나 노력파였다. 스스로

언더독이라고 말하는 그는 아무리 자신의 능력이 강화되고 명성이 높아진다 하더라도 한 발짝 미끄러지면 죽을 수밖에 없는 약자라는 위치를 고수하고 있었다.

한세건이 그렇게 공부에 빠져들자 주위의 뱀파이어 헌터들은 흥미를 잃고 다시금 자신들의 일로 돌아갔다. 이 정도라면 언제나 있던 일일 것이다.

하지만 오늘은 좀 달랐다.

구석에서 한 남자가 일어났다. 아르쥬나에 자주 오던 사람들로서는 낯선 얼굴의 남자다. 약간 길쭉한 얼굴에 머리는 해병대에서나 할 법한 돌격머리로 깎았고 실제로 옷과 복장에 해병대 마크가 새겨져 있는 걸로 봐서는 전직 해병대 출신인 것 같다.

"어이, 형씨. 당신이 이 바닥에서 그렇게 유명하다며?"

"……."

주위 헌터들의 표정이 싸늘해졌다. 찬물을 끼얹은 것처럼 주위가 고요하다.

제정신인가?

모두 기겁해서 그 모습을 보고 있었다.

꼭 이런 놈이 시즌별로 한 놈씩은 튀어나오는 것 같다. 이 바닥에 처음 들어오긴 했지만 근거 없는 자신감에 가득 차 있는 사람들은 한세건의 유명세에 반감을 느끼기 쉽다.

아무리 봐도 파릇파릇한 애송이로 보이는데 이놈이 뭐 그리 대단하다고?

왠지 기선을 제압하면 자신도 거물 취급 받을 것 같고, 그게 아니더라도 하여튼 이런 녀석에게 대접받으면 자신의 평가가 덩달아 오르지 않겠는가?

카운터를 보고 있던 아르쥬나의 오너 김성희가 셰이커를 집어 들고 직접 셰이킹을 시작하자 정적이 깨졌다. 한세건은 어깨를 으쓱해 보였다.

"뭔가 용무라도?"

"내가 한잔 사지. 어때? 우리 친하게 지내보자고."

"나는 술도 담배도 안 하는데?"

"뭐?"

그 순간 해병대 남자의 얼굴이 붉으락푸르락해졌다.

"말이 짧다? 너 몇 살이냐?"

"…뱀파이어 대부분이 우리보다 나이가 많은데 나이대접할 거면 헌터를 하지 말았어야지."

"아놔, 이런 쌍놈 새끼를 봤나. 넌 애비 애미도 없냐?"

"……"

주위 뱀파이어 헌터들이 말없이 자리에서 일어났다. 한세건이 어려 보여 이런 실수를 하는 사람들이 흔히 있기는 하지만 이번엔 굉장히 도가 지나쳤다. 한세건의 온 가족이 뱀파이어에게 몰살당했는데 부모님의 안부를 물어보다니.

"저거 누가 데려온 거야?"

"공승표로 아는데 이 친구는 어디 갔어?"

아마도 공승표라는 헌터가 끌어들인 것 같은데 말 섞을 동료가 오지 않자 심심해져 한세건에게 말을 붙여본 모양이다.

"하아."

한세건은 고개를 절레절레 저었다.

"자자. 진정해요, 진정. 세건아, 네가 참아. 알겠지?"

김성희가 중재하면서 셰이커를 내려놓았다. 그러자 해병대 남자가 어깨를 으쓱해 보였다.

"아니, 다들 이런 애송이가 뭐라도 된 양 치켜세우니까 애새끼 버릇이 이 모양이잖아? 응? 아, 이 새끼가 나이도 어린 놈이 도끼눈을 뜨고……."

그런데 그때 아르쥬나의 문이 열리고 세 명의 청년이 들어왔다. 서현과 루스킨, 그리고 빼또쥬였다.

"더 어린 놈 등장이오."

서현은 그리 중얼거리며 저벅저벅 걸어왔다.

"넌 또 뭐야?"

"뭐긴 뭐야, 더 어린 놈이지."

서현은 그리 중얼거리고 손을 뻗어 남자의 목덜미를 덥석 잡았다. 해병대 남자는 저항하려 했지만 목덜미가 잡히는 순간 마치 어미 고양이에게 옮겨지는 새끼 고양이가 된 기분이었다.

"자, 빼또쥬. 안 죽게 살살 한 대만 때려라."

"응."

"자, 잠깐!"

그 순간 빼또쥬의 주먹이 남자의 복부에 꽂혔다. 해병대 남자가 헉 하고 입에서 게거품을 쏟아냈다.

"뭐야? 나이 따지길래 난 또 나이 어린 놈에겐 맞아도 끄떡없는 능력이라도 있나 했더니만 그것도 아니네? 그런데 대체 뭘 믿고 시비 거는 거야? 알량한 장유유서? 전 세계 인구가 45억 밑으로 떨어지기 전에는 나이 많은 놈은 죽이는 게 오히려 선행이야. 사람이 가뜩이나 많아서 인건비도 저렴해지고 환경도 더 럽혀지고 있는데 나이 많다고 자랑하다니."

서현은 투덜거리며 남자를 내려놓고 양동이를 가져다주었다. 남자가 양동이에 구토를 시작하자 주위 사람들이 한 발짝씩 물러났다.

"으… 서현아, 네가 치워야 하는 거 알지?"

김성희는 그리 말하면서 안도의 한숨을 내쉬었다. 서현과 그 패거리는 사람 목숨을 파리 목숨처럼 여기며 살아왔다. 여기서 헌터를 찢어 죽일까 봐 걱정했었지만 서현에겐 그 정도 분별력은 있는 것 같았다.

"아르바이트생들보고 나중에 치우라고 하세요. 양동이로 받아준 것만 해도 정말 성의를 다한 건데."

서현은 그리 말하고 카운터로 걸어와 한세건의 옆에 앉았다.

"이런 일이 자주 있나 봐?"

"일 년에 네 번 정도?"

한세건은 아무렇지도 않게 말하고 탄산수를 따서 자신의 잔에 부었다.

"뱀파이어 헌터가 굉장히 막장 직업이라고 생각했는데도 신규 유입이 많은 것 같네."

서현이 솔직한 심정을 말하자 한세건은 설명을 시작했다.

"나도 옛날엔 그렇게 생각했는데 뱀파이어 헌터가 막장이라기보다 그냥 일반 직업들이 더 안 좋아져서 그래."

"……."

순간 서현은 그게 진심인가 하는 생각이 들었다. 아무리 사회생활이 힘들다 해도 총 들고 뱀파이어 사냥해서 마약 만드는 일보다 더 막장이려고?

"너 한번 월 150 받으면서 야근하고 휴일도 없고 그렇게 막 살아볼래? 그렇게 벌어도 진짜 월세로만 다 날아가고, 간신히 입에 풀칠만 하다 겨우겨우 모은 돈은 어디 몸 아프면 병원비로 훅 날아가지, 치아 상하면 치과에서 보철 한 번에 수십만씩 날아가고. 그러다 한 10년 지나면 파릇파릇한 신입들에 치여서 바로 잘리는 거야. 차라리 뱀파이어 헌터가 낫지."

한세건은 책에 시선을 고정한 채 대답했다. 이런 상황에서도 굉장히 복잡한 책을 술술 읽는 걸 보니 놀랍다. 딴소리하면서 저게 집중이 된단 말인가?

"남들이 보면 뭐 취직하려고 고시촌에서 좀 살았던 것 같다?"

서현은 한세건이 제대로 된 구직 활동도 안 했고 군대도 가지 않았다는 걸 상기하곤 카운터를 바라보았다. 카운터 안쪽에는 간만에 아르쥬나의 오너, 김성희가 새하얀 블라우스에 서스펜더 차림의 복장으로 서 있다가 서현과 눈이 마주쳤다. 김성희는 생글생글 웃어 보였다.

"최저임금은 지켰어. 그렇게 날 악덕 업주처럼 보지 말렴."

"하……."

서현은 한숨을 내쉬고 메뉴판을 들었다.

"그나저나 간만에 자리 지키고 계시네요. 말 나온 김에 여기 음료값도 비싸요. 맛도 그냥저냥이고."

"어머나. 나 지금 셰이커로 직접 흔들고 있는데. 나 같은 미인이 만들어주면 뭔가 각별하지 않니? 나름 실력파로 유명했었는데."

"됐고. 전 펩시 넥스나 주세요."

서현은 콜라를 주문했지만 루스킨은 입에 침을 질질 흘리면서 김성희를 바라보고 있었다.

"소문은 들었는데 엄청난 미인이시네요."

"어머, 솔직한 칭찬 고마운데?"

김성희는 생글생글 웃어 보였다. 그 모습이 가증스러워 서현은 콜라를 따서 잔에 부었다.

"그나저나 일본에서 테트라 아낙스의 처형 부대가 몰살당했다고 하는 이야기나 들어보지요. 어떻게 된 거지요?"

"음, 글쎄. 내가 듣기로는 가쿠슈인 학원 습격 사건의 범인인 진마 아그니를 토벌하기 위해 테트라 아낙스의 처형 부대가 움직였다가 실패하고 아그니에게 살해당했다고 하던걸?"

"……."

얼핏 들어보면 있을 법한 이야기다. 하지만 곧 이해가 안 간다는 생각이 들었다.

"과거에 테트라 아낙스가 처형 부대로 진마를 친 적이 있나?"

서현은 그렇게 반문했다.

지금까지 테트라 아낙스가 진마를 상대로 뭔가 강요할 때는… 반드시 다른 진마나 하다못해 계승자 같은 존재를 대령했지, 처형 부대만으로 밀어붙인 적은 없었다. 적어도 테트라 아낙스가 선택할 여지가 있을 때는 항상, 진마의 품격에 걸맞은 강력한 카드를 준비하곤 했다.

사혁이나 유다처럼 너무나 급작스럽게 상황이 돌변했다면 모를까, 아그니가 떡하니 일본에서 앙리 유이 편에 서 있는데 돌진하다니?

"예리하구나. 맞아. 공을 다투던 처형 부대 지휘관이 단독으로 결정했다고 해."

"…테트라 아낙스의 부하가 단독 결정? 맙소사."

이번엔 한세건이 책을 덮으면서 반문했다. 테트라 아낙스의 위계질서는 상당히 빡빡한 것으로 아는데 그 부하가 멋대로 단독 결정을 했다니?

"덕분에 현재 테트라 아낙스는 상당히 몰려 있는 모양이야. 아무래도 위상에 흠집이 많이 났지. 서린이도 위험할지 모르겠는걸? 막 왕위에 올랐는데 똘똘한 모습을 보여주지 못하고 있으니까."

김성희가 그렇게 말하자 한세건이 피식 웃었다.

"그 녀석이라면 그것보다 더 느슨해도 뭐… 어쩔 수 없다고 생각되는군요. 어쨌거나 뱀파이어들끼리 서로 치고받고 죽이는 건 좋은 일 같은데?"

한세건이 그렇게 말하자 몇몇 뱀파이어 헌터들이 고개를 저었다.

"전혀 안 좋아."

"…무엇보다 우리가 얻는 게 지금 진짜 오염된 건지, 그렇지 않은 것인지 모르겠어. 사이키델릭 문 가격이 치솟고 있다고! 혹시 가격이 폭등할 때까지 쟁여두고 있는 거 아냐? 응?"

몇몇 뱀파이어 헌터가 한세건을 의심했다. 하지만 한세건이 쓱 흘겨보자 입을 다문다. 몇몇 사람은 농담인 양 얼버무리기도 했다.

그들의 의심이나 탐욕은 치워두고서라도 앙리 유이의 아웃레이지가 뱀파이어 헌터들에게 준 타격은 적지 않았다. 정작 그들이 직접 아웃레이지의 수혜자와 대면한 것도 아닌데, 단지 풍문만으로 큰 타격을 입은 것이다.

"……."

서현은 뭐라고 말하려다 입을 다물었다. 정말 아웃레이지를 투약한 뱀파이어라면 당신들 손으로 못 잡는다. 그런 말을 하려다 보니 이건 이거대로 심각한 문제다. 일반적인 뱀파이어들은 이제 아웃레이지를 투약한 뱀파이어들의 적수가 될 수 없다.

아웃레이지는 그 자체로 뱀파이어 헌터와 클랜, 아웃로 뱀파이어로 이뤄진 월야의 생태계를 파괴하는 병기다.

그 약이 유행하기 시작하면 테트라 아낙스의 규율이 무의미해지고 많은 뱀파이어가 인간들을 습격하게 될 것이다. 테트라 아낙스가 그들의 행동을 인간들에게서 감추는 것도 한계에 다다를 테고 결국 뱀파이어의 정체가 인류에게 밝혀지면?

호모사피엔스종은 자신들이 새로운 종의 위협에 노출되었다는 사실을 깨닫게 되리라. 하지만 그때가 되면 이미 늦었다. 종은 새로운 위협에 저항할 테지만 그 종에 속하는 개개인은 뱀파이어가 주는 불로불사의 유혹에 굴복하고 말리라.

결국 테트라 아낙스가 패배하면 호모사피엔스의 시대는 끝나고 말 것이다. 뱀파이어의 왕이 인류의 수호자라니, 참 역설적인 일이 아닐 수 없다.

하지만 그런 불길한 일을 앞두고 눈앞의 헌터들은 고작 마약 값의 상승을 두려워하고 있다. 역시 뱀파이어 헌터들에게 뭔가 변혁을 기대할 수는 없다.

누구보다도 현 체제를 개혁하는 데 앞장서야 할 사회 하층민들…….

하지만 그들은 가혹한 생존 경쟁에서 살아남기 위해 모든 여력을 소모해 버려 사회의 변혁을 감히 주도할 수가 없다.

그처럼 뱀파이어 헌터들은 월야의 세계 가장 하층에 깔려 있어서 매번 그들의 손에 들어오는 마약과 알량한 수입에 얽매여 있을 뿐, 큰 그림을 보지 못한다. 만약 큰 그림을 보고 바꿀 수 있는 존재가 있다면 그건 한세건이나 실베스테르, 그도 아니면 서현 자신뿐이다.

어둠의 세계, 폭력과 마약과 마법과 광기의 세계 속에서 자신의 중심을 잃지 않고 살아가는 자들만이 이 세상을 바꿀 수 있다.

'나만이 뭔가 해낼 수 있다는 걸 곧이곧대로 믿어버리는 자는 자의식과잉이 아닐까 싶지만 다른 뱀파이어 헌터들을 보면 답이 나와 버리네.'

서현은 다른 뱀파이어들의 근시안적인 고민을 보며 혀를 찼다. 그런데 한세건은 어떤 생각일까?

"넌 어쩔 거지? 지금 이 상황은 그냥 내버려 두면 곤란한데."

"어차피 그 '세상의 빛과 소금'에게 아웃레이지의 생산 라인을 파악하고 파괴하라고 해뒀어. 아웃레이지는 무한정 공급될 수 있는 게 아니고 공업적인 생산 라인 없이 대량으로 공급하긴 쉽지 않을 거야. 뱀파이어의 VT인자는 뱀파이어들끼리 주고받으면 거의 손실 없이 시간에 따라 오히려 축적되면서 후대로 이어져 온 것임을 감안해야 해. 아무리 앙리 유이의 저주, 아웃레이지가 보다 강력한 것이라 해도 그 소체가 되는 것은 윈슬렛이라는 가짜 릴리쓰. 그런 릴리쓰를 그렇게 많이 만들어뒀을 것 같지는 않은데?"

뱀파이어의 피에서 추출해 만드는 사이키델릭 문은 극소량으로 엄청난 효과를 발휘하지만 그것은 어디까지나 현행의 뱀파이어들이 수천 년 동안 쌓아 올린 VT가 있기 때문에 가능한 것이다.

말하자면 현재 사이키델릭 문은 석유를 파내는 것과 비슷하다. 오랜 세월 동안 축적된 화석 연료를 지금 꺼내면 당장은 풍족하게 쓸 수 있지만 결국 고갈되어 갈 것이다.

한세건은 그 문제를 아웃레이지도 똑같이, 아니, 오히려 더 극심하게 겪고 있으리라 생각했다. 뱀파이어들의 VT인자가 그러할진대 앙리 유이가 만들어내는 아웃레이지의 인자는 더욱더 적지 않겠는가?

"그리고 나는 설령 테트라 아낙스를 죽이면 인류 모두가 죽는다 해도 기꺼이 테트라 아낙스를 죽일 거야."

"네~ 네. 그러시겠지요."

"······."

서현의 반응이 비꼬는 듯하자 한세건의 표정이 굳었다. 한세건은 굉장히 머리가 좋아서 지금 돌아가는 일이 어떤 의미를 가지고 있는지 잘 알고 있었지만 그럼에도 불구하고 뱀파이어의 편에 설 수 없다는 걸 명확히 말하고자 했다. 하지만 받아주는 쪽이 이렇게 나오면 이건 그냥 중2병 대사로 변질된다.

"그러는 너야말로 동생이라고 너무 테트라 아낙스 편드는 것 같은데?"

"편드는 게 아니라······."

이번엔 서현이 난처해했다.

비록 테트라 아낙스가 정말 인류의 수호자라 하더라도 뱀파이어 헌터들 사이에서 특정 뱀파이어의 편을 든다고 낙인찍히면 좋을 게 없다.

"형제라는 게 웃겨. 나는 온갖 고생을 다 하고, 반면 그 녀석은 평화롭게 문명사회에서 살다가 갑자기 높은 곳으로 영전하다니."

"테트라 아낙스가 된 게 좋은 일인지는 모르겠군."

한세건은 어깨를 으쓱해 보였다. 대부분의 뱀파이어는 오래 사는 만큼 정신질환에 쉽게 걸린다. 테트라 아낙스의 기억을 물려받았다면 지금의 서린은 과연 멀쩡한가? 얼마 못 갈 것이다.

"흠··· 응?"

갑자기 아르쥬나의 벽에 걸려 있던 작은 오브제에서 빛이 나기 시작했다. 지금까지 전혀 움직이지 않던 청동으로 만들어진 요정상이 살짝 위아래로 까딱이면서 창백한 빛을 뿌리고 딸칵

거리는 소리를 냈다.

그걸 본 김성희의 눈이 크게 떠졌다.

"…결계 안으로 침입자가……."

"침입자?"

서현이 반문하자 한세건이 일어났다.

3

사이키델릭 문은 마약 중에서 가장 비싼 값에 거래되고 있었다.

이 약의 정체는 변형 VT인자, 뱀파이어를 뱀파이어이게 하는 저주 인자, VT인자의 이성질체(異性質體:isomer)다.

인간의 몸에 인간이 아니게 하는 독성 요소가 주입되면 인간의 영혼백육, 모든 것이 저항하면서 마치 꺼지기 직전의 촛불이 가장 격렬하듯, 생명력을 소모하면서 가속 효과가 일어나게 된다.

정신이 가속되고 정보처리 속도가 올라가고 심박수가 상승하며 그에 따라서 신체 능력도 상승된다. 물론 그렇게 신체 능력이 상승되어도 뱀파이어를 상대하기엔 역부족이다. 그러나 정보처리 속도의 증가는 뱀파이어를 훨씬 상회한다.

사이키델릭 문에 의한 정보처리 속도는 놀라울 정도라서 약효가 지속되는 동안 마치 시간이 정지된 세계를 걷는 것 같은 느낌을 받는다고 한다. 거기에 총화기를 사용하면 인간 헌터도 능히 뱀파이어와 대적이 가능하다. 뱀파이어보다 더 빠른 반사

신경, 더 빠른 사고 속도와 총화기의 결합은 무시무시한 시너지 효과를 일으킨다.

이 요소가 마약으로서도 매우 훌륭하게 작용한다.

1회 투약만으로 8시간 동안 강력한 가속 현상과 신체 능력 증가를 즐길 수 있는 데다 피로감도 사라진다. 여기에 다른 마약을 함께 투약하게 되면 그 마약의 효과까지 보다 더 가속된 상태로 즐길 수 있다.

지속 시간이 짧은 코카인 같은 마약도 사이키델릭 문과 함께 투약하면 그 약효를 체감상 수십 배, 사람에 따라서는 수백 배 이상 길게 즐길 수 있다. 쾌락과 고양감, 활력이 끝없이 지속되는 것이다. 물론 그렇다고 남용해서는 곧 폐인이 되고 만다.

다른 마약이 신경계, 호르몬계를 교란시켜 쾌락을 얻는 것이라면…….

사이키델릭 문은 인간의 영혼, 그 본질을 쥐어짜 내 효과를 내는 것이다.

과도하게 쥐어짠 옷이 망가지는 것처럼 인간 역시 망가지게 되고 결과적으로 뱀파이어나 커럽티드, 그것도 아니면 폐인이 되게 마련이다. 폐인이 되는 게 가장 좋은 결말이라니 이 얼마나 끔찍한 일인가?

뱀파이어 헌터가 설령 복수심 때문에, 혹은 뱀파이어라는 종에 대한 배제를 위해 이 업계에 뛰어들었다 해도 이내 만신창이가 되는 것은 바로 이 때문이다.

마약으로 사회를 좀먹고 무수히 많은 사람을 파멸시킨다는 점에서 뱀파이어 헌터에게 면죄부는 없다.

설령 그것이 악덕임을 알면서도 약자라서 어쩔 수 없이, 선택의 여지가 없었다고 변명할 수는 있겠지. 하지만 아무리 변명한다 하더라도 이제 쌓아 올린 악덕의 대가를 치를 때가 왔다.

"짭짤하군."

2주일 전, 부산의 해외 선원용 술집에서 회동을 가지던 아웃로 뱀파이어, 두오넬 아기니오는 테이블 위에 쌓이는 돈다발을 보고 히죽히죽 웃었다.

한국의 클럽에서는 이미 사이키델릭 문의 수요가 상당했다. 클럽 문화가 번지면서 새로운 것을 찾는 호기심 많은 젊은이들이 있었고 그게 아니더라도… 뱀파이어 헌터들이 그간 사이키델릭 문을 꾸준히 공급하면서 시장을 넓혀놓았다.

즉, 지금 그들이 이렇게 쉽게 사이키델릭 문을 팔 수 있는 것은 뱀파이어 헌터들의 공이라 해도 과언이 아니다.

"하지만 두오넬. 난 도저히 그 앙리 유이라는 작자를 믿을 수가 없어. 사람을 무슨 벌레처럼 소모하고 있잖아?"

두오넬의 맞은편, 긴 갈색 머리칼에 검은 피부를 가진 남자가 금목걸이와 금반지, 뒤로 뒤집어쓴 뉴욕 양키스의 야구 모자를 걸친 채 어색한 자세로 앉아 있었다. 본의 아니게 팔자에 없는 마약상 짓을 한 그는 좌불안석이었다.

"왜 그래, 파갈?"

"왜 그러는지 몰라서 물어? 우리랑 함께 있던 정 노인은 우리

행적을 감추기 위한 연막으로 뱀파이어 헌터들에게 갈려 나갔다고."

정 노인이 서울 진공을 하다 한세건과 뱀파이어 헌터들, 정확히 말하면 이사카의 라이칸스로프 병대에 몰살당했다는 건 벌써 소문이 파다하다. 그것은 앙리 유이가 내던진 짓이 아닌가?

아무리 그들이 아웃로 뱀파이어고 테트라 아낙스에게 한 방 먹이는 게 중요하다 했더라도… 좀 더 안전하게 일을 진행할 수는 없었나? 군이 서울로 진격하지 않고 뱀파이어 헌터들을 피해 다니면서 피해를 늘리는 건 어떠했을까?

그런 의미에서 파갈은 앙리 유이를 믿을 수 없었다.

분류상 앙리 유이는 테트라 아낙스에게 반기를 들어 아웃로로 분류되지만 진마는 일반적으로 아웃로들과 다르다.

그들이 태양의 위협 속에서 벌벌 떨며 은신처를 찾아 헤맨 적이 있었나?

그들이 자신을 탐문하는 헌터들을 피해 불법체류자 신세로 쓰레기로 가득한 바다를 헤엄치며 도망친 적이 있었느냐 말이다.

아무리 아웃로라 해도 진마인 이상 그와 다른 뱀파이어들이 사는 세계는 다를 수밖에 없다.

앙리 유이는 다른 아웃로들을 소모품으로 생각한다. 그게 파갈의 생각이었다.

"원래는 연막이 아니었지. 생각해 보라고."

두오델은 앙리 유이에게 불신을 보이는 파갈을 달래며 어깨를 으쓱해 보였다.

정 노인의 서울 진공은 분명히 작전 수립 당시에는 주공이었다. 결코 연막작전이 아닌, 그 자체로 테트라 아낙스에게 어마어마한 타격을 줄 수 있는 치명적인 공격이었다.

"다만 그걸 막아낸 테트라 아낙스의 정보 조작 능력과 서울 관문을 사수한 헌터들의 솜씨가 대단했던 것뿐이야. 이 나라는 세계 무역 10위권에 오락가락하는, 나름 큰 경제 규모를 가진 나라라고. 그 나라의 수도와 인근 위성도시를 합하면 천만인가 이천만인가. 하여튼 좁은 지역 안에 대규모 인구가 밀집되어 있고. 뱀파이어 헌터들에게 당해서 결과적으로 그렇게 되었을 뿐이지, 일이 시작될 무렵에는 우리도 좋은 작전이라고 생각하고 있었잖아."

두오델은 그리 말하고 마가리타 잔을 들어 보였다. 레몬솔트가 코팅된 유리잔 안에 금색 액체가 찰랑인다.

"역시 굉장하단 말이지, 진마사냥꾼이라는 건. 한세건은 이미 에밀 카이히나 다른 짜잘한 뱀파이어 헌터들보다 훨씬 위로 쳐 주지 않나?"

"거기에 들이받아야 하는 게 우리 일이지."

"아니, 직접 들이받을 필요 없다니까. 우린 이렇게 약 팔고 돈이나 벌면 된다고."

"그럴 리가 있나. 그럼 뭐, 정 노인은 싸움닭이라서 싸우지 않으면 견딜 수가 없어 들이대고 갈렸나?"

파갈이란 남자는 두오델 앞에서 불안해하면서 몸을 떨었다. 그러나 두오델은 코웃음 쳤다.

"파갈, 그럼 아웃레이지 없이 이제 살아갈 수 있겠어?"

"……."

"인정해. 우린 이미 중독자야. 끝났다고. 앙리 유이가 우리를 어떻게 쓰든 간에……."

두오텔의 말에 파갈이 발끈했다.

"어떻게 그런 걸 인정해? 이건 소모품이야, 소모품! 정 노인이 데리고 간 놈이 몇이나 되는 줄 알아? 그게 싹 몰살당했다니 말이 되냐고! 우리가 마약중독자가 되었다고 마약 공급상이 하라는 걸 다 하진 않잖아? 한세건이란 놈은 완전 미친놈이야! 자국 경찰서장을 납치하고 홀딱 벗겨서 내다버리는 거 봤어?!"

"언성 높이지 마. 우린 뱀파이어 헌터에게 직접 뛰어들 필요가 없으니까. 안 그래? 우리보고 그 한세건이란 미친놈에게 뛰어들라고 하면 그때 가서 생각하자고."

"너무 뒷생각 없이 구는 거 아냐?"

"언제는 뒷생각을 했다고."

아웃로 뱀파이어의 삶은 그야말로 처참하다.

뛰어난 신체 능력과 인간들 사이에 숨어들 수 있는 인간의 용모를 가지고 있지만 일광에서 자유롭게 움직이지 못하는 뱀파이어는 낮에는 무기력할 뿐이다.

숨어 다니고 조용히 피해 다녀도 일단 그의 정체가 드러나기 시작하면 뱀파이어 헌터들에 의해 사냥당한다.

신체 능력 따윈 중요하지 않다. 헌터들은 그들을 꾸준히 추적하고 몰아가서 결국 잡아버리니까. 그래서 아웃로들의 상당수

는 자포자기하면서 살아간다. 두오넬 역시 그러했다.

이대로는 소모품이 아닌가…….

그런데 그때였다.

"음… 동석해도 되겠소?"

한 장년 남자가 그들의 앞에 서 있었다. 젊은이들이 드글거리는 클럽에는 통 어울리지 않는 남자다. 하지만 두오넬이나 파갈은 그 남자의 요구를 거부할 수가 없었다.

"어……."

남자의 몸 뒤편이 비쳐 보인다. 즉, 이 남자는 반투명하다.

"……."

"맙소사."

"아, 이거 참. 한 번 죽는 건 역시 골치 아픈 일이구만."

남자는 그리 말하며 턱을 매만지더니 멋대로 두오모와 파갈의 앞에 앉았다. 그리고 주위를 둘러보는데 그 모습이 살아 있는 인간과 크게 다를 바 없다.

"유… 유령!"

파갈은 놀라서 허둥지둥했다. 뱀파이어가 유령을 보고 놀란다니 그것도 웃긴 일이지만 아웃로 뱀파이어들이 유령과 마법 같은 초상현상을 느끼는 거리감은 일반인과 별반 다를 바 없을 정도였다.

마법과 비의의 세계에 친밀하다면 설사 테트라 아낙스에게 반기를 든 자라 해도 형식상으론 아웃로로 취급하지만 일반적인 의미에서는 아웃로와 좀 동떨어진, 그냥 반란 분자로 여겨지게 마련이다.

진마 아그나나 진마 적요가 테트라 아낙스의 명을 듣지 않는 아웃로긴 하지만 일반적인 아웃로의 여건을 말할 때 그들을 제외했던 것처럼…….

"실례지만 아까 전에 당신들이 말하는 걸 들었소. 뭐, 정 노인도 그렇고 나도 저들에게 죽었소. 걱정하는 건 이해가 가지만 결코 우리 주인님이 당신들의 목숨을 가벼이 여기는 게 아니오."

"……."

"필요하거든. 이런 게."

장년 남자는 투명한 자신의 몸을 자신의 손으로 관통시켜 보이며 씨익 웃었다.

그 순간 클럽의 음악이 멈추었다.

클럽 DJ와 춤추는 사람들, 모두가 멈춘 그 모습은 마치 시간이 정지한 것 같았다.

삐걱…….

마치 삐걱거리는 꼭두각시 인형처럼 사람들의 몸이 뒤틀린다.

"어……."

몇몇 사람, 그러니까 사이키델릭 문을 빨지 않고 그저 여자들이나 꼬셔볼까 하고 처음 클럽에 와본 사람들은 당혹스러워하고 있었다.

첩…….

한 남자의 목에 체중이 50킬로도 채 나가지 않을 작은 체구의 여성이 손을 올렸다.

뚜둑!

마치 페트병 마개를 따듯 사람의 목을 비틀어 따버린다. 여성이 사이키델릭 문을 흡입했다고 해도 이건 과하다.

"으으으으으⋯⋯."

"크으으으으."

사람들이 입을 열고 천천히 움직인다. 그 중심에⋯⋯.

유령이 된 남자, 강석운이 미소를 짓고 다리를 꼬고 있었다.

변형된 사이키델릭 문을 흡입한 사람들은 강석운의 명에 따라 움직이는 꼭두각시가 되어 클럽에서 쏟아져 나왔다. 이 클럽만이 아니다.

"한국 사람들이 생각하는 것 이상으로 한국엔 마약중독자가 많군. 나도 몰랐는데? 거참~"

강석운은 거리로 쏟아져 나오는 사람들을 보며 조소했다.

아웃레이지를 먹은 뱀파이어의 피를 이용해 만들어진 오염된 사이키델릭 문, 그것을 먹은 자들이 밤의 거리에 쏟아져 나온다. 유흥가와 클럽이 밀집한 거리긴 하지만 사이키델릭 문은 마약 중 가장 고가로 거래되는 LSD보다 몇 배는 더 비싼데도 그 중독자가 이렇게 많다니?

"역시 비싸면 잘 팔리는 대한민국답군."

강석운은 그리 말하며 양팔을 벌렸다. 파갈과 두오델은 그런 강석운의 모습을 보며 혀를 내둘렀다.

저들을 조종하고 있는 이는 강석운만이 아니다.

사람들 사이에 흐릿한 유령들이 보인다. 흡사 말세의 한 장면 같다.

"…맙소사."

파갈은 두오델을 바라보며 자신의 절망을 나누었다. 뱀파이어이긴 하지만 파갈의 감성은 인간이던 때와 다를 게 없었다. 더구나 아이러니컬하게도 파갈은 독실한 가톨릭교도였다.

"오, 신이시여. 성모시여……."

파갈은 연신 성호를 그어댔다.

"너 진짜 웃긴 거 알고 있지?"

두오델은 뱀파이어이면서 성호를 긋고 신에게 기도하는 파갈을 보며 비웃었다.

"신에게 빌어봐야 소용없다는 건 이제 슬슬 경험상 알 때가 되지 않았냐?"

4

한세건은 아르쥬나의 벽면에, 평상시는 각종 광고용 영상을 틀어놓는 TV를 조작해 인근에 설치한 CCTV가 보이도록 했다.

결과는 충격적이었다.

"갑자기 로메로 감독의 세계가 펼쳐지는군."

한세건은 그렇게 평했다. 실제로 TV에 나오는 모습은 마치 옛날 좀비 영화의 한 장면처럼 보인다. 일반인들, 토요일 밤을 열정으로 불살라 마땅한 복장의 젊은이들이 기괴하게 비틀린 채 걸어오고 있었다.

그리고 저들이 결계 안으로 들어올 때마다 아르쥬나 내에 있는 오브제가 반응한다.

"저게 결계를 자극하는 존재라고? 일반인들로 보이는데?"

헌터들 사이에서 그런 의문이 나왔다. 한세건은 어이가 없어서 그 헌터를 바라보았다. 좀비들이 바글바글 몰려와도 '아이돌 스타 기다리는 팬들인가 보다' 이딴 소리 할 녀석 같다. 저게 어디가 일반인으로 보인단 말인가?

"일반인이었던 거겠지."

서현이 대신 헌터들에게 말했다. 다른 헌터들은 다들 꿀 먹은 벙어리가 되어서 서현과 한세건을 바라본다.

"그, 그럼 구울인가?"

헌터들 사이에서 그런 답이 나왔다.

'아주 햇님 반 어린이들 다 모였다. 왜들 이러지?'

한세건은 자신보다 나이도 많은 헌터가 마치 어미가 먹이 물어다 주길 바라는 새끼 새처럼 입 벌리고 기다리고 있는 상황이 이해가 되질 않았다.

물론 이게 적들이라면 한세건은 금방 이해했을 것이다. 무리가 많이 모이면 리더가 결정할 동안 다른 이들은 결정을 유보한다. 무리 짐승들의 일반적인 패턴이 그러하다. 한세건은 그런 습성을 이용해 혼자서 뱀파이어 무리를 갈기갈기 찢어놓고 유린했었다.

하지만 정작 자신의 입장이 되자 이해하기 힘들었다. 그는 지금 이 다른 헌터들이 자신을 리더로 받아들이고 있다는 상황을 상상조차 하기 싫어했으니까.

무엇보다 한세건 때는 멘토라고 할 만한 사람이 딱히 없었다. 실베스테르나 김성희, 송덕연 등이 그를 인도해 주고 가르쳐 주긴 했지만 이런 세세한 것을 챙겨준 적은 없었다. 어째서 이놈들은 뭐 해준 것도 없이 다들 거저 달라고 입 벌리고 쩍쩍거릴까?

"구울은 아니야."

서현이 혀를 차면서 한세건 대신 다른 헌터들에게 말했다.

뱀파이어에게 물려서 피를 한계까지 빨리고 그들의 타액과 혈액, VT인자에 의해서 저주받아 조종당하는 존재, 구울. 뱀파이어들 중에 좀 경험이 많은 놈들은 의도적으로 구울을 만들어 낼 수 있었고 그런 구울을 이용해 자신을 추적하는 뱀파이어 헌터들을 습격시키고, 총알받이로 내세우는 경우가 많았다.

하지만 뱀파이어 헌터들이 집결해 있고 강력한 마법사인 김성희의 아지트, 아르쥬나를 고작 구울 정도로 공격한다는 건 뭔가 잘못되어 있다.

육탄전으로 구울을 제거해야 한다면 힘들겠지만 총화기를 갖추고 있다면 인간 형태의 표적물에 불과하다.

"구울은 아닐 테고 사람들이 갑자기 좀비가 된 것도 아니라면……."

헌터들 사이에서 그런 의문이 맴돌았다. 뭔가 알 것 같기도 한데 해답이 안 나오고 있는 답답한 상황이다.

그때 김성희가 입을 열었다.

"…변형된 사이키델릭 문."

김성희는 대번에 상황을 파악했다.

아웃레이지에 걸린 뱀파이어의 피, 그 피를 정제해 만들어낸 마약 사이키델릭 문이 인근 유흥가의 클럽을 통해서 퍼져 나간 것이다.

"변형된 사이키델릭 문에 중독된 이들이 혼팅에 걸렸어. 그 혼팅을 이용해서 악령들이 저들을 지배하고 있는 거야."

김성희가 결론을 도출해 내자 헌터들이 아연실색했다. 헌터들에게 혼팅은 마치 말하면 찾아오는 재앙과도 같았다. 사이키델릭 문에 과도하게 의존하는 이들의 혼백은 순식간에 만신창이가 되고 그렇게 되면 본의 아니게 영감이 높아진다. 영감과 영적 반응력이 높아진다고 하면 능력의 개발이라고 생각할 수도 있겠지만 이 경우는 벽이 얇아지는 것과 같다고 할까.

강화나 개발이 아니라 마모라고 표현하는 게 더 올바른 경우다.

그렇게 해서 영적으로 개발된 자들은 이윽고 귀신 들림 현상을 경험하게 된다. 밖에서 찾아오는 악령들과 자신 안의 악령, 사이키델릭 문 안에 내재되어 있던 악령들이 시시각각으로 영향을 주면서 그의 몸을 빼앗으려 한다.

"오염된 사이키델릭 문을 유통시켰다고?"

"우, 우린 아니야!"

다른 헌터들은 한세건에게 미리 자신들의 결백을 주장했다. 하지만 한세건은 그들을 쳐다보지도 않았다.

어차피 이들의 실력으로는 아웃레이지를 투약한 뱀파이어를 잡기 힘들다.

한세건과 서현이 서울로 진공해 오는 뱀파이어들을 상대할 때 뱀파이어 놈들은 탄약을 몸으로 마셔서 없애 버린다고 해도 과언이 아닐 정도로 강력한 재생 능력을 보여주었다. 서현이나 한세건이니까 망정이지 일반적인 헌터들이라면 도저히 이길 수 없는 적이다.

그렇다면 어디서 변형된 사이키델릭 문이 시장으로 나왔을까?

"뻔하지. 뱀파이어들이 직접 유통시킨 거다. 앙리 유이의 세력이 아주 재미있는 짓을 하는군."

한세건은 대수로울 것 없다는 듯 말했다.

"고객님들이 들고일어난 셈이군그래?"

루스킨이 그렇게 말했다. 그러자 모두의 시선이 루스킨에게 몰리는 게 아닌가?

"어. 그, 그러니까 저 사람들 사이키델릭 문 중독자고 그러면 아무래도 평상시 뱀파이어 헌터들이 파는 마약을 사주는 고객님 아니었겠냐 그, 그런 말인데. 말이지. 이걸 마치 소비자들이 클레임을 거는 것처럼 묘사하는 게……."

안쓰럽게도 루스킨은 자신이 한 말을 설명하기 시작했다. 그런 안쓰러운 짓을 하는 루스킨을 보며 서현은 손짓했다.

"설명하지 마. 심히 안쓰러우니까."

"아니. 난 그, 오해할까 봐."

그러는 동안 헌터들은 우왕좌왕하고 있었다.

"우, 우린 어쩌지?"

"뭔가 제안이 있나?"

뱀파이어 헌터들이 한세건에게 물어본다. 저들이 아르쥬나를 목표로 삼는 것이라면 이곳에 있는 게 위험하다. 하지만 도망쳐? 보나 마나 사방팔방에서 포위망을 형성하고 그 포위망을 좁혀오고 있는 상태일 텐데 여기서 밖으로 나가는 건 자살행위다.

"제안이라… 저걸 제어하는 악령들을 요격해야지. 저것들은 앙리 유이가 릴리쓰를 본떠서 만들다 실패한 실패작이야. 릴리쓰만큼의 힘은 없지."

한세건은 당연하다는 듯 말했다. 하지만 그 말을 듣는 순간 대부분 헌터의 안색은 부모님 부고를 들은 10대 청소년처럼 파리해졌다.

육신이 있는 뱀파이어라면 모를까, 영적인 존재는 일반적으로 뱀파이어 헌터들이 쓰는 무기가 먹혀들지 않는다.

물론 그럴 때를 위해서 마도구가 있긴 한데…….

벽조목으로 만들어진 나무 단도라든가. 벼락 맞아 녹아내린 교회의 십자가를 마법사가 벼려내어 만든 장검, 미카엘의 이름으로 축복받은 석궁용 볼트 같은 무기로 무장하고 적들과 싸우라는 건 뱀파이어 헌터들에게는 그야말로 미친 짓으로밖에 보이지 않았다.

'확실히… 이건 꽤.'

서현도 헌터들의 동요되는 심정을 이해할 수 있었다. 현재 이곳에 있는 이들 중 악령에 제대로 대항해 싸울 수 있는 자는 마법사인 김성희와 한세건, 그리고 서현 자신 정도일 것이다.

루스킨의 각인 능력은 컨트롤이 부실하고 빼또쥬의 능력은 악령들에게 써먹을 만한 게 못 된다.

앙리 유이는 뱀파이어의 군주로서만이 아니라 사법 교단 네크로폴리스의 두령으로서 아르쥬나를 공격해 온 것이다.

"당신들은 방어선을 만들어. 방어선이 쓸 만하면 악령들이 직접 요격하러 나타날 테고 그때 내가 저들을 죽이겠어."

한세건의 손에서 한때 그를 좀먹었던 혼팅이 구체화된다. 검은 사슬이 팔뚝에 감긴 것처럼 나타나는 그 모습은 과거 이 땅에서 최후를 맞이했던 진마, 유다의 모습과 닮아 있었다. 녹색으로 부분 염색한 머리칼과 푸른 귀화를 내뿜으며 타오르는 눈동자, 흑색의 저주가 뒤섞여 그가 서 있는 영역만 비현실적으로 일그러지고 있었다.

그러나 그때였다.

"아니, 그럴 필요 없어."

누군가가 테이블의 차임벨을 눌렀다.

바라보니 그곳에는 김성희가 테이블 위에 올라와 있었다. 그녀는 앞치마를 휙 벗어 던지고 정장 스리피스 치마와 스타킹으로 검은 광택을 발하는 다리를 테이블 위에 드러냈다.

"여기가 코요테 어글리인 줄은 몰랐는걸?"

서현이 그렇게 중얼거렸고.

"아름다우십니다, 누님."

루스킨이 좋다고 박수를 쳤다. 이 상황에서 좋아하다니 배짱이 두터운 건지 속이 없는 건지.

"…저 여자가 네 엄마보다 나이 많을걸, 루스킨."

빼또쥬가 그렇게 말하자 김성희의 구두가 테이블 위에 떨어져 있던 얼음을 밟았다. 빼또쥬의 얼굴을 향해 얼음 조각이 날아가 충돌했다.

"어머, 미안해라."

"……."

빼또쥬는 얼음을 받아내고 짜증을 내려 했지만 루스킨이 그를 말리고 키득거렸다.

"나이가 뭔 상관이야. 예쁘면 좋은 거지."

"아, 진짜."

당사자 앞에서 당당히 성희롱을 해대는 둘을 보며 서현은 한숨을 내쉬었다.

그런데…….

'어?'

서현은 깜짝 놀랐다. 서현뿐만이 아니다. 한세건도 놀라서 김성희를 바라보고 있었다.

뭔가… 안구 밑바닥을 갈퀴로 긁는 것 같은 느낌이 든다. 굉장히 신경 쓰여서 눈 근처의 근육들이 경련을 일으킨다.

어마어마한 영적인 힘이 김성희로부터 뿜어져 나오고 있었다.

김성희는 손을 들어 아르쥬나의 1층 천장에 손을 대었다.

"왜 그동안 다른 뱀파이어들이 아르쥬나를 공격하지 않았었는지 보여주지."

김성희가 그렇게 말하는 순간…….

갑자기 아르쥬나의 안에 무수한 파리가 모습을 드러내기 시작했다.

"뭐, 뭐야?"

"체체파리다. 피해!"

다른 헌터들이 놀라서 테이블 밑으로 기어들어 갔다.

김성희는 한국에서 실베스테르의 제자로 알려져 있었다.

본래 엄밀히 말하면 마법사 협회의 간부 오스왈드 경의 제자이지만 그녀의 후견인이 실베스테르라는 것은 아무도 부인할 수 없는 사실이었다.

이미 수백 년 이상 살아온 마인 실베스테르의 재산을 관리하고 아르쥬나를 운영하며 헌터를 돕는다. 그동안 뱀파이어들과의 관계 때문에 헌터들을 직접 육성하는 듯한 행위를 삼가던 마법사 협회에도 가입하고 베난단티나 레메게톤 연구회, 박물학회 등과도 친분을 맺었다.

처음엔 동양의 소국, 그것도 어디 붙어 있는지조차 모르는 땅에서 마법사로서 뱀파이어 헌터들을 돕겠다고 하는 그녀를 조롱하고 조소하는 이가 대부분이었다. 하지만 김성희의 마법의 힘을 보고 난 뒤……

그녀를 조소하는 이는 아무도 없었다.

그리고 지금… 그 힘의 실체가 드러났다.

수면병을 일으키는 아프리카 특산 파리들이 1층 천장 벽으로부터 검은 구름을 이루며 나타난다. 한국에 있다는 것 자체가 말도 안 되는 벌레인데 그 수가 너무 많다. 게다가 저것들… 은

은하게 녹색빛을 발하고 있지 않은가?

"…마법인가?"

서현은 그 마력을 느끼며 쓴웃음을 지었다. 김성희가 불러낸 파리 떼가 아르쥬나의 현관에 충돌하더니 무리의 압력만으로 문을 밀어 열고 날아갔다. 아무리 많은 수라고 해도 벌레 하나하나가 나는 힘이 얼마나 대단하다고 유리문을 밀어 열고 나갈 수 있을까?

유리문에 붙어 있는 모 해충구제업체의 광고판이 무색하다.

"법률상 휴게음식점인데 파리는 좀 그렇지?"

김성희가 그렇게 물어보았지만 아무도 대답하지 못했다.

5

강석운은 망령이 된 지금도 이성을 잃지 않고 있었다. 그는 앙리 유이가 변형시킨 VT인자로 만들어진 사이키델릭 문에 오염된 사람들을 조종하면서 몸소 진두지휘에 나섰다.

"신기한 감각이로군."

그는 자신의 팔을 들어보고 쓴웃음을 지었다. 망령, 아니, 정확하게는 정보생명체. 살아 있을 때의 혼백을 백업해 두었다가 죽음과 동시에 저주를 발동시켜 정보생명체로 부활한다는 것은 뭐랄까, 살아나서 다행이긴 하지만 육신이 없다는 감각은 매우 신기하다.

보통 육신이 없이 기억과 정신만 전사되면 육욕이나 식욕, 성욕도 없어야 하게 마련이다. 뇌하수체에서 분비되는 다양한 호르몬과 그로 인한 연쇄작용으로 욕망의 방아쇠가 당겨지게 마련인데 지금의 그는 육체가 없으니까.

　하지만 놀랍게도 생전의 욕구가 전사되어 고스란히 남아 있었다. 평상시처럼 강한 것은 아니지만 약간의 성욕도 있고 식욕, 은근한 허기도 느껴진다. 그럼에도 불구하고 역시 신체가 없음은 이질적인 감각이다.

　그것을 생각하며 걷던 강석운의 얼굴에 찌릿한 감각이 느껴졌다. 망령이 된 이후 처음으로 겪는 촉감에 강석운은 화들짝 놀라 뒷걸음질 쳤다.

　투명한 힘의 장막이 펼쳐져 있다. 아르쥬나의 결계인가?

　"이 이상 접근하는 건 위험하군. 맙소사. 이 정도 대규모 결계를 발동해 두고 있단 말인가?"

　그는 아르쥬나의 결계 밖에 섰다. 그가 멈추자 다른 망령들 역시 수군거리며 멈춰 섰다.

　"이 여자 마법사가 이곳을 자신의 영역으로 바꾼 지 꽤 오래되었지…… 그렇다면 안에 어떤 방어 체계가 있을지… 모두 밖에서 대기하고, 결계 안으로 들어가는 건 오직 인간으로 제한하도록."

　강석운의 제어 아래에 있는 인간들이 안으로 걸어 들어간다. 그때마다 결계가 반응한다. 적대적인 주술과 마법, 그리고 악령과 뱀파이어에게 반응하는 탐지용 결계, 저걸 건드렸다는 건 이미 자신들의 행적을 상대방이 알고 있다는 소리다.

하지만… 강석운은 가만히 기다리고 있었다.

이 모든 행동은 테트라 아낙스를 소진시키기 위한 공격이다. 인간을 죽여 나가면서 사회적 물의를 빚고 그로 인해 테트라 아낙스를 소모시킨다. 이런 작전의 문제점은 투입되는 병력이 자신을 소모재라고 인식해 버릴 때 발생한다.

강석운도 그걸 잘 알고 있어서 가급적 소모재라는 느낌을 주지 않도록 계획을 수립해 왔다. 하나 외국인 선원 뱀파이어들이 불평한 대로 정 노인과 그 일당들의 서울 진공이 허망하게 끝나 버렸다.

"그게 성공했으면 결코 소모재 따위가 아닌 작전이었는데, 아웃로들은 너무 단순무식해서 결과만 보니 문제란 말이지."

게다가 이 결과가 실패인가?

절대 그렇지 않다. 전술적으로는 실패처럼 보일지 몰라도 전략 목표는 달성했다. 테트라 아낙스는 서울 진공을 막기 위해 막대한 에너지를 소모해야 했고 이것은 가뜩이나 기존의 테트라 아낙스와 다르다는 걸 어필하기 위해 오라클 시스템을 해체한 서린에게 큰 부담이 될 것이다.

결국 서린은 다시 오라클 시스템을 가동하고 앙리 유이를 토벌하려 하거나… 아니면 여전히 깨끗한 도덕군자인 양, 오라클 시스템을 가동하지 않고 앙리 유이와 정면 대결 하면서 자신의 왕국이 앙리 유이에 의해 불타는 걸 지켜봐야 할 것이다.

'이건 장기전인데 말이야. 쯧… 사업하는 것보다 훨씬 어렵군. 사업은 언론사와 정치가만 구워삶으면 일사천리로 돌아가는데.'

강석운이 그렇게 생각하고 있을 때였다.

갑자기 가로등 빛이 가려졌다.

왜애애애애앵!

불길한 날개 소리가 가로등이 있던 곳에서 울려 퍼진다. 한적한 공원의 가로수 틈을 따라 녹색 구름이 퍼져 나와 가로등의 빛을 가린다.

강석운이 처음 투입한 병력이 앞으로 나아가지 못하고 쓰러지더니 사라진다.

"아니?"

의아해한 강석운은 시험 삼아서 젊은 남성 두 명을 접근시켜 보았다.

그러자 가로등을 감싸고 있던 구름들, 무수한 벌레 떼가 일제히 뿜어져 나와 남성들을 덮쳤다.

"…맙소사."

강석운은 놀라서 뒷걸음질 쳤다. 사람 엄지손가락 마디처럼 알이 굵은 커다란 파리가 달라붙어 쏘기 시작한다. 파리가 귀신 들린 자에 달라붙어 일제히 피를 빠는 모습만 해도 끔찍한데…….

더더욱 끔찍한 것은 그 공격이 영체와 망령들에게 직접 타격을 준다는 것이다. 즉, 저 파리는 마법적인 존재다.

"으음! 피를 빠는 파리…….."

한국에 있는 대부분의 파리는 입으로 소화액을 바르고 핥는 데 특화되어 있다. 직접 주둥이로 사람의 피부를 물고 피를 빠는 종은 한국에 자생하는 파리가 아니다.

"그 여자 마법사의 재간인가?"

과거에도 몇 차례, 김성희의 정체를 알기 위해 접촉해 본 적이 있었다. 뱀파이어들조차 일단 접근하면 소리 소문 없이 사라지곤 했는데 그 이유를 알겠다. 왜 아르쥬나에서 계속적으로 마도구와 총화기를 제공하는데 뱀파이어들이 아르쥬나를 직접 공격하지 못했던가?

그건 김성희라는 마녀의 힘이 너무나도 막강했기 때문이다.

'이런 파리는 한국 풍토에 서식할 수가 없어. 끽해야 결계 안에서나 활동하겠지.'

그리 생각한 강석운은 결계 밖으로 물러났고 그의 예측은 맞았다. 체체파리는 결계 주위까지 몰려왔지만 그 이상은 나가지 않았다.

하지만 그럼에도 여전히 구름처럼 운집해 결계 안쪽을 맴돌며, 한 발짝이라도 들어오면 죽음을 선사하겠다고 으르렁거리고 있었다. 실제로 안에 들어간 이들은 누구 하나 살아남지 못하고 몰살당했다.

"과연, 이래서 아르쥬나는 아무도 건드리지 않았나? 이 안이라면 정말 무적이겠군."

저 파리 떼는 마력적인 힘도 있어서 형태가 없는 영적 존재, 정보생명체 상태인 강석운조차 위험하다.

아르쥬나를 공격하는 건 어리석은 일이었음이 증명되었다. 그러나…….

"난 이미 한 번 죽었지. 무서울 것도 없어."

강석운은 손가락을 튕겼다. 그의 지배하에 있는 혼티드 소울, 혼 팅에 걸린 이들이 으어어어 하고 비명을 지르며 결계로 돌진했다.

파리들이 몰려들어 그들을 덮친다.

동물들의 피를 빠는 파리들이 사람의 몸에 빈 공간 하나 없이 빽빽하게 달라붙어서 피를 빨고 죽인다.

하지만 이건 자신들의 목을 조르는 행위가 될 것이다.

사이키델릭 문에 중독된 자들을 대량으로 죽이면 뱀파이어 헌터의 기반이 붕괴된다. 경찰들도 사이키델릭 문의 단속을 시 작할 테고 한국뿐만 아니라 전 세계적으로 마약 단속이 시작될 것이다. 사이키델릭 문에 경찰력의 손길이 닿게 되면 그것은 테 트라 아낙스도 좌시할 수 없는 문제가 된다.

즉, 저들을 죽이는 행위는 뱀파이어 헌터의 기반을 스스로 파 괴하는 꼴이 된다.

김성희의 파리 떼가 벌이는 살인 장면은 CCTV를 통해서 여 과 없이 아르쥬나 안에 전해지고 있었다. 뱀파이어 헌터들은 그 모습을 보고 모두 입을 다물었다. 김성희의 매력적인 외모에 찬 사를 늘어놓던 루스킨조차 꿀 먹은 벙어리가 되었다.

마녀.

이 단어가 지니는 무게가 이렇게 현실적으로 다가온 적은 없 었으리라. 그렇다. 눈앞에 있는 이 여성이야말로 마왕과 계약한 마녀, 끔찍하고 잔악무도한 마법사였다.

왜 헌터를 지원하는 아르쥬나를 뱀파이어들은 소가 닭 쳐다

보듯 애써 무시하며 지나쳤는가?

그 질문에 대한 답이 여기에 있다.

모두들 김성희가 펼치는 무시무시한 마법의 힘 앞에 입을 다물고 있을 때 한 사람이 정적을 깼다.

"당장 그만두지그래요."

한세건이었다.

김성희는 매력적인 미소를 지어 보이며 고개를 돌렸다.

"미안하지만 세건아, 일단 시작하면 멈출 수가 없는걸?"

"그럴 리가 없지요. 저것들은 당신의 마법의 제어를 받으니까. 기분 나쁜 농담은 그만두고 내게 딱 10분만 시간을 주세요."

한세건은 카페에 있는 조리용 타이머를 눌러 10분 세팅을 해두고 밖으로 나갔다.

서현이 그 모습을 지켜보고 있자 나갔던 한세건이 다시 문을 열고 서현을 불렀다.

"너 그 병신 같은 자전거 가지고 왔지?"

"병신 같은 자전거라니… 화석연료 안 태우고 속도도 빠른데. 너처럼 화석연료나 태우는 인간에게 비교되다니!"

서현은 살짝 상처받았다. 어쨌거나 이러니저러니 해도 지금 한세건에겐 서현이 필요하다.

"따라와."

"따라와 주세요, 겠지."

"신소리가 많이 는 걸 보니 위산 과다겠구나. 라이칸스로프니까 위궤양 염려는 없어서 좋겠군."

한세건은 그리 말하며 주차장에 세워둔 자신의 바이크에 올라타고 장비를 점검했다.

"시간이 별로 없어. 적들은 결계 밖에 있을 테니 빠르게 돌격해서 저것들을 조종하는 망령을 처단한다."

"전에 그 여자 유령도 제대로 처단 못 했는데 괜찮겠어?"

"그거에 대해서 생각해 봤는데……."

한세건은 흑영박을 펼쳤다. 한세건의 의지에 굴복한 혼팅, 이제는 한세건과 하나나 다름없는 저주가 검은 가시덩굴처럼 한세건의 주위로 펼쳐졌다.

"내가 저들의 영체에 직접 공격을 가하겠어. 내 흑색 저주로 놈들의 영체를 먹어치우겠다."

"……."

그 순간 서현은 뒤통수가 따끔하고 저려오는 걸 느꼈다.

이론상으로는 가능하다. 아니, 가능한 게 당연하지. 그러니까 앙리 유이가 한세건을 원하는 게 아닌가?

한세건이 가진 저 혼팅과 흑색 저주의 힘은 릴리쓰에게서 기원한 것이다.

'하지만 그런 짓을 하게 했다가는…….'

6

앙리 유이의 무력, 그가 얼마나 치밀하게 반역을 준비해 왔고 테트라 아낙스를 얼마나 번거롭게 하는 강력한 세력을 구축했는지는 이제 증명되었다.

하지만 앙리 유이는 그 이상을 증명해야 했다.

월야의 세계, 뱀파이어들의 세계를 이끌 수 있는 역량이 있음을 증명해야 한다.

테트라 아낙스가 가진 정신 조작, 텔레파시, 그리고 예지 능력이 없다면 아무리 강력한 존재라 해도 월야의 세계를 운영할 수는 없다.

그래서 앙리 유이는 강력한 정보생명체, 태초의 영을 역산하는 작업을 시행하려 하는 것이다.

신의 파편으로 이뤄진 인간과 뱀파이어, 그들을 통해서 신을 역산해 내는 작업.

그것은 마법사로서 위대한 위업이기도 하지만… 그런 명예뿐만 아니라 현실적으로 앙리 유이에게 필요하다.

테트라 아낙스를 대신해 월야의 세계를 운영할 정보 조작 능력, 그것을 얻지 못하면 아무리 무력에서 테트라 아낙스를 압도한다 해도 제왕이 될 수는 없다.

이런 상황의 앙리 유이가 한세건을 확보하려고 집착하는 것은, 태초의 영을 만들어내어 이 월야의 세계를 운영할 힘을 손에 넣으려 하는 것이다. 만약 태초의 영, 릴리쓰 같은 것을 지배할 수만 있다면 테트라 아낙스 이상의 힘과 재주를 손에 넣게 되는 것이다.

"이봐, 한세건. 앙리 유이가 왜 당신을 노리고 있는지 알아?"

"왜지? 시간 없으니까 짧게 설명해 봐."

한세건은 탄창을 확인하고 택티컬 베스트에 탄창을 끼워 넣으면서 말했다.

"…보통 태초의 영을 만드는 방법은 뱀파이어나 라이칸스로프, 인간의 영성을 한 개체에 강제로 주입해서 그게 융합되도록 유도하는 건데. 지금까지 아무도 그걸 성공하지 못했어. 정보가 넘쳐나면 커럽티드가 되어버리니까."

서현도 구르카 나이프를 꺼내서 축성받은 성수를 부었다. 망령들에겐 거의 효과가 없다시피 하지만 그래도 바르지 않는 것보다는 낫다.

"……."

"넌 분명히 뱀파이어 헌터로서 사이키델릭 문 과다 남용으로 커럽티드나 뱀파이어가 될 뻔하다 멈췄지? 그 후 네 안에서 그 융합이 이뤄진 거야. 즉, 너야말로 가장 안정적인 소체라고 할 수 있지."

서린이 손대기 전까지는 계속해서 약물을 투약해야 했다. 하지만 서린이 테트라 아낙스가 되고 몸을 조정해 준 이후에는 그런 약물이 필요 없어지고 자신에게 걸린 저주를 완전히 제어할 수 있었다.

"그러니까 앙리 유이가 나를 이용해서 그 태초의 영인지 뭔지를 만들려고 한다는 건 알겠어. 그렇게 만들고 나면 그다음은 어떻게 되는 거지??"

"그다음엔 너로 오라클 시스템을 대체해서 테트라 아낙스를 대신하겠지. 태초의 영의 일원인 릴리쓰가 나나… 다른 무수한 괴물을 낳은 걸 볼 때 불가능한 일은 아니야."

그사이 한세건은 글록의 배럴을 분리해 축성받은 대영체용 배럴로 바꾸고 있었다. 벼락 맞은 교회 십자가를 소재로 마법사들이 마력을 부여해 가면서 만든 총화기용 총열은 그 총열을 통해 발사되는 무기에 미약하나마 영력을 건다.

비싼 가격에 비해 그 효용은 미지수이긴 하지만 역시 없는 것보다는 나으리라.

"저것들은? 윈슬렛이나 지금 저기 몰려 있는 망령들은 뭐가 다르지?"

한세건은 총열을 바꾸면서 계속 질문을 던졌다.

"저들은 이미 상당히 태초의 영에서 열화된 릴리쓰를 흉내 낼 뿐이야. 정보생명체까지는 되었지만 태초의 영이라고 하기엔 모자란 상태지. 아무래도 소체가 그렇게 좋지는 않으니까."

선천적인 초능력자들을 이용해서 만든 유사 릴리쓰, 하지만 그것들은 죄다 실패작이다.

그러니 앙리 유이는 한세건을 노리고 있었다.

"멍청한 놈이군. 그럼 나부터 노렸어야지, 왜 테트라 아낙스에게 싸움을 걸면서 동시에 나를 노리지?"

"테트라 아낙스에게 대놓고 반역한다고 하지 않았으면 아그니 같은 놈이 앙리 유이에게 협력할 리가 없잖아. 다른 뱀파이어들의 지지를 이끌어내고 그 힘을 얻기 위해 하고 있는 걸 거야. 준비 끝났나?"

"끝났다."

한세건이 스마트폰을 꺼내 근처 지도에 뭔가 메모를 쓱쓱 하더니 서현에게 보냈다.

"적들은 결계의 밖에 있을 거야. 습격을 해야겠지. 내가 저 영체들과 상대할 수 있도록 네가… 적들을 유인해라."

"나보고 미끼 역할을 하라고?"

"라이칸스로프라 몸 하나는 튼튼하잖아?"

"튼튼하니까 막 굴리라고? 그런 식이면 은행은 돈 많으니까 막 퍼주면 되겠다. 응? 말 같지도 않은 소리를……."

서현이 그렇게 투덜거렸지만 한세건은 어깨를 으쓱해 보이더니 말했다.

"부탁하지."

"…어휴, 개자식. 부탁이라니까 봐줬다."

서현은 한숨을 내쉬고 자전거에 올라탔다. 자전거지만 어지간한 오토바이 뺨치는 가속력으로 바닥에 타이어 자국을 남기며 휙 사라져 갔다.

"투덜거리면서도 시키면 잘하는군. 단순한 녀석."

강석운은 다른 망령들과 함께 사이키델릭 문에 중독된 중독자들의 몸에 엑토플라즘을 잔뜩 처바르고 파리 떼 안으로 돌격시켰다.

파리 떼는 가차 없이 공격했다. 사람 하나 죽이는 데 2초면 충분한 살인 파리 떼가 순식간에 남김없이 달라붙지만 중독자는 파리를 매단 채로 걸어간다.

두껍고 끈적한 엑토플라즘이 파리 떼의 공격을 차단하고 있
는 것이다.

하지만 이 파리 떼도 보통은 아니다. 엑토플라즘에 파리들이
가지고 있는 마력, 저주가 충돌해 부수면서 결국은 중독자를 쓰
러뜨려 죽여 버린다. 마법으로 불러들인 파리라고는 해도 미물
에 불과한 것들이 이 정도란 말인가?

"설마… 바알제불 같은 마왕이랑 계약한 건 아니겠지?"

강석운은 파리 떼의 강력한 힘에 반신반의하면서 엑토플라즘
을 준비했다. 엑토플라즘조차 파괴하는 파리 떼의 공격은 무시
무시했지만 맨몸으로 돌파하는 것보다는 확실히 낫다.

"마치 무슨 게임 같군."

순차적으로, 사방팔방으로 병력을 투입시킨다. 파리 떼는 제
일 처음 들어온 이를 주목표로 삼고 덤벼들기 때문에 한 명이
그렇게 주의를 끄는 동안 다른 이들은 습격을 받지 않고 아르쥬
나를 향해 접근하고 있었다.

파리 떼만으로는 막을 수 없다는 판단이 들었는지 아르쥬나
에서 총격이 시작되었다.

"쯧쯧. 민간인도 가차 없군. 잔인한 마약상들 같으니. 자신들
의 마약을 충실히 소비해 주던 고객에게 너무 배은망덕하군."

강석운은 그리 말하면서도 계속해서 병력을 투입했다.

그런데 그때였다.

쉭!

강석운의 몸을 한 발의 화살이 관통했다. 강석운이 깜짝 놀라 몸을 돌렸지만 그 순간⋯ 무릎이 꺾였다.

"엇!"

놀랍게도 육체가 없는 그가 타격을 입고 주저앉은 것이다. 깜짝 놀란 그가 옆을 보니⋯ 놀이터 입구, 콘크리트 벽에 맞은 화살이 부서지는 게 보였다.

나무 화살이다. 아마도 재질은 벼락 맞은 대추나무, 벽조목으로 만들어진 것으로 예부터 한국에서 악령을 퇴치하고 재액을 물리친다고 믿어지는 재질이다. 주술 도구임에 분명하다.

"음!"

강석운은 급한 대로 지면에 몸을 숙여, 아니, 지면에 몸을 파묻어 다음 공격을 피하기로 했다. 과연 두 번째 화살이 아슬아슬하게 그의 머리를 스쳐 지나갔다

'이런⋯ 마도구가 있었군. 너무 안일하게 굴었어.'

벽조목 화살의 위력은 그다지 강력하진 않았지만⋯ 강석운은 최대한 주의하기로 했다. 피와 살로 이루어진 존재라면 상처를 입어도 재생하는 게 가능하지만 정보생명체, 악령은 그런 게 불가능하다. 상처 입은 부위가 수복되면 수복될수록 생전의 기억과 인성이 변질되어 결국에는 이성도 남지 않은 괴물이 되어버린다.

그럴 수는 없다.

"공격해!"

강석운의 명에 따라서 변형된 사이키델릭 문에 중독된 중독자들이 질주한다. 그리고 그들 사이로 망령들이 움직인다.

릴리쓰를 만들기 위한 시도의 실패작이지만 이들만 해도 위험한 상대다. 벽조목 화살 따위로 완전히 저지할 수는 없을 터, 과연 상대는 몸을 돌려 도주하기 시작했다.

"음?"

오토바이라면 엔진음이 나야 할 텐데 소리가 나지 않는다.

"설마 자전거인가?"

실소가 나왔다. 아니, 뭐 저런 걸 타고 다니는 놈이 있지? 그러나 다음 순간 그는 자전거를 탄 채 훅 하고 몸을 날리더니 놀랍게도 1층 고깃집 덕트를 타고 올라가 지붕 위에 섰다.

"…저건……."

강석운은 그제야 상대가 서현이라는 걸 깨달았다. 마치 망토처럼 보이는 판초우의를 두른 그는 전통에서 화살들을 꺼내고 사냥용 컴파운드 보우를 들었다. FRP 몸체에 벽조목 화살촉과 멧돼지 사냥용 촉이 섞여 있다.

마약중독자들을 죽일 셈인가?

뭐, 그게 당연하겠지. 저놈은 한때 군벌과 테러 집단을 이끌고 이익을 위해 수천만의 인간을 죽이려 했던 전쟁범죄자다.

이제 와서 마약중독자 따위의 목숨을 아낄 리가 없다.

강석운의 입이 일그러졌다.

강석운의 예상과 달리 서현은 사람들을 죽이지 않기 위해 애쓸 심산이었다.

"하아. 사람은 죽이지 않고 망령만 제압하기라. 쉽지 않겠는걸."

서현은 묵직한 멧돼지 사냥용 화살촉들이 달려 있는 화살 대신 벽조목 화살을 꺼냈다.

망령들은 사람과 사람 사이를 오가며 날뛰고 있고 저들, 혼티드 소울은 보통 사람을 훨씬 상회하는 움직임을 보이고 있었다.

"내가 왜 이런 미끼 역할을 자처해서."

서현은 투덜거리며 벽조목 화살을 입에 가져가 물어 침을 발랐다. 벽조목 화살에 발라둔 동백기름이 코를 자극한다.

쉭!

서현이 쏜 화살이 정확하게 사람과 사람 사이를 지나쳐 망령을 강타했다. 망령이 흔들거린다. 손상을 입은 게 확실하지만 치명상은 아니다. 그냥 사람들 홀리려 하는 잡령, 부유령이나 지박령 같은 것들에게는 꽤 유용한 도구겠지만 릴리쓰같이 본격적인 태초의 영을 만들기 위해 작업했던 것들은 설령 목적에 부합되지 않는 부산물이라 해도 전설적인 악령과 맞먹을 정도로 내구력이 좋았다.

"벽조목 같은 싸구려 말고 뭔가 강력한 성유물 같은 게 아니면 곤란하겠는데."

서현은 계속 벽조목 화살들을 쏘아내었다. 대부분이 악령들에게 명중했지만 악령들은 중독자들의 몸과 몸을 관통해 가며 피해 다니기 때문에……

퍽!

섹시한 원피스 차림의 여성의 머리에 벽조목 화살이 명중했다. 벽조목은 보통 나무와 달리 단번에 수분이 빠져서 단단하게 굳지만 그래도 두개골을 꿰뚫기에는 역부족이었다. 하지만 여자의 몸이 철퍼덕하고 바닥에 패대기쳐질 정도로 활의 장력이 강했다. 게다가 컴파운드 보우… 보통 사람이라면 죽었다.

"아차. 젠장. 이건 좀 위험한데."

서현은 투덜거리며 여성을 바라보았다. 바닥에 철퍼덕 내팽개쳐져 팔다리가 기묘하게 뒤틀린 여성은, 설령 살아 있다 하더라도 치명적인 부상을 입었을 테지만…….

"히히히히히히……."

기묘한 웃음을 지으며 일어났다. 부러진 팔다리를 덜렁덜렁 흔들면서 기괴하게 걸어온다. 흡사 좀비 같다. 클럽에서 한껏 기분 내려 예쁘게 차려입었고 얼굴도 몸매도 상당히 괜찮은 여자지만 저렇게 걸어오면 온 세상 남자가 다 도망칠 거다.

"하아."

한숨을 내쉰 서현이 활을 메고 다시 자전거 핸들을 잡았다. 어차피 그가 맡은 것은 미끼 역할이니 적들을 유인하고 이동할 때가 되었다. 이렇게 해서 망령들과 사람들을 분리해 멀리 떨어뜨려 놓으면 한세건이 뭔가 하겠지.

그런데 그런 서현의 발을 잡아끄는 소리가 있었다.

"으아아악!"

"뭐?! 뭐야?!"

"프, 플래시몹인가 뭔가 그런 거 아냐?"

"아니! 저, 저 여자 방금 피투성이가… 이런 플래시몹이 어딨어?!"

"히익! 여기 사람이 죽어 있어!"

1층 고깃집 안쪽 사람들이 비명을 지르는 게 들려왔다. 망령들과 혼팅에 걸린 사람들이 진군하면서 일반적인 사람들은 다 죽거나 도망치지 않았나 싶었는데 아직 민간인이 남아 있는 모양이다.

"젠장, 생존자가 있군."

서현은 자전거를 돌리곤 1층으로 뛰어내려 착지했다.

고깃집 안에는 소주병을 병풍처럼 둘러치고 쓰러져 있던 젊은이들이 있었다. 대학 초년생쯤 되어 보일까? 술을 진탕 마시다 쓰러져 의식을 잃었기 때문에 망령이나 혼티드 소울들이 보기엔 시체나 다름없어 그냥 지나쳤던 모양이다. 그런 이들이 도중에 의식을 차리고 호들갑을 떨자 혼티드 소울들이 몰려온다.

어차피 다들 서현처럼 건물 옥상으로 단번에 뛰어오를 수는 없기 때문에 건물 벽을 기어올라야 했다. 그 때문에 다들 건물로 몰려오고 있다. 여기서 호들갑을 떠는 이들은 살해당할 게 자명하다.

"어휴."

서현은 착지하고 혀를 찼다. 술 먹고 제 몸도 가누지 못하는 남자 대학생들이 허우적거리는 모습을 보니 눈앞이 깜깜하다.

사지 멀쩡하게 잘 움직이는 놈도 여기서 살려 보낼까 말까 걱정인데……

'죽일까?'

서현은 활에 멧돼지 사냥용 촉을 걸고 중독자들을 바라보았다. 수가 좀 많긴 하지만 총도 없고 맨몸이다. 죽이려면 못 죽일 것도 없지.

하지만······.

'죽이지 않고 어떻게 해보자. 한세건이 뭔가 생각이 있는 거
겠지.'

서현은 심호흡을 하고 구르카 나이프를 뽑아 자신의 판초우
의를 자르기 시작했다. S자로 길게 잘라서 로프같이 만든 서현
은 그 판초우의에 염력을 불어넣어 수족처럼 움직이게 해 아직
도 몸을 가누지 못하는 취한 대학생들을 휘감았다.

"히익!"

"으아아악!"

"아, 시끄러워 좀. 가만히 있어!"

서현은 그리 말하고 자전거를 돌렸다.

"하하하하하. 라이칸스로프 용병단을 이끌던 자가 무슨 바람
이 들어서 그들을 구하려고 하지?"

적들 사이에서 악령의 목소리가 들려왔다. 그러자 서현은 가
운뎃손가락을 세우며 화답했다.

"변덕이 죽 끓는 대로, 맘 내키는 대로 살아갈 수 있는 게 강
자의 특권이지!"

덜컥··· 드드드······.

서스펜션과 프레임을 다운힐용으로 만들어서 수십 미터에서 떨
어져도 끄떡없이 착지할 수 있는 물건으로 세팅했다. 크랭크 암도
체인도, 경량화해서 최대한 무게를 줄이려는 일반적인 자전거 세
팅과 달리 무조건 강도를 높이기 위해 무게가 늘어나도 강도에 집

착한 세팅이라 서현의 무시무시한 힘이 가해져도 버텨낸다.

하지만 문제는 변속기였다.

프레임과 서스펜션은 다운힐이라는 장르가 있어 그쪽 장르의 부품들을 가져다 쓰면 되지만 변속기는 그런 게 없다.

일반 변속기를 개조해서 만들었기에 엄청난 토크가 걸리면 종종 제대로 작동하지 않고 체인에 갈려 버린다.

"…젠장. 내가 왜 시커먼 사내놈 구하려고 자전거 변속기를 갈아가면서……."

서현은 투덜거리며 토사물 냄새와 술 냄새를 풍기고 있는 대학생들을 판초우의로 감아 든 채 달리기 시작했다. 달리자마자 대학생들은 다시 구토를 시작했다.

"아! 진짜! 하지 말라고 해도 안 되겠지?!"

더구나 그게 끝이 아니다. 망령들 사이에서 새하얀 칼날 같은 것이 날아온다. 엑토플라즘을 경화시켜 투척용 칼과 창의 형상으로 바꾸어 쏘아 보내는 것이다.

서현은 주차장 거리에 주차되어 있는 아우디 R8의 지붕과 보닛을 바퀴로 찍고 뛰어오르며 뒤에서 날아드는 공격을 피해냈다.

"웁스! 보험사들에게 미안하군!"

비싼 수입차를 아작 낸 서현이 그렇게 말하는 순간 R8에 엑토플라즘 스피어가 꽂혔다.

퍽!

차량에 명중한 순간 엑토플라즘이 폭발하면서 마치 가시밭처럼 변해 버렸다. R8이 뒤집어지는 걸 보니 차주와 보험사가 다 함께 통곡을 할 것 같다.

차량이 뒤집어질 정도의 위력이니 사람이 맞거나 근처에 있기만 해도 꼬치구이 신세가 될 것이다.

"으아! 내가 이런 놈들에게 도망치다니!"

서현은 투덜거리면서 자전거를 몰고 달리다가 몸을 앞으로 굽혀 뒤쪽을 바라보며 벽조목 비수를 뿌렸다.

하지만 악령들은 이제 앞서지 않고 뒤에서 엑토플라즘을 쏘아낸다. 아니, 그걸 쏘아낸다고 봐야 할까?

"후후후후."

강석운은 엑토플라즘으로 거대한 투석기를 만들고 그 투석기에 엑토플라즘의 창들을 재워놓았다.

그리고 투석기가 발사되었다.

"…뭐……."

서현은 기겁했다. 기존의 망령들은 어쨌거나 머리를 쓰지 않았는데 이놈들은 다르다. 하늘에서 창들이 소낙비처럼 쏟아진다.

퍽!

투두두둑!

몇몇 창은 지면에 떨어지는 순간 날카로운 가시를 토해내고 몇몇은 공중에서 폭발하더니 거미줄처럼 변해 그물을 뿌린다.

서현은 창과 그물들을 그림같이 피해냈지만 그가 들고 다니는 남자 대학생들이 그물에 걸려 버렸다.

"켁!"

서현은 즉시 자전거의 브레이크를 잡았다. 그걸로도 부족해 자전거 몸체를 돌려 옆으로 미끄러지며 마찰력을 이용해 세우는 테크닉, 스키딩을 시전했다. 그렇지 않고 그대로 달려 나갔다가는 엑토플라즘에 걸린 남자 대학생들이 조각조각 찢어질 판이었다.

"아아아악!"

"우에에엑!"

토사물을 뿌리며 대학생들이 실신한다. 하지만 다행스럽게도 서현이 급정지해 큰 부상은 피했다.

"절세미인도 아니고 시커먼 남자들을 위해서 이렇게 애쓰다니. 역시 난 인류애의 화신인 것 같아."

공식 전범으로 인정받고 있는 서현이 말도 안 되는 헛소리를 한다. 한세건이 들었다면 진짜 토했을지도 모른다.

엑토플라즘의 창이 다시금 쏟아지지만 서현은 벽에 걸려 있던 현수막을 잡아들고 휘둘렀다. 현수막의 천이 마치 뻣뻣한 철판처럼 변해 날아드는 엑토플라즘 창을 쳐냈다. 창들 사이에 있던 그물이 펼쳐지지만 그 그물 역시 서현이 들고 있는 현수막에 걸려 들러붙을 뿐이었다.

"신기한 일이군. 진짜 살리려고 하잖아?"

강석운은 서현이 일면식도 없는 일반인을 살리기 위해, 도망칠 수 있는 상황을 포기하고 멈춰 선 것을 보며 의아해했다.

"내가 부탁했거든."

"뭣?!"

깜짝 놀란 강석운이 뒤돌아보는 순간 그의 가슴을 가느다란 철사가 관통했다. 물론 이미 육신이 없는 그에게 이런 관통은 아무것도 아니다!

하지만…….

그다음 순간 검은 가시덩굴 같은 것이 철사를 따라 번져오며 강석운의 몸을 덮쳤다.

"컥……."

유령이 된 이후 강석운은 처음으로 격통을 느꼈다. 증오, 끝없는 증오가 검은 가시덩굴로부터 그를 잠식해 왔다. 머릿속이 새하얗게 되는 기분이다.

우습게도 이 검은 가시덩굴이 그를 잠식한다. 악령이 인간에 깃들어 그 인간의 정신을 지배하는 경우는 흔하게 들어봤지만 살아 있는 자가 악령에 깃들어 귀신 들린 상태를 만들다니… 정반대가 아닌가?

귀신이 인간에게 씌면 모를까, 인간이 귀신에게 씌다니?

"하… 한세건!"

강석운은 철사의 끝을 바라보았다. 가로수 위에 한 인영이 숨어 있다가 반대편으로 뛰어내리는 순간…….

철사가 폭발했다.

강석운은 뒤로 몇 걸음 물러났다.

보통 사람이라면 즉사할 폭발, 체내의 폭발이지만 이미 망령화된 강석운에겐 아무것도 아니다. 그러나 문제는 검은 가시덩굴, 검은 저주다.

'죽여.'

'동정심을 버리고······.'

'이 세상이 비용을 지불하게 하겠다!'

검은 가시덩굴로부터 한세건의 악의가 강석운을 덮친다. 너무 강렬한 의지와 악의, 분노가 강석운의 영체를 훼손시킨다.

"크으윽."

벽조목 화살과는 비교도 안 되는 타격이다. 강석운은 몇 걸음이나 더 뒤로 물러나면서 몸에 불붙은 사람처럼 흑색 저주를 떨치기 위해 몸부림쳤다.

그런 강석운을 구하기 위해 다른 망령들이 덤벼든다. 하지만 한세건은 투 핸드 소드를 들고 붕 휘둘러 다가오는 악령들을 후려갈겼다. 녹티스가 검에 깃들어 흑색 저주가 질주하면서 악령들의 접근을 차단한다.

철컥!

그리고 투 핸드 소드를 한 손으로 고쳐 잡은 한세건의 손에는 소우오프(Saw—off:절단해서 짧게 만든) 샷건처럼 만들어진 비스트가 들려 있었다.

쾅!

고위 성유물로 만들어진 비스트는 그냥 쏴도 악령들에게 벽조목 화살과 비교할 수 없는 타격을 주는 물건이다. 하물며 한세건의 손에 들려 있으니 그 위력이 더욱더 강력하다.

"키아아아악!"

악령의 몸에 구멍이 뚫리고 흑색 저주가 퍼져 나간다.

"증오는 아무것도 낳지 못한다는 말이 있지… 웃긴 소리야."

한세건은 능숙한 솜씨로 비스트를 회전시켜 재장전하면서 말했다.

"이렇게나 쓸 만한데 뭘 더 바라는지? 사람이 양심이 있어야지."

한세건의 비스트가 다시 불을 뿜었다. 망령들이 만들어낸 엑토플라즘의 투석기가 부서지고 인접한 악령들이 비명을 지르며 물러났다.

'이런… 미끼였군!'

육신이 있는, 유령 들린 자들은 서현을 추격하느라 멀리 빠져 버린 뒤였다. 강석운은 그제야 이게 함정이라는 걸 깨달았다.

"하하하. 그 저주받을 힘을 뭐라도 되는 양 마구 휘둘러 대다니. 한세건, 내가 조금이라도 더 산 사람으로서 조언 한마디 할까?"

강석운은 엑토플라즘 칼날을 날려 한세건을 향해 공격하며 외쳤다.

"살다 살다 유령 놈에게까지 꼰대 짓을 당할 줄이야. 뭐라도 좋으니 읊어봐. 정보가 부족하니까!"

한세건도 그 공격에 맞서면서 대답했다.

비록 꼰대 짓 당하는 입장이긴 하지만 앙리 유이의 조직, 구성, 그리고 목적, 뭐든 간에 정보가 부족했다. 강석운이 입방정을 떨면 떨수록 건질 수 있는 게 많으니 약간의 꼰대 짓 정도는 기꺼이 받아줄 용의가 있다.

"우선… 지금은 안정된 것 같지만 넌 결국 죽는다!"

강석운의 엑토플라즘 칼날이 마치 팬플룻처럼 일정한 길이로 날아와 세건을 노린다. 하지만 한세건은 코웃음 쳤다.

"그렇겠지. 나도 잘 알아. 우리 모두 결국 죽지. 기껏 꼰대 짓하라고 멍석을 깔아줬더니 왜 갑자기 개그맨이 되지?"

한세건은 비스트를 잽싸게 홀스터에 꽂았다. 어깨에 끼고 있던 나이프를 뽑아 녹티스를 걸고, 스리슬쩍 빠져나가며 제일 바깥쪽의 엑토플라즘 칼날을 튕겨내고 빠졌다.

복서나 킥복서가 상대의 공격 바깥쪽으로 빠져나가듯 세건이 간단히 빠져나가자 여러 자루 날린 칼날이 다 무색하다.

물론 이런 게 가능하니까 쓸모없어 보이는 거지, 보통 사람이라면 사방팔방으로 날아드는 칼날에 패닉을 일으키다 꼬치 신세가 되었을 것이다.

다른 악령들이 강석운의 공격에 맞추어 공세에 나섰지만 사이키델릭 문에 절어 살던 한세건의 반응 속도는 악령들로서는 감히 따라 할 수 없을 정도로 빨라져 있었다.

한세건은 딱 필요한 부분만 쳐내면서 힘을 낭비하지 않고 빠져나갔다.

"그게 끝인가?! 더 해봐!"

"그리고 죽는 순간 너는 릴리쓰와 같은 존재로, 죽지 못하고 세상을 배회하겠지. 네 영혼은 이미 타락할 대로 타락했으니까. 비스트라는 이름의 영적 존재로 살아갈 거다."

"……."

릴리쓰라고 하는 태초의 영은 인세를 배회하며 어둠의 종족들이 위기에 처할 때마다 그 위기를 극복할 힘을 가진 존재, 리림을 낳기 위해 인간의 육신에 깃든다.

죽지도 않고 인세를 배회하는 불멸의 영이지만 그 '불멸'은 아무도 바라지 않을 끔찍한 형태로 이뤄져 있다.

한세건도 죽으면 그렇게 된단 말인가?

'나는 지옥의 밑바닥에 떨어져 마땅하다.'

지금까지 한세건은 자신에 대해 늘 그렇게 말해왔다.

온 가족이 몰살당하고 혼자 살아남았다고 해서… 이 세상에 마약을 팔며 뱀파이어라면 선악 가리지 않고 사냥해 왔다. 그것 또한 죄라는 걸 다른 누구보다 한세건이 더 잘 알고 있었다.

씻을 수 없는 죄를 짊어지고 살아가는 그에게 누구도 반론할 수 없는 지고선의 존재가 형벌을 가한다면, 그래서 그 죄책감에 합당한 벌을 받는다면 얼마나 좋을까? 그렇게 생각한 적도 있었다.

하지만 강석운이 말하는 영적인 타락은 그런 징치(懲治)와는 약간 다르다. 지은 죄에 대해서 대가를 치르는 것이 아니라 계속 죄를 짓도록 만드는 타락일 뿐이다. 그 점이 한세건을 자극한다.

"…당신에게 들으니까 그것도 웃긴데?"

한세건은 전혀 웃지 않고 메마르게 말했다.

정작 그런 타락된 존재가 되기 위해 애쓰던 놈들, 실제로 릴리쓰와는 다르지만 망령이란 카테고리를 공유하는 강석운이 '너도 망령이 된다'고 으름장을 놓는 걸 보니 웃길 수밖에.

그러나… 웃긴 한편으로는 찔리는 구석도 많다.

'흑색 저주, 녹터스, 그리고 내 의식과 분노의 확장이 너무 자연스럽게 이뤄지고 있어. 인간의 정신이 평소 머물러야 할 영

역, 그 이상으로 정신이 확장되고 있는 느낌이랄까.'

원래 한세건은 영적 능력이나 초능력과는 전혀 거리가 먼 인물이었다. 영적인 재능 따위는 빈말로라도 없었다.

하지만 지금에 와서는 한세건만큼 영적인 존재에 대처할 수 있는 인물도 없다.

한세건은 역수로 잡은 나이프로 자신을 공격하는 망령의 실체화된 부분을 잘라내고 빙글 몸을 돌려서 비스트로 망령의 몸통을 쏘았다. 앙리 유이가 만들어낸 릴리쓰 실패작이 비명을 지르며 뒤로 물러나고 그들의 영체를 향해 한세건의 의지, 증오와 분노가 그 살을 파먹는다.

악령에 인간이 깃든다.

그 모습을 보면 이득을 보고 있음에도 불구하고 불안해서 견딜 수 없게 한다.

"너나 나나… 고독에 갇힌 독충 신세다. 한세건, 네가 악령들을 공격해 쓰러뜨릴 때마다… 타락한 영혼을 가진 넌 우리 주인님이 원하는 존재로 변해갈 거다. 심연을 바라보는 자는 심연 역시 자신을 바라보는 것을 항상 주의해야 하는 법이지."

"……."

"네가 헌터로서 유별난 힘을 발휘할 수 있는 건 네 의지가 워낙 강력해 보통 사람들이라면 굴복하고 말았을 혼팅을 도리어 지배하기 때문이지. 보통 사람이 물이라면 악령은 소금물과 같은 존재. 물에 소금물을 섞으면 물도 소금물이 되지. 하지만 이 경우는 네가 악령보다 더 진하다. 악령들이 오히려 네 의지에, 집념에, 악의에 중독되어 버리는 거야. 덮어쓰기 하는 거지. 그렇다고 해서 계속 악령들과 접촉하는 것이 아무런 영향도 안 줄 수는 없다."

강석운은 한세건이 악령보다 더 독하고 악랄한 존재임을 말하고 있었다. 한세건도 그건 부정할 생각이 없었다. 실제로도 그러하니까.

"그렇게 지배하더라도 네가 그 힘을 휘둘러 다른 영체, 나나 다른 악령을 먹어치우면 먹어치울수록 그 괴물은 더욱 커질걸. 지금은 네 의지력에 굴복하고 있지만 언젠가 반드시 네 통제를 벗어난다. 아니, 어쩌면 이미 네 본질이 그 괴물로 변했을지도 모르지."

그리고 죽으면 육체의 구속에서 벗어나 끔찍한 악령 그 자체가 된다.

릴리쓰를 만들어내려고 하다 실패한 앙리 유이에게 한세건은 그야말로 목적에 부합하는 최고의 소재다.

하지만 한세건은 코웃음 쳤다.

"언제부터 너희가 날 걱정해 줬다고… 몸뚱어리가 사라지니까 거짓말하는 데 입에 침 바를 필요도 없다 이건가?"

한세건은 비스트를 강석운에게 겨누었다. 그 순간 강석운은 땅 밑으로 꺼지고 지면에서부터 엑토플라즘의 칼날과 유령의 손발이 솟구쳐 올라 한세건을 잡으려 했다.

한세건은 비스트를 손으로 잡고 빙글빙글 돌리면서 칼날을 쳐내고 손발 역시 스텝으로 훌쩍 피해 버리고 빠져나왔다.

"거짓말이 아니라네! 아니면 이렇게 자네를 잡으려고 애쓸 필요가……."

"그렇겠지."

그리고…….

한세건의 몸에서 도폭선이 빠져나왔다.

한세건은 그 도폭선의 끝에 카라비너(등산용품, 금속 고리)를 하나 걸고 손으로 잡고 빙빙 돌리기 시작했다.

우우우우웅!

도폭선이 점점 고속으로 회전하면서 회전 궤적을 따라 흑색 영기가 뿜어져 나온다. 한세건이 그 카라비너를 집어 던지자 일 직선으로 도폭선이 뻗어나가 아르쥬나 입구의 공원에 설치된 정글짐에 걸렸다. 그리고…….

한세건이 염을 불어넣자 도폭선이 지그재그로 도로 위에 깔린다. 마치 초여름의 호박 덩굴처럼 도폭선을 따라 흑색 저주가 가시덩굴처럼 번져 나가며 땅 밑으로 파고든다.

"어… 으어어어어어어……."

강석운의 비명이 들려온다.

악령이 인간을 두려워해 비명을 지르다니 이 무슨 역설적인 경우란 말인가?

찰칵!

한세건이 도폭선을 폭파시키자 그의 의지, 혐오, 증오의 순수한 정신력이 폭풍과 함께 대지를 관통했다.

서현은 구토를 하며 실신한 대학생들을 식당 주차장에 내려놓고 화장실의 수도꼭지를 틀어 그들의 얼굴에 부어주었다. 토사물로 입이 막혀서 질식해 죽지 않도록 하기 위한 최소한의 조처였다.

후각이 뛰어난 서현이 그 이상 조처를 취하는 것도 괴로운 일이고… 이 정도로 민간인 목숨을 신경 써준 건 서현 입장에서는 매우 드문 일이다.

그때 멀리서 사이렌 소리가 울려 퍼졌다.

하긴 당연한 일이다. 이곳은 서울 도심 한복판, 그것도 클럽과 유흥가가 밀집한 곳에서 마약에 중독된 이들이 갑자기 폭동을 일으켰다. 테트라 아낙스가 아무리 정보를 조작한다 하더라도 이것은 어쩔 수 없는 사실이다.

"여기 경찰들은 대체 왜 사이렌 소리를 저렇게 엄하게 크게 틀어놓는지 모르겠어. 마치 범인들에게 '우리 지금 가니까 죽이지 말아주세요. 우리도 공무원 시험 빡세게 통과해서 먹고살려고 하는 짓이거든요~' 라고 징징대는 것 같잖아?"

손을 씻어낸 서현은 다시 자신의 자전거에 올라타 BMX나 어번 스타일로 안장을 최대한 낮췄다.

"경찰들 오기 전에 얼른 사태를 수습해야 하는데."

경찰들이 출동하게 되면 아무래도 사이키델릭 문이라는 신종 마약에 대한 단속이 심해질 테고 뱀파이어 헌터들은 그로 인해서 위축될 것이다. 무엇보다도 경찰들과 충돌하고 싶지 않다. 뱀파이어 헌터들은 다들 이 나라의 법이 허용치 않는 과잉 무장을 하고 있고 그건 걸리기만 해도 구속감이다.

그 전에 이 상황을 정리해야 할 텐데 악령들은 뱀파이어 헌터들에게 너무 상성이 좋지 않은 적이다. 서현이나 한세건, 마녀 김성희가 아니면 악령들을 상대할 수 있는 인물이 별로 없겠지.

그런데…….

방금 전까지 투석기로 변형 엑토플라즘을 쏘아내던 놈들이 어째 잠잠해졌다.

'설마 내가 미끼 짓 하는 동안 한세건 이놈이 다 정리해 버린 거 아냐?'

그렇게 생각하니 왠지 좀 억울하다. 비록 미끼 역할이라는 걸 알고 수락하긴 했지만 천하의 라이칸스로프 갱단 리더가 고작 미끼 짓 하는 동안 사건이 정리되다니?!

'잔챙이 짓을 하면 잔챙이가 된다.'

평소 그런 신조를 가지고 살아가던 서현에게 있어서 미끼 짓 만 하고 사태가 정리되는 건 수치스러운 일이었다.

물론 악령들 같은 존재는 가급적 상대하고 싶지 않다. 카타볼릭 상태에 들어간 서현에게 악령들을 제압할 힘을 쓰는 건 매우 끔찍한 고통이 될 테니까. 그러나 테트라 아낙스에게 도전하는 앙리 유이가 벌일 일들을 생각해 보면 미리 악령들과의 싸움에 익숙해질 필요가 있다.

피할 수 없는 싸움이라면 익숙해지는 게 낫겠지.

피할 수 없는 싸움에서 주도적인 역할을 차지하지 못하는 건 그거대로 고통스러운 일이다. 서현은 자신을 스스럼없이 '강자', 그것도 '외면할 수 없는 강자'라고 규정하고 있었으니까.

'설마 벌써 사건 종료된 건 아니겠지?'

그런 생각을 하며 서현은 페달을 빨리 밟았다. 도심을 질주하는 자전거라는 게 우습게 보일지도 모르지만 자전거의 가벼운 차체를 감안할 때 1마력 정도의 출력이면 어지간한 50cc 바이크 수준의 운동성을, 3마력을 돌파하면 125cc 바이크 수준의 운동성을 보여준다.

서현의 신체 능력을 생각해 보면 이 자전거는 이미 어지간한 고성능 바이크에 맞먹는 운동성을 가지고 있다. 서현이 전력 질주를 시작하자 순식간에 자전거의 속도가 시속 80킬로미터를 넘으면서 주변의 풍경이 쉭쉭 빠르게 지나간다.

그런데…….

아르쥬나의 입구, 공원 어귀는 매캐한 질소 산화물 냄새가 가득하고 그 한복판에 한세건이 서 있었다.

꿀꺽…….

서현은 자신도 모르게 침을 삼켰다.

지금까지 서현은 자타 공인의 괴물이었다. 릴리쓰가 만들어 낸 마물 중의 마물로서 어둠의 주민들 사이에서도 독보적인 존재. 라이칸스로프의 왕자라는 이름에 걸맞은 힘과 능력을 가지고 있는 자였다.

따라서 지금까지 서현은 어떤 초자연적 존재를 만나도 놀라지 않았다. 그것이 뱀파이어든 라이칸스로프든 악령이든 유령이든 간에 서현은 그 모든 것에 대적할 수 있었다.

하지만 눈앞에 있는 이건 뭐지?

뱀파이어도 라이칸스로프도, 릴리쓰의 자식인 리림도 그 원리가 규명된 상식 안의 존재다. 하지만 눈앞의 이건 뭐라 형언할 수 없는 이형의 존재다.

그것을 본 순간 서현은 놀라울 정도로 강한 혐오와 증오의 감정, 그리고 분노를 느꼈다.

죽이고 싶다는 욕망이 들끓어 오른다.

하지만 눈앞의 저것을 끊어내기 위해서는…….

"정신 차려!"

그때 그것이 서현에게 말을 걸어왔다. 깜짝 놀란 서현은 그제야 브레이크를 잡았다.

끼이이익!

자전거의 경우 이게 문제다. 차체가 가벼우니 적은 힘으로도 어마어마한 운동성을 낼 수 있지만 도저히 제동력이 공급되지 않는다. 자전거용 디스크 브레이크는 순식간에 시뻘겋게 달아올라 과열되어 버리고 오토바이용 브레이크를 단다 쳐도 차체가 가벼워 떠버린다.

서현이 붕 떠오르는 순간 그것이 손을 뻗었다.

새카만 철사들이 서현과 서현의 바이크를 휘감고 공원 가로등과 놀이 기구용 철주에 걸리면서 당긴다.

끼기긱!

급제동으로 나가떨어지려던 서현과 자전거가 공중에서 반전하면서 지상에 떨어진다. 무사히 착지한 서현은 손으로 자전거를 받아 들고 자신의 몸에 휘감긴 철사를 신경질적으로 끊어냈다.

이 철사는 바로 도폭선이었다. 저것이 점화 플러그를 당기기만 하면 점화되어 사지를 절단한다. 아무리 상대가 급제동으로 날아간다고 이런 걸로 잡다니… 정말 불쾌하다.

하지만 정작 도폭선을 날린 한세건은 신경도 쓰지 않고 자신의 말만 했다.

"악령들은 내가 처리했다. 경찰들이 오기 전에 자리를 피하지. 헌터들에게는 이미 퇴거 명령을 내려놓았고 마스터도 적극 협조할 거야."

한세건은 그리 말하고 주차장으로 걸어가 자신의 오토바이에 올라탔다.

"하… 처리했다고?"

"그래."

"네가 먹어버린 게 아니라?"

"네가 먹어버린 게 아니라?"

서현은 그리 물어보았다. 그러자 바이크에 시동을 걸던 한세건의 움직임이 굳었다.

사이렌 소리가 그들에게 얼른 이 자리를 피하라고 종용하고 있었다. 보아하니 마포경찰서, 용산경찰서에서 끌어낼 수 있는 병력 대부분이 몰려온 것 같다.

"내가 먹었다… 라. 그렇게 해석될 수도 있겠군."

한세건은 서현의 지적을 부정하지 않았다.

악령과의 싸움에서 한세건이 악령을 타격하면 이 악령의 본질은 한세건에게 덮어쓰기 당해 한세건의 것이 되어버린다. 악령의 저항을 배제하기 위해 먹어치우는 행위는 나쁘지 않다. 그러나 만약 이것이 자신의 힘을 키우기 위한 행위라면?

서현은 그 점을 지적하고 있는 것이다.

"영체를 먹겠다고 할 때는 뭐 그냥 그러려니 했어. 상대를 배제하기 위함이라면 주먹으로 때려부수든 발로 차든 뭔 상관이겠어? 결과적으로 상대가 무력해지면 다행이지. 그러나 그것이 악령을 너의 내면에 받아들이고 힘을 키우고, 더해서 네 정체성을 훼손할 수도 있는 저주를 강화하는 것이라면 이건 짚고 넘어가지 않을 수가 없겠는걸?"

말하자면 한세건은 악령을 포식하고, 악령에게 덮어씌워지는 존재다.

괴물과 싸우는 자가 괴물이 되어버린다.

뱀파이어와 싸우면서 한세건은 뱀파이어보다 더한 괴물이 되었고 이제 악령들과 싸우면서 한세건은 악령보다 더한 존재가 되고 있었다.

그 때문일까? 서현은 노골적으로 혐오스럽다는 감정을 한세건에게 보이고 있었다.

"일단 피하고 나서 이야기하지."

"그러지."

한세건도 서현도 그 점에 대해서는 동의했다.

경찰의 포위망을 벗어나는 건 그렇게 어려운 일이 아니었다. 대낮에 대놓고 종로경찰서장을 납치해서 알몸으로 세종대왕상에 매달아둔 경력도 있는데 심야에 포위망 뚫고 달아나는 건 일도 아니다.

하지만 이번 사건은 몸을 빼내는 정도로 끝나는 일이 아니다.

사이키델릭 문을 남용한 중독자들이 대규모로 정신착란을 일으켜 민간인을 습격한 사건이다. 치안이 매우 잘 정비된 국가, 대한민국에서 마약중독자들에 의한 폭동이라니?

이는 사회적으로 큰 반향을 일으킬 것이다.

그렇지 않아도 경찰 조직은 한세건에게 농락당해서 현재 상황이 말이 아니다.

중로경찰서장이 납치당하는 수모를 겪었지만 범인인 한세건은 꼬리도 보이지 않는다. 이런 상황에서 폭동까지 벌어졌으니 당연히 경찰들은 사이키델릭 문에 대한 대대적인 단속에 들어갈 테고 사이키델릭 문 유통을 통해 자금을 조달하던 뱀파이어 헌터들은 위축되리라.

경찰들의 조사를 흐트러뜨리고 조작하기 위해서 테트라 아낙스의 손발이 바빠질 것은 더 말할 것도 없다.

"전술적으로는 계속 이기고 있지만 전략적으론 계속 패배하고 있군. 전투에서 이기고 전쟁에서 진다는 게 이런 거겠지."

한세건은 마치 남의 일인 양 말하며 한강 너머 번뜩이는 불빛을 바라보았다. 비록 그 때문에 경찰들의 명예가 훼손되고 고통받고 있기는 하지만 한세건은 지금 진심으로 경찰들을 동정하고 있었다.

"그게 네 입에서 나오다니 웃기는군, 한세건."

서현은 그리 말하고 한세건을 흘겨보았다.

"한세건, 혹시 블랙홀의 이벤트 호라이즌(사상의 저편)에 정보가 갇혀 있다는 개념을 들어본 적이 있어?"

"뜬금없이 천문학과 양자역학 이야기인가? 그런 걸 좋아하긴 하지."

한세건은 갑자기 엉뚱한 소리를 꺼내는 서현의 의도를 알아챘다.

고전역학의 세계에서 존재는 질량에 의해 규정된다.

하지만 양자역학의 세계에서 존재는 정보에 의해 규정된다. 그리고 놀랍게도 그 정보는 실제로 시간과 공간에 영향을 미친다고 한다.

정보가 실재를 정의한다.

이것이 바로 이 세계에 마법이 있고, 뱀파이어가 있고 라이칸스로프가 존재하는 것에 대한 해답이다. 태초의 영, 강력한 정보생명체들의 일원인 릴리쓰가 왜 인간에 깃들어 라이칸스로프나 뱀파이어를 낳을 수 있는가?

그것은 그들이 실재를 결정지을 힘이 있기 때문이다.

"그렇다면 이야기가 빠르군. 네 주위에 감도는 그것… 지금 내가 보기엔 너무 과할 정도로 강해져 있어."

서현은 그리 말하고 한세건의 몸 주위를 감도는 흑색 저주, 곧 의지라는 이름의 정보를 노려보았다.

"정보생명체, 악령, 태초의 영, 뭐라고 해도 좋아. 일반적인 농도 이상의 강력한 정보가 네게 응집되어 있어. 한때 혼팅이었던 정보가 놀랍게 정련되어서 차곡차곡 정리되어 있지."

한세건은 그것을 이용해서 아르쥬나를 습격했던 악령들을 타격했다. 죽었는지 아니면 살아 있지만 치명적인 타격을 입었는지 어느 쪽이든 간에 악령들은 더 이상 아르쥬나를 도모할 수 없을 정도의 타격을 입고 물러났다.

전투에선 승리했지만…….

전략적으로는 글쎄? 한세건의 정보가 바로 몇 시간 전과는 비교할 수 없을 정도로 늘어나 있고 불안정하다. 악령들을 먹어 치운 대가겠지?

"문제는 그런 네 존재 자체가 바로 앙리 유이의 목표라는 거지. 널 계속 선두에서 싸우게 하는 건 앙리 유이가 원하는 일이고 그건 내가 바라지 않으니까 넌 뒤로 물러나 있어. 이제부터는 내가 해결한다."

"흥. 동생 사랑이 지극하시군. 테트라 아낙스가 원하는 결과를 만들기 위해서 그렇게 하시겠다?"

"아니거든? 대체 네놈 머리통 속에는 뭐가 들어 있길래 내 말을 그렇게 해석하는 거냐?"

"난 이 월야의 세계에서 한 발짝 물러날 생각 따위 전혀 없어. 앙리 유이가 날 테트라 아낙스에 대한 어떤 돌파구로 여긴다면 그건 나에게도 좋은 기회지. 잔챙이 뱀파이어들만 사냥해선 좀체 그놈들을 잡을 수가 없거든. 난 체제를 파괴하고 테트라 아낙스와 그가 이룩한 질서의 뱀파이어들에게 나라는 비용을 치르게 만들 거야."

역시, 한세건은 이런 상황에서 물러날 생각이 없다. 뱀파이어를 처단하고 월야를 파괴하겠다는 의지는 지금도 한세건을 강하게 옭아매고 있었다. 그런 놈이 앙리 유이라는 파괴마를 만났을 때 뭐, 서로 간의 미학이 어긋나니 같은 편이 되진 않겠지만 그렇다고 한세건이 앙리 유이를 아예 이용하지 않으리라는 보장은 없다.

"그런 게 굉장히 위험한 발상이라니까."

서현은 그리 말하며 몸을 풀었다. 아무래도 거친 남자들끼리의 일이다 보니 말만으로 설득하는 데는 한계가 있다.

"카타볼릭 상태의 라이칸스로프가 뭘 할 수 있지? 폐인이나 다름없는 상태면서 지금 나보고 물러나라고?"

한세건은 코웃음 쳤다. 서현의 제안은 고려할 가치가 없다. 한세건은 뱀파이어를 증오하고 그들의 씨를 말릴 수 있다면 무슨 짓이라도 할 것이다. 증오심으로 폭주하는 폭주 기관차가 이제 와서 자신의 안전을 위해 뒤로 물러날 리 없다.

"내가 할 수 있는 건 네 예측보다 훨씬 많다. 까불지 마라, 인간. 계속 인간이고 싶다면 네가 미끼 짓을 해. 이 이상 직접 전투에 나서는 건 아무래도 좋지 않으니까."

"웃기지 마. 이건 내 싸움이야. 애초에 너희, 월야의 존재가 나와 내 가족을 건드린 시점에서 나는 네놈들에게 비용을 지불하도록 강요할 생각이었어. 너야말로 뭐지? 이건 네 싸움이 아니다, 이사카 베르게네프."

"하, 진짜 잠깐 풀어주면 기어오른다니까."

서현은 머리를 긁적였다. 한세건도 어깨를 으쓱해 보이고 둘 다 딴청을 피우다가…….

거의 동시에 서로에게 주먹을 날렸다.

쌍방의 주먹 모두 공히 인간의 머리통을 산산조각 낼 위력을 가지고 있었다. 뼈와 살로 이루어진 철퇴라고 해도 과언이 아닐 것이다. 그 무시무시한 공격은 쌍방 모두 허공을 엇갈려 빗나갔지만…….

한세건의 몸이 뒤로 붕 떠서 십여 미터 정도 날아가 착지했다. 서현과 팔이 얽힌 순간 무시무시한 힘이 그를 뒤로 집어 던진 것이다.

신체 능력에 있어서는 여전히 라이칸스로프인 서현이 한세건보다 우위에 서 있다.

하지만 서현은 접촉한 순간 한세건의 정신이 자신을 오염시키는 걸 느꼈다. 흑색 저주, 한세건의 영적인 정보가 폭주하면서 서현의 몸을 오염시킨다. 이것은 정신을 오염시킬 뿐 아니라 몸마저, 세포 하나하나마저 오염시킨다.

'이미 너무 진행되었군. 젠장. 남자 릴리쓰 같은 자식. 이러니까 앙리 유이가 탐내는 거 아냐?'

서현은 한세건에 의해 오염된 부위를 털어내고 정신을 집중시켜 자신의 의식으로 한세건의 '정보'를 중화시켰다.

"솔직히 말해서 우리끼리 싸울 이유는 없지? 그만할까?"

서현은 그리 말하면서 지면의 모래를 찼다. 한세건을 향해 모래와 자갈, 돌 조각이 흡사 제트기류처럼 날아간다. 하지만 한세건은 가볍게 그걸 피해내고 답했다.

"시작한 건 너지!"

"아니, 예전에도 내가 이겼었는데 굳이… 이번 판도 내가 이긴 걸로 하고 끝내는 게 어때? 괜히 아픈 경험을 두 번 할 이유는 없잖아?"

강 너머 번잡스러운 불빛을 배경으로 한강 둔치에서 한세건과 서현이 다시금 격돌한다. 무에타이 스탠스를 잡은 한세건이 가드를 올린 채 깔끔한 원투를 날리며 서현의 머리통을 쪼갤 기세로 공격해 오지만 서현은 숄더롤로 그 공격을 피해냈다.

그런데 그때였다.

"와, 맞짱 뜨고 있다."

"그러게. 뭐지?"

심야에 둔치로 크루저 보드를 옆에 낀 청년들이 걸어오다 그렇게 중얼거리는 게 들려왔다. 거리에서 싸움을 하고 있으니 신기하게 보이는 모양이다.

그 순간 서현도 한세건도 동시에 손을 멈추었다. 인적이 드물어서 시작했는데 관객이 등장하니 민망하기 이를 데 없다.

"음… 흠… 험……."

"어… 거참."

서현과 한세건 둘 다 쑥스러워하면서 손을 멈추고 돌아섰다.

"아, 우리 진짜 이러지 말고 깔끔하게 좀 하자. 응? 너 위험한 거 알지? 여기선 내 말을 들어."

"위험하다고 그만둘 거였으면 아예 이 업계에 들어오지도 않았다. 너야말로 머리가 있으면 생각을 해봐. 내가 그럼 이 짓 말고 뭘 할까?"

"…중고차 판매? 생산적이잖아."

"…하이고, 생산적이어서 좋겠다?"

서현과 한세건이 격투를 그만두고 입씨름을 시작했다.

7

다음 날 신문에는 '신종 마약 사이키델릭 문, 마약으로 신음하는 젊은이들'이라는 헤드라인이 각종 일간지의 헤드라인을 장식했다. 방송에서도 연일 사이키델릭 문에 대한 특집이 방영되고 난리 법석을 떨어댔다. 덕분에 각 경찰들 마약과는 인원이 부족해서 일반과에서도 특별마약단속기간이란 기치를 세우고 경찰들이 서울 시내 전반에 쫘아악 깔리게 되었다.

"음……."

한세건은 칫솔을 입에 물고 TV를 보고 있었다. TV에서는 변형 사이키델릭 문에 중독되어 좀비 형태로 걸어 다녔던 사람들이 병원에 실려 가 있는 게 보였다.

대부분의 사람은 그들을 조종하던 악령들이 사라지자 정신을 차렸지만 몇몇 사람은 마치 PCP에 중독된 자들이 신경계가 고장 나 폐인이 되듯 영구적으로 남을 후유증에 시달리게 되었다고 한다.

쾌락을 추구하기 위해 마약을 지나치게 투약해 신경계를 스스로 파괴하는 자들의 말로라고, 자업자득이라고 폄하하기엔 뒷맛이 씁쓸하다.

왜냐면 저들에게 마약을 공급한 것은 한세건 자신이었기 때문이다. 물론 그렇다고 해서 이제 개과천선해서 마약을 공급하지 않을 것이냐면 그건 아니다. 이것은 입맛이 쓰지만 한세건은 계속해서 뱀파이어를 사냥하고 그들의 피를 팔아치울 거고 그 결과 이 세상에는 마약이 만연할 것이다.

그때 한세건의 앞에서 빼또쥬가 비실비실 기어 나오더니 리모컨을 잡고 애니메이션 채널로 채널을 돌려 버린다.

"…아음…….."

졸린 눈으로 애니메이션 채널로 바꾼 빼또쥬는 한세건의 의향은 물어보지도 않고 리모컨을 저 앞으로 집어 던져 손이 닿지 않는 소파 쪽으로 치워놓았다. 자기가 채널을 결정하고 주위 사람들에겐 의향도 묻지 않는 건방진 태도다.

"……."

한세건은 그 발칙한 모습을 보고 화가 났지만 뭐라고 할 수가 없었다. 왜냐면 지금 그가 있는 곳은 라이칸스로프들의 소굴, 서현의 집이니까.

"빼또쥬, 너 학교 안 가냐?"

루스킨이 알몸에 앞치마, 정확히는 반바지에 앞치마를 두르고 튀김 요리를 하다가 뒤돌아보며 물어보았다. 무슨 학생 보채는 엄마 같다.

"괜찮아. 어차피 난 모범생 따윈 아니니까 지각하지 뭐. 아, 졸려."

아침부터 튀김 요리… 아니, 반바지에 앞치마라니 무슨 생각인 거냐, 이놈들은? 한세건은 어이가 없어서 질문했다.

"내가 왜 여기에 있지?"

"멍청한 질문이군. 정신 오염 위험이 있는 놈이 혼자 살게 내버려 둘 리가 없잖아?"

서현이 투덜거리며 화장실에서 나오더니 자신이 나온 화장실에 방향제를 뿌렸다.

"여튼 이번 일로 또 앙리 유이 우세승이군. 전략 목표를 착실히 달성하고 있어, 이 녀석은."

그렇게 말한 서현은 손으로 TV와 셋톱 박스를 겨누었다. 놀랍게도 셋톱 박스의 적외선 센서가 반응하더니 채널이 바뀌어 다시 뉴스 채널로 변했다. 맨손으로 TV 리모컨을 대신한단 말인가?

"…대단한데?"

온갖 마법과 특수 능력, 때로는 유령과 귀신들을 상대해 본 한세건이지만 지금 이 순간 서현이 보인 능력에는 진심으로 놀라 버렸다.

하지만 잠깐만. 이 녀석 지금 카타볼릭 상태 아닌가? 릴리쓰의 자식으로 태어나 빼어난 재주를 가지고 있는 건 알겠는데 고작 이런 리모컨 대용으로 그 능력을 쓰다니?

"그나저나 너희들 좀 어떻게 해라. 사내놈들끼리 아파트에 잔뜩 모여 살고 있으면서 저건 좀……."

한세건이 루스킨을 가리키며 불만을 표시했다. 그러자 루스킨이 키득거리며 엉덩이를 내밀고 스스로 섹시하다 싶은 포즈를 취했다.

"어이쿠. 나의 섹시한 모습에 흥분하고 있나 본데."

"……."

"죽일까?"

"응… 이라고 할 뻔했다."

서현은 그리 대답하고 냉장고에서 우유를 꺼내 커다란 컵에 콸콸 부었다.

"아, 카타볼릭 상태라 너무 피곤하네. 자고 일어나도 늘 피곤해."

"왜? 인간을 처먹고 싶어지나?"

"뭐 아니라고 부정은 못 하겠는데 그렇게 현실적인 욕구는 아냐. 마치 세계 정복을 하고 싶다거나 핵미사일로 상호확증파괴 쇼를 만들어서 전 인류를 지워 버리고 싶은 욕구? 그런 망상 수준이야."

"망상치곤 지나치게 자세한걸?"

게다가 핵미사일로 상호확증파괴를 일으킨다는 건 이 녀석들에겐 농담이 아니지 않았나?

러시아 혼란기에 은근슬쩍 ICBM 탈취를 저지르려고 했던 놈들이 이제 와서 저런 걸 농담으로 해대는 걸 보면 가증스럽다.

"그럼 어젯밤의 이야기를 마저 해볼까?"

한세건은 서현의 맞은편 의자에 앉았다.

한세건은 앙리 유이의 최우선 타깃 중 하나다.

한세건을 통해서 앙리 유이는 강력한 정보생명체, 릴리쓰와 동급의 영적인 존재를 만들고 그것을 지배하려 한다. 사법사인 앙리 유이에게 그것은 더할 나위 없는 영광이고 테트라 아낙스를 물리치고 새로운 세계 질서를 유지할 수 있는 힘을 그로부터 얻으려 하기 때문이다.

그런 상황에서 한세건이 직접 전투에 계속 나서게 되면 이는 결국 앙리 유이의 계략대로다.

하지만 한세건이 이 싸움을 피할 방법이 없다. 서현은 한세건이 아무렇지도 않게 자신의 원한을 풀기 위해 최전선에서 싸워 나가는 것을 싫어했지만 앙리 유이의 전략목표가 한세건인 이상 그것을 막을 방법은 현실적으로 존재하지 않는다.

결국 이야기를 하다 보니 한세건을 컨트롤할 수 있는 존재, 하다못해 제동을 걸 수 있는 존재가 그와 함께해야 한다는 결론에 도달했다.

"난 개인적으로… 실베스테르에게 연락을 넣었는데."

"진마사냥꾼 실베스테르 말이지? 하, 이거 참. 날 빼놓고 뱀파이어 헌터들끼리 처리하려고?"

"네놈을 끼워줄 이유가 없잖아? 솔직히 말해서 네가 다시 어둠의 제왕이 되려 하는 야심이 없다고 할 수도 없고."

앙리 유이의 연구는 대단하다. 만약 앙리 유이의 세력을 토벌하고 그 연구를 주워 먹을 수만 있다면 그는 어둠의 세계에서 상당한 지위를 누릴 수 있게 되리라. 만약 사법사라면 앙리 유이의 사법사 조직을 통째로 집어삼킬 수도 있을 테지.

그런 일에 서현과 파트너십을 맺고 움직이는 건 위험한 일이 아닌가? 한세건은 그렇게 말하고 있는 것이다.

"내가 보기엔 실베스테르 그 작자를 못 믿겠는걸?"

"그런 마법이나 권력에 탐욕을 부릴 인물은 아닌데? 게다가 진짜 가톨릭교도라고."

실베스테르 신부. 한세건을 이 세계로 끌어들인 장본인이며 진마사냥꾼이라 불리는 은발의 신부.

그는 신을 섬기는 성직자의 복장을 하고 다니며 뱀파이어를 사냥하고 뱀파이어들에게 있을 수 없는, 구속력을 초월하는 눈물을 찾아다니고 있다 한다. 그런데 서현은 그런 실베스테르에게 불만을 드러냈다.

"그자는 적어도 300살 이상이야. 그러면서 뱀파이어도, 라이칸스로프도 아니지. 그렇다면 인간이 아니란 뜻 아니겠어?"

"언제부터 네가 인간을 그렇게 신뢰했다고 인간이 아니라는 걸 문제시하지?"

"욕망을 알 수 없는 자를 신뢰하지 않겠다는 거야. 늙지도 죽지도 않으며 정체도 모르는 자가 뭘 욕망하고 있는지 알 게 뭐람? 게다가 생각해 봐. 원래대로라면 넌 그냥 뱀파이어가 되든가 커럽티드가 되면서 끝났어야 했어. 그런데… 김성희랑 실베스테르가 무슨 생각을 했는지 계속 살려뒀고 널 살리기 위한 연명 조치가 지나치게 강력한 마법과 연계되면서 지금의 너는 끔찍한 타락의 결정체가 되었지. 내 입에서 끔찍하다는 이야기 나오면 정말 심각한 거야."

서현이 그리 말하자 한세건은 루스킨이 만들어준 스프에 스크램블드에그를 들이붓고 빵을 찍어 먹으며 인상을 찌푸렸다.

한세건이 그런 괴물이 된 건 어디까지나 살고, 증오하기 위한 몸부림의 과정이다. 뭐 서현처럼 특별한 태생을 타고난 것도 아니고 의도적으로 신체를 개조한 것도 아닌데 그런 비난에 가까운 소리를 들어야 한다는 게 기분 나쁘다.

그러나 서현이 무슨 말을 하는지는 이해가 되었다.

한세건이 이렇게 된 과정에 실베스테르의 의도가 들어가 있을 수도 있다는 것 아닌가?

"끔찍한 건 이 음식이지. 너희 음식들 너무 짜고 달아. 러시아 음식들 간 전반이 그렇지만 이건 너무한 것 같다."

문득 한세건이 그렇게 말해 버렸다. 그냥 속으로 생각하고 있던 것인데 얼떨결에 입 밖으로 튀어나왔다.

"…깊이 있는 간과 맛내기라고 생각해."

"아니, 깊이 좋아하시네. 설탕과 소금에 빠져 죽을 맛이란 의미에서는 깊이가 심각하게 있군."

한세건이 맛에 대해서 타박하자 루스킨이 앞치마를 벗어 던지며 투덜거렸다.

"한국인들은 뭐 맛에 민감하다고 그래? 매운 걸 좋아하잖아? 마늘 다진 거랑! 무작정!"

"그런데 난 그렇게 매운 걸 좋아하지 않아."

한세건이 그리 답하자 서현도 불평을 늘어놓았다.

"맨날 냉동 피자랑 프로틴 파우더만 먹으면서 무슨 맛을 그렇게 따진다고……."

그렇게 말하는 서현은 냉장 햄버그를 먹는다. 그리고 감탄한다.

"젠장! 맛있잖아?!"

"…내가 보기엔 너는 햄버거 형태면 안에 무엇이 들어가도 맛있다고 느끼는 것 같다? 서구 문화 빠돌이가 되어서 너무 쓸데없이 동경심을 품고 있는 거 아냐? 그렇지 않고서야 해명이 안 되는 미각인데?"

"그럴 리가 있나. 난 맛에 까다로운 사람이야."

"진심으로 때리고 싶다."

'이 자식은… 짜증 나는군.'

한세건은 서현을 보면서 왠지 모를 짜증이 살살 샘솟는 것을 느낄 수 있었다.

한세건은 자신에게 엄격하다. 뱀파이어에게 가족이 몰살당했을 때 그는 자신이 영화나 드라마에서 흔히 보는 끈끈한 가족애를 가지지 못해서, 그래서 별로 슬퍼하지 않는다는 것에 절망했다.

사실은 충격을 받았을 뿐인데 슬픔이 바로 즉발적으로 오지 않는다는 것에 자신을 용서할 수가 없었다. 그래서 그는 자신을 기꺼이 뱀파이어 헌터라는 고행에 집어 던졌다. 싸우고 싸우고 또 싸우고… 그러면서 자신 안에서 끓어오르는 자비심, 동정, 인간성까지 억누르고 학대해 갔다.

한세건이 뱀파이어 헌터로서 살아온 것은 자신에 대한 고행이었던 것이다.

그런데… 이 녀석은 그보다 더한 죄를 지었음에도 언제나 한세건보다는 긍정적이다.

자신이 살아가는 데 불필요한 것들을 아낌없이 쳐낸다. 그렇다고 시각이 얕다거나 생각이 없어서 그러는 것 같지 않다. 그저 양심조차 능숙하게 생존을 위해서 쳐내는 기분?

뭐, 편견이겠지, 그 나름대로 고충이 있겠지 싶겠지만 그래도 살아가는 데 있어서 어쩌 자신보다 더 능숙한 것 같아 짜증이 났다.

원래대로라면 어린 시절부터 전쟁범죄를 저지르며 살아온 이런 놈이 훨씬 망가져 있어야 하는데, 한세건의 정신이나 영혼이 망가져 있는 데 비해 이 녀석의 정신은 꽤 건강한 편이다.

갱단이 함께 있어서 그런가?

비가 추적추적 회색으로 거리를 물들이고 있었다.

삐또쥬는 학교 가고 루스킨은 출근했다.

서현과 한세건은 그 둘을 정상적인 세계로 보내놓고 짐을 챙겼다.

"이제 어쩔 거지?"

서현이 그렇게 물어보자 한세건은 어깨를 으쓱해 보였다.

"일단은 준비할 게 많으니 아르쥬나로 가자."

서현과 한세건은 그렇게 어슬렁어슬렁 주차시켜 둔 픽업트럭으로 향했다. 픽업트럭 위에는 한세건의 오토바이와 서현의 자전거가 실려 있었다.

"이러니까 우리만 백수 같다."

"좋겠다. 넌 갱단 두목이라 백수 짓 하고 부하들은 열심히 사회생활하며 돈 벌어 오고? 아주 그냥 유한계급 나셨어."

한세건이 백수라는 말에 민감하게 반응했다. 그러자 서현이 피식 웃었다.

"방금까지 마약 팔아서 부자 된 놈이 한 말입니다."

"……."

마약 이야기가 나오자 한세건의 입이 다물어졌다. 확실히 그 부분에서는 뭐라고 변명할 여지가 없다.

"내가 역린을 건드렸나?"

"아니, 뭐……."

한세건은 순간 말문이 막혔다. 여러 가지 감정이 동시에 휘몰아쳐서 뭐라고 말을 할 수가 없다.

"자자, 숨 천천히 내쉬고… 라마즈 분만법을 해."

"……."

서현이 놀리는 말에 한세건은 장탄식했다.

서린도 그렇고 이 형제는 사실 형제라고 할 건 혈연관계밖에 없으면서 한세건을 놀려먹는 데 특화된 것 같다.

"마약이라……. 네가 말하는 대로 전범인 내 입장에선 마약 정도야 뭐 어린애 범죄 수준이지~ 하는 생각이 드는데? 어느 국가에서도 마약의 유통은 강력 범죄로 치지만 그런 국가라는 것들은 사실 정의 실현엔 관심 없고 그저 국민 수 불려서 자기들 체제 유지하는 데 힘쓰는 놈들 아닌가?"

"불복종 운동의 극단으로 달려가는군. 하긴 전범인 네놈의 행동을 정당화시키려면 정상적인 체제를 인정할 수 없는 거겠지."

"테트라 아나스의 체제를 인정할 수 없어서 폭탄 테러범이 된 사람이라서 잘 알고 있군."

서현이 빈정거리자 또 둘 사이의 공기가 험악해졌다.

"뭐, 그런다고 이제 와서 마약을 안 팔 건 아니지? 만약 지금 기억을 그대로 가지고 과거의 어느 한때, 그러니까 뱀파이어 헌터가 되고 말고를 결정해야 하는 순간으로 간다면 뱀파이어 헌터가 되겠어, 안 되겠어?"

"물어볼 것도 없지."

온 가족이 몰살당했을 때, 뱀파이어라는 강대한 부조리를 맞닥뜨렸을 때 그것을 무시할 수도 있었다. 온 가족이 자연재해나 교통사고로 죽었다고 생각하고 진실에서 눈을 돌릴 수도 있었다. 하지만 한세건은 그러지 못했다. 평범한 청소년이 갑자기 괴물들의 세계로 뛰어들다니 죽고 싶어서 환장했다고밖에는 생각되지 않겠지만 당사자 입장이 되면 다르다.

한세건은 그렇게 하지 않으면 도저히 살 수 없었다. 그 결과가 마약 원료를 공급하는 일이라 해도… 한세건은 뱀파이어 헌터가 되었을 것이다.

"그럼 고민할 필요가 없지. 이 모든 걸 받아들여. 선택을 이미 했거나, 선택할 수 없는 문제에 대해서 고민하는 건 어리석은 짓이지."

"그런 넌 왜 폐인 생활을 했냐? 그냥 욕망대로 살아가면 되었을 것을."

"…어, 어떻게… 그 녀석들이 말했구나!"

서현이 부끄러워한다. 서린이 테트라 아낙스에 등극한 이후 자신의 목적을 잃어버리고 방황하던 시절을 지적당하자 얼굴이 홍당무처럼 새빨갛게 변했다.

"내 경우에는 워낙 선택지가 많았으니까 그렇지."

"그러시겠지."

한세건은 그를 무시하고 주차되어 있던 픽업트럭에 올라탔다. 서현이 그 픽업트럭의 적재함에 자신의 자전거를 올리고 조수석에 올라탔다.

"네놈이나 나나 살아가는 데는 정말 우둔하군."

"그것참, 사람이 방황 좀 할 수 있지!"

"그런데 왜 매번 내가 운전수지?"

"운전을 좋아하는 것 같아서."

"……."

한세건은 말없이 시동을 걸었다.

한강 다리는 완전히 교통 체증에 빠져 있었다. 어제 사건 이후로 경찰들은 모든 병력을 총동원해 인근의 검문 수색을 강화하고 있었다.

서울 XX 일대의 마약중독자 집단 발광 사건을 수사한답시고 검문검색을 강화하고 있는데 마약견이 있는 것도 아니고 특정 범죄자에 대한 추정도 되지 않은 채 그냥 교통 체증만 유발하는 헛짓이었다.

하지만 그런 거라도 하지 않으면 안 될 만큼 경찰 조직이 몰려 있는 것도 사실이었다. 서울 한복판에서 한세건이 전광판

AD보드를 탈취해 제멋대로 방송을 하지 않나, 종로경찰서장이 수모를 당하지 않나. 뭐라도 하는 시늉을 내는 경찰들이 불쌍해 보일 지경이었다.

하지만 정작 경찰들을 엿 먹인 장본인인 한세건은 고통받는 경찰들을 보고 투덜거렸다.

"아니, 왜 마약중독자 집단 발광 사건인데 한세건을 수배하고 있는 거야? 마약중독자 집단 발광 사건의 범인을 잡아야지."

"그 범인은 특정하기 힘들고 경찰들이 비상사태 선포하게 된 건 한세건이라는 아주 못돼먹은 테러범에게 굴욕을 당해서니까?"

옆자리 조수석에 앉아 있던 서현이 이죽거렸다. 그때 서현의 전화기가 몸을 떨었다.

"전화 왔군. 빛과 소금인데?"

"용케 안 죽었군. 받아봐."

서현이 전화기를 받자 건조한 목소리의 강의찬이 헛기침을 하고 있었다.

─연락을 많이 했더군.

"당신이 죽은 줄 알았으니까. 당신 아버지를 죽이고 이곳의 앙리 유이 추종자들을 다 쓸어버린 줄 알았는데 아니더라고?"

─아웃로들이 있는 이상 그가 추종자들을 모으는 건 그렇게 어렵지 않아. 워낙 몰려 있는 뱀파이어가 많으니까.

"그런데 용케 살아 있군. 당신부터 죽일 줄 알았는데?"

─난 또 그런 걸 피할 재주가 있지. 그보다 아버지의 회사 공장 장부를 좀 뒤져봤는데. 특수한 알약들이 우리 공장에서 제조

되었어. 음… 컨테이너 10대 분량이 일본으로 하역되었는데.

"한국에서 약을 일본으로 그렇게 많이 팔아치울 수 있단 말이야?"

─O.E.M 계약을 맺었거든. 여기서 만든 복제약이 일본 쪽 제약사에서 O.E.M으로 들어가지. 제약 회사라고 다 플렉스 메디칼처럼 R&D와 의료보험, 병원을 직접 소유하는 큰 스케일로 살지 않는다고. 복제약 팔아치우기 전에 이 회사에서 가장 돈을 많이 벌어준 것은 약이 아니라 칫솔이라고.

"……."

서현이 기막혀할 때 한세건이 질문을 던졌다.

"그래, 그 계약을 맺은 일본 제약 회사는? 이런 일은 그쪽 회사도 한통속이 아니면 힘들 텐데? 무엇보다 의약품은 통관하기가 만만치 않을 텐데?"

─마사미 제약이라는데 관련 자료는 메일로 보내주지. 그리고 난 이제 한동안 잠적할 거야.

"아, 그런가. 하긴 그게 현명하겠네."

─빨리 이 사태를 마무리 지어줬으면 좋겠군. 세상의 빛과 소금과도 같은 나의 갓핸드가 상시 가동 한다 해도 구할 수 있는 사람은 한정되어 있는데… 이런 어이없는 이유로 본업에서 물러나야 하다니. 이 무슨 인류에의 반역 행위…….

"끊지. 자세한 건 메일로 보내줘."

서현은 즉시 전화를 끊어버렸다.

8

테트라 아낙스는 텔레파시로 많은 인간을 직접 조종할 수도 있었다. 만약 테트라 아낙스가 정말 인류를 증오한다면 그는 언제든지 ICBM의 발사를 승인시킬 수도 있었고 각국의 수장을 뱀파이어로 갈아치울 수도 있었다. 하지만 테트라 아낙스는 경제계면 모를까 정치계에는 절대로 뱀파이어를 집어넣지 않았다.

대중과 접촉을 많이 하는 정치인을 뱀파이어로 만들 경우 완전히 통제하기 힘들다는 게 첫 번째, 또 이런 정치인들은 간혹 거대한 역사적 담론에 자신을 주도적인 존재로 만들고 싶어 하는 영웅병에 걸리기 쉬워서 막판의 막판에 배신할 가능성이 높다는 게 두 번째, 그리고 늙지 않는 모습을 대중에게 계속 보여주기가 애매하다는 게 세 번째 이유였다.

그리고 이는 테트라 아낙스에 반대하는 자들마저도 인정하는 테트라 아낙스의 현명한 선택이었다. 만약 테트라 아낙스가 정치계까지 장악했다면 곧 월야의 비밀은 세상에 알게 모르게 드러나게 될 것이고 인류는 전부 파멸했을 것이다.

그러나 앙리 유이는 그것을 지킬 필요가 없었다.

9

코다마 쥬조는 하와이 이민자 출신의 일본계 미국인이었다.

그는 미 해군정보부에 들어가 전후 일본을 신탁통치 하는 미 육군을 정탐하는 역할을 맡았다.

이 과정에서 그는 자신의 위치를 이용해 일본에 막대한 부를 축적하고 정계의 실력자가 되었다. 당시 한국전쟁 발발로 대량의 군수물자를 필요로 한 UN은 일본에 군수품을 발주했고 그 납품 라인은 미군과의 끈이 있는 쥬조에게는 너무나도 쉬운 축재의 수단이었다.

많은 일본 상인이 지분을 바치고 쥬조를 통해 군납 루트를 얻어냈고 그 기업들이 폭발적으로 성장하면서 코다마 쥬조는 돈방석에 올라섰다.

게다가 해군정보부 출신인 그는 정관계 인사의 약점을 손쉽게 거머쥘 수 있었고 이것을 이용해 정치판에서의 자신의 역량도 키워 나갔다. 그가 학비를 대주어 키워낸 인재들이 관료계에, 그가 정치헌금을 대준 이들이 정치계에서 두각을 드러내면서 코다마 주조는 '1인 여당', 맥아더의 뒤를 잇는 '마지막 정이대장군(征夷大將軍)' 이라는 칭호를 얻게 되었다.

하지만 그런 그도 노년에는 자신의 죽음을 걱정하게 되었다.

그러던 차에 그가 지분을 보유하고 있던 제약 회사로부터 기묘한 약이 올라오기 시작했다.

코다마 쥬조는 자신을 상대로 아직 검증도 되지 않은 신약을 올리는 제약 회사의 행태에 분노했지만 생명을 연장하고 텔로미어를 회복해 회춘시켜 준다는 약효를 들으면 아무리 위험성이 있다 해도 받아들이고 싶어지는 것이었다.

결국 코다마 쥬조는 그 약을 받아들였고 놀랍게도 건강이 호전되고 있었다.

노쇠성 당뇨에 시달리던 코다마 쥬조가 인슐린을 끊을 수 있게 되었고 근밀도, 골밀도도 덩달아 향상되고 있었다. 기분 탓인지 피부도 탱탱해진 것 같고 몸에 활력도 돌아왔다.

이리되자 코다마 쥬조는 약의 유통을 금할 생각을 갖게 되었다. 이 약이 시중에 공개되면 제약 회사의 지분을 상당수 보유하고 있는 그로서는 돈방석에 오를 것이다.

하지만 그렇게 된다면 약을 구입할 수 있는 자들도 이런 혜택을 누릴 게 아닌가?

코다마 쥬조는 감히 다른 놈들이 자신과 같은 혜택을 누리는 것을 허락할 수 없었다.

그래서일까? 제약 회사에서는 감히 코다마 쥬조와 직접 얼굴을 맞댈 영광을 달라고 애원하고 있었다. 제1여당 간사장도 턱끝으로 교체할 수 있는 코다마 쥬조의 입장에서는 까마득한 잡것들이 감히 자신을 귀찮게 하는 격이었지만……

그들이 만든 약이 너무 흡족하니 한 번쯤 만나줄까 하는 생각도 들었다.

요정의 안으로 들어온 것은 마사미 제약의 사장 마사미 키타헤이라는 젊은이와 양복 차림의 외국인 둘, 그리고 아직 어린 미소년이었다. 코다마 쥬조의 경호원들은 그들의 품을 뒤져 무기가 있는지, 녹음기가 있는지 확인하고 난 뒤에야 그들을 요정

안으로 들여보냈다.

인공적으로 배양한 반딧불이들이 날아다니는 근사한 일본식 정원 안쪽에 검은색 화복(和服)을 입은 노인이 앉아 있었다.

코다마 쥬조는 들어오는 이들의 면모를 무심히 흩어보고 실소했다. 은밀한 뒷일을 하는 데 있어서 외국인들과 어린 소년이라니?

코다마 쥬조는 원래 남색가가 아니었다. 미 해군정보부 중위 시절에는 하와이 원주민 출신의 여성과 결혼해 자녀도 둘이나 낳았다. 그러나 일본에서 신분이 높아지고 부를 축적한 뒤 조강지처를 버리고 온갖 향락에 찌들다 보니 지금은 남색도 서슴지 않는 권력의 요물로 변해 있었다.

그런 그에게 알아서 소년을 데려오다니…….

"역시 록히드 때도 느꼈지만 양인들도 꽤나… 은밀한 정을 잘 안단 말이야. 합리주의자이기 때문인가?"

쥬조는 록히드 스캔들을 언급하며 마사미 제약의 일행들에게 마주 앉을 것을 권했다.

그러자 그들이 앉는데…….

"엇차."

머리를 노랗게 물들인 건달 같은 녀석이 대뜸 털썩 앉는 게 아닌가? 코다마 쥬조와 그의 경호원들은 그 불경한 모습에 놀랐다. 지금까지 쥬조가 앉으라고 권하면 언제나 사양하고… 마루 위에 올라오는 것도 저어하다가 마지못해 정좌하는 게 원칙이었는데 대뜸 털썩 앉아버리다니?

"……."

코다마 쥬조가 소매를 걷고 손을 들어 올리자 경호원들이 몰려왔다. 그러나 처음 앉았던 그 건달 같은 이가 중얼거렸다.

"권총이 만약 한날한시에 동시에 폭발하면 어떨까?"

"……?"

그다음 순간 쥬조가 보는 앞에서 경호원들이 폭발했다. 정확히는 경호원들이 가지고 있던 권총이 일제히 폭발하면서 그들을 즉사시킨 것이다.

설마 폭약이나 그런 걸 숨겨 왔나? 하지만 이곳에 들어올 때는 전화기를 포함해 어떤 전자장치도 들여오지 못하게 하는데?

"무… 무슨 짓이냐? 네놈들!"

"어르신, 죄송합니다."

마사미 제약의 경영자 마사미 키타헤이는 그렇게 말하고 거듭 죄송하다고 머리를 숙였다. 하지만 그가 데려온 외국인들과 미소년은 싸늘한 눈초리로 쥬조를 바라볼 뿐이었다.

"잠시 이야기를 좀 해볼까?"

기괴한 일자머리를 한 금발의 남자가 쥬조를 바라보자 쥬조는 자신의 눈앞에 있는 이가 마치 끝없는 낭떠러지처럼 보였다. 아찔한 느낌, 발 한 번 잘못 디뎠다가는 그대로 심연 속으로 추락할 것 같은 공포감을 느꼈지만 코다마 쥬조는 수차례 암살 위협도 버텨내고 일국의 실권을 장악한 거물이다. 그가 이 정도 공포감에 쉽게 굴복했다면 오늘날의 위치에 있을 수는 없었을 것이다.

"…무례한 오랑캐 놈들. 네놈들이 내게서 얻을 수 있는 건 아무엇도 없다!"

"애석하게도… 그걸 선택하는 건 당신이 아니야. 나지."

기묘한 외국인은 그리 말하고 코다마 쥬조에게 손을 뻗었다. 그때 정원 밖에 있던 요원들이 뛰어들어 왔다. 총기가 금지된 일본에서 무려 기관단총으로 무장한 이들이 들어오는데…….

딱!

노란 머리칼의 외국인이 손가락을 튕기는 순간 기관총조차 폭발했다.

"으아아악!"

총이 폭발하면서 피투성이가 된 SP요원들이 나뒹굴었다. 다행히 총을 옷 안에 넣고 있던 경호원들과 달리 손에 총을 들고 있었기에 즉사한 사람이 없었지만…….

얼굴에서 피를 흘리고 손가락이 완전히 날아가 뭉툭해진 손을 끌어안고 비명을 지르는 이들의 모습을 다행이라 여길 수 있을까?

코다마 쥬조로서는 미쳐 버릴 노릇이었다. 지금의 그는 일본 우익의 거두, 막후의 실력자로 전통을 중시하는 모습을 하고 있지만 원래는 미 해군정보부 장교 출신으로 합리주의자였다. 그런 그의 눈앞에서 초자연적 현상이 연거푸 일어나고 있으니 돌아버릴 지경이다.

차라리 꿈이면 좋겠는데 피 냄새와 고통에 찬 비명이 너무 현실적이라 꿈이 아니라는 걸 알 수 있었다.

"웃기는 일이지. 이렇게 쉽게 문명국가를 빼앗을 수 있다니. 인간들은 종종 자신들의 문명이 거대한 반석이라고 생각하는

경향이 있는데 그게 얼마나 허황된 생각인지 당신을 통해서 알
게 될 거야."

남자는 유창한 일본어로 그리 말하고 미소를 지어 보였다.

10

한세건과 서현이 아르쥬나에 도착했을 때 그곳은 그야말로
전쟁 직후의 모습이었다. 물론 아르쥬나가 위치한 건물 자체는
멀쩡했지만 그 입구, 일반인들을 마법처럼 밀어내고는 하던 공
원과 울창한 가로수들은 폭풍과 전쟁을 함께 겪은 것처럼 파손
되어 을씨년스러운 모습을 유지하고 있었다.

김성희는 아르쥬나의 입구에 서서 부서진 건물 외곽들을 사
진기로 찍고 있다가 한세건과 서현의 등장을 반겼다.

"어서 와. 그렇지 않아도 기다리고 있었는데. 연락을 넣을까
했지만 자고 있을 것 같아서 안 했었어."

김성희는 서현과 한세건의 등장을 반겼다.

"악령 계열과 싸울 무기가 필요해요. 그리고 일본으로 무기를
실어 나를 만한 유통 라인, 일본에 들어갈 여권도 필요하고…
모든 것이 필요합니다."

한세건은 그리 말하다 깜짝 놀랐다.

뱀파이어의 기운이 아르쥬나 안에서 느껴지고 있었기 때문이
었다.

"뱀파이어?"

김성희는 고개를 끄덕였다.

아르쥬나 안에는 흡사 난민처럼 보이는 동남아시아인들이 있었다. 그들은 바닥에 에어매트를 깔고 누워서 잠들어 있었는데 그 모습은 그야말로 비참함 그 자체였다. 아르쥬나가 깨끗한 상업용 시설이라는 걸 감안하면 그들의 비참함은 그들의 존재에서 나오는 것이리라.

서현과 한세건은 아르쥬나에 대놓고 드러누워 있는 뱀파이어를 보고 어이가 없어 했다.

"…아웃로로군."

서현은 그들을 알아보고 혀를 찼다. 몸에서 나는 냄새에서 이들이 정상적인 뱀파이어가 아니라는 걸 알아챌 수 있었다. 그런데 어디 사슬에 구속되어 있지도 않고 이런 비참한 몰골로 아르쥬나에서 휴식을 취하고 있었다는 건…….

철컥!

그때 한세건이 글록—18을 두 자루 빼 들고 뱀파이어들을 겨누었다. 당장에라도 쏴 죽일 기세였다.

"잠깐!"

서현이 그런 세건의 팔을 붙잡아 막았다. 뱀파이어들은 감히 한세건과 서현에게 맞설 생각도 하지 않고 머리를 감싸고 부들부들 떨고 있었다.

"사, 살려주세요!"

"살려주십시오!"

프랑스어로 말하는 그들을 보고 서현은 한세건을 말렸다.

"무방비 상태의 적이다! 게다가 아르쥬나의 마스터가 들여놨을 정도면 중요한 정보를 가지고 있어!"

"그래, 중요한 정보. 물론 있겠지. 하지만 그런 걸 하나둘 받아먹으면 난 버틸 수 없을 거야."

"넌 이제 더 이상 몸부림치고 영혼을 불살라 가며 싸워야 겨우겨우 뱀파이어 하나 잡는 헌터가 아니야! 이제 넌 네 힘에 걸맞은 자리에서, 새로운 담론에 맞설 준비를 해야 해!"

서현의 말이 한세건의 심장을 강타했다. 한세건과 서현은 한때 목숨을 노리고 서로 싸웠던 적도 있었지만… 지금 서현의 말만큼 한세건에게 강한 피해를 준 공격은 단언컨대 단 하나도 없었으리라.

"맙소사, 지금 뭐라고?"

"넌 절대적인 강자고 이들은 악의 없는 약자! 그런 이상 더 이상 몸부림치는 복수자라는 포지션을 차지할 수는 없다!"

"하… 왜 내 일을 네놈이 결정하는 거지? 내가 그 포지션을 계속 유지하겠다면?"

서현과 한세건 사이에 팽팽한 긴장감이 감돌았다. 그러나 서현은 라이칸스로프의 왕자였던 주제에 한세건과의 자존심 싸움을 걸어찼다.

그는 한세건과 감정싸움을 하는 대신 몸을 돌렸다.

"그럴 수 없다는 건 네가 더 잘 알 거다! 난 이들을 심문하겠어. 네가 뭐라고 하든 간에."

"……."

그런 서현의 어른스러운 태도에 한세건은 할 말을 잃었다.

아르쥬나의 바닥에 엎드려 있던 뱀파이어들은 바로 두오델과 파갈이었다. 그들은 갑작스러운 감염으로 뱀파이어가 된 이후 앙리 유이의 보호를 받으며 살아왔지만 테트라 아낙스와 싸우기 위해 앙리 유이가 뱀파이어들을 소모품 취급 하는 걸 보고 아예 저항을 포기해 버렸다.

어차피 그들은 소시민이다. 피를 마시고 싶다는 욕구, 살고 싶다는 욕구, 좀 더 행복해지고 싶다는 욕구만 있을 뿐, 앙리 유이처럼 강력한 열정, 보통 뱀파이어들은 이해할 수 없는 원대한 계획 따윈 없었다.

문제는 그들을 바라보고 있는 서현과 한세건의 표정이 결코 곱지 않다는 것이다.

"우… 우리 죽는 거 아냐?"

두오델이 그렇게 물어보자 파갈이 상심했다.

"제기랄. 싫어, 그건. 지금까지 살면서 낙이라곤 없었는데……."

"뭐라고 하는 거야, 젠장. 한국어는 약간 배웠는데 너무 흥분해서 뭐라고 하는지 잘 모르겠어."

"우리를 죽일지도 모르겠어."

"엑, 항복했는데도?"

두오델이 겁을 집어먹었다.

"미친. 그럼 뱀파이어를 헌터들이 뱀파이어를 살려둬서 어쩔 거야? 갈아 마시면 돈이 되는데 항복했다고 살려주겠냐? 애초에 이거 항복하자는 걸 왜 생각한 거야?"

파갈은 치를 떨었다. 앙리 유이에게서 도망칠 수 없다는 걸 깨닫고 궁여지책으로 모험을 걸어본 것인데 한세건과 서현의 반응이 영 좋지 않다.

"우리가 가져온 정보는 보통이 아니잖아?! 이 정도 공로를 세웠는데 우리를 죽이겠어?"

두오텔은 순진하게 그렇게 생각했다.

"…그걸 얼마나 알아줄는지 모르겠네."

두오텔과 파갈이 그렇게 이야기를 나누고 있을 때 서현의 눈이 반짝였다. 서현은 한세건과의 입씨름을 그만두고 두오텔과 파갈에게 말을 걸어왔다.

"뭔가 괜찮은 정보를 가져왔으니까 아르쥬나의 마스터가 너희의 항복을 받아들여 줬겠지. 뭐지?"

"……."

두오텔과 파갈은 서현의 말을 듣고 혀를 찼다. 서현이 매끈한 프랑스어로 그들에게 물어왔기 때문이었다. 한국인이니 못 알아듣겠거니 하고 프랑스어로 말했는데 바로 들통나 버렸다.

"…아, 저기… 이거."

그들은 휴대폰을 바닥에 내려놓고 사진을 보여주었다. 정보를 바치고 자비를 구걸할 수밖에 없었다.

눈이 좋은 서현이라 일어선 채로도 그것을 선명하게 볼 수 있었다.

휴대폰 액정 화면에는 상당히 큰 벌크선 화물 안에 곡식 낱알이 가득 채워져 있고 그 안으로 대형 기계장치의 부품들이 들어가 있는 게 보였다. 그런데 어째 그 부품들이 낯이 익다.

"헉."

서현은 그걸 보고 기겁했다.

"이건……."

"그만, 거기까지."

한세건은 뱀파이어들에게 정보를 얻으려 하지 않았다.

하지만 서현은 한세건의 요청을 무시했다.

"미친놈아! 나도 어지간하면 존중해 주고 싶지만 이건 네 사소한 미학 챙길 문제가 아니야! 귓구멍 파고 잘 들어!"

서현은 한세건을 윽박지르듯 말했다.

"순항미사일이다!"

"……!"

한세건도 그 말을 듣고 깜짝 놀랐다. 확실히… 뱀파이어의 덕을 보지 않는다는 미학 따위는 그 순간 산산조각 나버렸다.

세상이 예상보다 훨씬 더 미쳐 돌아가고 있음에 틀림없었다.

第12夜

Fire Power

1

KH—15 순항미사일은 서방세계의 토마호크에 비하면 낮은 신뢰성을 가진 무기지만 그럼에도 불구하고 무기 암시장에선 감히 넘볼 수 없는 초호화 사양을 갖춘 병기다.

스커드 지대지미사일에 비해 높은 정밀도와 요격을 힘들게 만드는 비행 궤도, 그리고 핵과 화학무기를 투발할 수 있는 파괴력의 삼박자를 두루 갖추고 있었다.

당연히 어떤 나라에서든 이런 병기는 고수준의 보안 체계를 적용해 관리하고 있다. 그런데 그걸 빼내다니? 게다가 벌크선이라고 해도 당연히 세관과 항만에서 적재물에 대한 단속을 할 텐데…….

"순항미사일이라니? 그런 걸 어떻게 빼돌렸다는 거야?"

한세건은 그 말을 듣고 즉시 반문했다.

"나야 모르지. 자세한 수단이 문제가 아니잖아?"

서현은 뱀파이어들이 가져온 휴대폰을 들어서 살펴보며 사진 정보에 남아 있는 위치 정보를 확인해 보았다. 인도양에서 찍은 사진이다.

다음 사진들의 기록을 보니 점점 이동하는 게, 동쪽으로 오는 것이다.

"선원수첩! 수첩 내놔봐!"

서현이 프랑스어로 선원수첩을 요구하자 그들은 즉각 선원수첩을 내놓았다.

서현은 그 수첩을 보고 그들의 항해 기록을 검토했다.

"말라카 해협은 통과했군. 싱가포르는 거치지 않고 그대로 순항… 음, 호치민을 찍고 홍콩, 대만, 부산 항로인가? 너무 경유지가 많은데?"

평소의 여유 있던 모습이 아니다. 서현은 눈에 핏발을 세우고 선원들의 휴대폰과 선원수첩의 입항 일자를 조합해 그들의 동선을, 순항미사일의 동선을 복원해 냈다.

"말레이 해에서 짐을 내렸군. 해적들인가?"

"예! 예!"

두 선원, 두오델과 파갈은 서현의 말에 고개를 끄덕였다.

벌크선이 경유지가 많은 경우는 각 항구마다 물자를 내리고 올리는 게 이득이다. 하지만 화물 안에 순항미사일을 숨기고 있는데 불필요하게 많이 항구에 들렀을 리가 없다.

틀림없이 말레이 해에서 해적들에게 순항미사일을 넘겼을 테고 그 해적들은 아웃로 뱀파이어들과 연결되어 있을 것이다.

"잠깐. 순항미사일이면 미사일만 덩그러니 있다고 발사시킬 수 있는 게 아니잖아?"

한세건은 그런 의문을 품었다. 순항미사일은 불붙이면 날아가는 폭죽과 다르다. 날려 보내고 명중시키는 데 굉장히 정밀한 조작이 필요하다. 해적들이 순항미사일을 발사할 수 있을까?

"그러니까 아직 안 쏘고 있겠지. 하지만 난이도 자체는 그리 어렵지 않아. 관성 제어로 대지공격이라면 초반 입력과 상용 GPS 시스템이나 '글로나스(GLONASS:러시아 위성을 쓰는 위성 내비게이션 시스템)'로도 충분하거든. 정밀도를 높이고자 하거나 사정거리를 늘리려 한다면 기술자가 필요하겠지만 옛날보다 정보가 많이 공개되어서……."

"음, 그러게. 생각해 보니 나도 할 수 있는 일인데 해적들이라고 못 할 리 없겠군."

"그러니까 말이야. 음… 뭐라고?"

서현은 한세건의 자신만만한 말을 듣고 경악했다. 아니, 한세건이 자체적으로 설비를 만들고 하는 걸 보면 과학과 엔지니어링에 지대한 관심과 재능을 가지고 있다는 건 알 수 있겠다. 그러나 로켓의 항법제어시스템이라는 건 여러 번 날려보면서 실측도 하지 않으면 안 된다.

그 데이터 없이 위성항법시스템 신호상 목표 궤적보다 왼쪽이면 왼쪽으로, 오른쪽이면 오른쪽으로 튼다? 그런 간단한 문제는 아니다.

'하지만 이 녀석은 어째 할 수 있을 것 같단 말이지.'

서현은 한숨을 내쉬고 선원들의 스마트폰 안에 들어 있는 자료들을 뒤져보았다.

"왜 이런 사이코 새끼들이 세상을 다 불태우려고 하는 거야?"

"……."

서현이 앙리 유이와 그 추종자들을 비난하는 걸 보고 한세건이 순간 말문이 막혔다.

"…네가 옛날에 하던 짓이랑 비슷하지 않냐?"

"난 ICBM이었지."

"더 나쁘잖아! 뭘 뻔뻔하게 답하고 있어?"

"내가 하면 로맨스! 남이 하면 불륜이기 때문이지!"

"……."

이렇게까지 확실히 말하면 그것참 말문이 막힌다.

"내가 좀 뻔뻔하다고 비난받는 대신 인류를 구할 수 있다면 기꺼이 그 비난 감수하겠어."

"뭘 또 성자처럼 말해, 미친놈아. 아~ 말을 말자. 내가 돌아버리겠다."

한세건은 그리 말하고 노트북을 꺼내서 펼쳤다.

"내가 테트라 아낙스에 저항하는 세력이고 순항미사일을 손에 넣었다면 표적은… 뭐, 뻔하군."

서현과 한세건이 동시에 말했다.

"싱가포르 주재 플렉스 메디칼 센터!"

"플렉스 메디칼 싱가포르 지사."

"후. 서로 완전히 동일하진 않군. 이것마저 같았으면 기분 나쁠 뻔했다. 그래, 그래서인가. 원래 아그니는 인도차이나반도 쪽에서 활약하고 있는데 뜬금없이 앙리 유이와 편을 먹었다 했더니만……."

그때 김성희가 들어왔다.

"어때, 이야기는 좀 해봤어? 뭐라고 말을 하는데 못 알아듣겠어서."

"아, 네… 뭐, 그래도 대충 일의 경중은 알고 있었죠?"

"프랑스어를 못해도 미사일은 만국 공통이니까… 그래서? 어떤 거야? 그 팔레스타인 저항군이 쓰는 로켓 같은 거야?"

김성희는 아직 일의 심각함을 이해하지 못하고 있었다. '까삼 로켓'은 하마스가 쓰는 로켓으로, 로켓 취미를 가진 사람들이 사재를 털어 만드는 동호회 수준의 고체 로켓에 폭탄을 단 것이다. 이것도 그런 수준이면 좋겠다만… 서현은 어깨를 으쓱해 보였다.

"순항미사일요."

"아… 음. 잘 몰라서 물어보는 건데… 순항미사일이라면 위험한 거 맞지? 어느 정도 위험하지?"

서현의 반응이 담백해서였을까? 김성희는 다시 한 번 물어보았다. 서현은 그녀의 질문에 또 한 번 담백하게 대답했다.

"음… 전술핵탄두가 실려 있으면 싱가포르라는 국가가 지도상에서 지워질 정도?"

"……."

언제나 포커페이스를 유지하고 있던 김성희조차 입을 떡 벌리고 놀랄 수밖에 없었다.

2

코다마 쥬조의 저택은 근사한 교토식 정원을 가진 2층 화옥(和屋)으로 인근엔 온통 청죽림이 조성되어 있었다.

그 청죽림에 비가 내리고 있었다.

"이런 게 운치인가 보군."

앙리 유이는 열린 장지문 너머… 비가 쏟아지고 있는 연못을 보며 술잔을 기울였다.

"…깬다. 와패니즈 자식. 오리엔탈리즘이 폭발하시나 보군."

아그니는 투덜거리며 손을 털고 있었다. 그들에게 도전했던 경호원들 대부분을 구울로 만든 그는 대량의 피를 소화시키기 위해 창고에서 술 단지를 가져왔다. 나무로 만들어진 통 안에 청주가 담겨 있었는데 작은 나무망치로 뚜껑을 깨고 열게 되어 있었다.

"…무슨… 귀한 술이네."

코다마 쥬조는 자신이 즐기는 술을 무단으로 꺼내는 아그니를 보고 눈살을 찌푸렸다.

'우월한 유럽 인종인 이 남자라면 모를까, 저 불법체류자 같

은 놈은 술의 진가도 알지 못할 텐데…….'

다분히 인종차별주의자적인 생각이지만 앙리 유이에게 금제가 걸려 있으니 감히 앙리 유이에게 반항적인 생각을 품을 수 없는 것도 당연했다.

지금 코다마 쥬조는 앙리 유이의 앞에 정좌를 하고 있었다. HQ 체제 이후 일본의 막후 보스로 군림하던 남자가 벌받는 학생처럼 벌벌 떨고 있었다. 마지막 쇼군이라는 별명을 가지고 있는 남자가 목숨의 위협 때문에 이렇게 정좌를 하고 있는 것은 아니다.

앙리 유이가 발하는 존재감이 그를 굴복시키고 있었다.

뭐랄까. 마치 본능에 각인된 것 같다. 이 남자에게 굴종할 수밖에 없는 힘… 심령을 본질적으로 금제하는 힘이 코다마 쥬조의 안 좋은 무릎을 강제로 꿇게 만들었다.

물론 그러는 한편 코다마 쥬조는 머리를 굴렸다. 해군정보부 출신의 그의 머리는 비록 오랜 시간 안정된 권력을 누리며 잠들어 있었지만 위기에 처하자 불붙은 망아지처럼 펄떡펄떡 뛰고 있었다.

이들은 그를 살려둘 것이다. 그렇지 않으면 굳이 여기 찾아올 이유가 없다. 코다마 쥬조의 영향력, 권력을 이용하기 위해서는 살아 있는 코다마 쥬조가 필요하니까.

과연 앙리 유이는 술잔을 비우고 말했다.

"당신은 뱀파이어가 될 수 없어. 정상적으로는… 테스트해 보니 음성반응이 나오더군."

앙리 유이는 그리 말하고 술잔을 내밀었다. 아그니가 국자로 술을 떠서 앙리 유이에게 따라주고 자신은 그 국자로 벌컥벌컥 청주를 마셨다. 달콤한 주향이 저택 안에 감돈다.

"총성도 나고 사람도 죽었는데 전화 한 통화로 무마되다니. 테트라 아낙스만 할 수 있는 일인 줄 알았는데……."

아그니는 투덜거렸다.

"그게 바로 권력자라는 거지요. 원래 인간 세상은 그렇게 굴러가요."

강아담은 주사기를 준비하고 있었다.

"그래서, 이 노인을 뱀파이어로 만들게?"

"우리는 살아 있는 코다마 쥬조가 필요해요. 과도한 스트레스에 자연사할지도 모르는 나이이니 뱀파이어로 만들어두지 않으면 곤란합니다."

"하지만 VT인자 음성반응이라면서? 무엇보다 나이도 너무 많고 설령 양성반응이라 해도 못 버틸 것 같은데? 흠……."

아그니는 그리 말하다 아담이 주사기로 피를 뽑는 모습을 보고 입을 다물었다. 새카만 피가 딱 한 방울, 그리고 나머지는 생리식염수 팩에 꽂고 주입하는데 검고 불길한 기운이 주사기 안에서 몽글몽글 피어오르는 모습이 보기에도 역겹고 위험했다.

그뿐만이 아니다. 아담에게서도 새카만 영기가 꾸역꾸역 피어오르고 있었다. 아담이 입을 벌리자…….

스으으으으으……

스산한 영기가 주사기로 빨려 들어간다. 아그니가 그 모습을 지켜보고 있자 아담이 쓴웃음을 지었다.

"되게 심심하신가 보군요? 작업해야 하니 비켜주세요."

아담은 코다마 쥬조의 팔을 잡았다. 코다마 쥬조는 순순히 팔을 내주었다 이미 앙리 유이에게 심령을 완전히 제압당한 그는 달리 방법이 없었으리라. 아담이 그의 팔에 혈액을 절반 정도 주사하고 나머지는 그의 입에 부어넣었다.

"자, 먹는다는 행위에 정신을 집중하세요. 피를 직접 마심으로써 당신의 영혼이 우리의 일원이 될 수 있을 겁니다."

코다마는 마치 자원봉사자의 도움을 받는 치매 환자처럼 어어거리며 아담이 시키는 대로 했다. 그 모습을 보고 아그니가 투덜거렸다.

"음성 판정 난 놈은 애초에 뱀파이어가 될 자격이 없는 놈이야. 뱀파이어가 되는 건 일종의 특권인데 자격이 없는 놈을 어거지로……."

그러나 아그니는 그다음에 벌어지는 일에 입을 다물었다. 놀라운 일이 일어나기 시작했다.

쉬이이익!

코다마의 몸에서 땀이 흐르더니만 그 정도도 부족한지 숫제 김이 피어오른다. 노인의 몸이 우그러들면서 노화되어 왜소해진 몸이 뒤틀린다. 골세포가 소실되어 휘어진 척추가 바로 펴지고 그 반동으로 몸의 군살이, 지방과 쭈그러진 피부가 먹혀들어 간다.

"…젊어지고 있잖아?"

인간이 뱀파이어가 되는 모습을 많이 봐온 아그니지만 이런 건 처음 본다. 언제 죽어도 이상하지 않을 노괴(老怪)가 정상적인 수준의 노인으로… 변해간다. 90세는 되어 보이던 노인이 60대의 모습으로 변하는 걸 보고 아그니는 경탄했다.

"저희는 마법의 첨단을 달리고 있는 마법사이기도 하니까요. 음성반응인 자를 뱀파이어로 만들 수도 있고 이런 것도 가능하답니다."

아담은 그리 말하고 정원을 바라보고 있는 앙리 유이의 곁에 공손히 정좌하고 말했다.

"작업이 다 끝났습니다."

"그래, 싱가포르 공격은 어떻게 되어가고 있지?"

"미사일은 조립 중입니다. 하지만 현재 탄두가 있는 건 재래식 고폭탄이라고 하네요. 연료도 산화되어서 교체해 주어야 하고 관성제어장치를 떼고 GPS 유도 방식으로 바꾸려면 시간이 많이 걸립니다."

현재 앙리 유이의 세력이 입수한 미사일은 겉 케이싱만 멀쩡하지, 안은 처음 만들어진 때와 별반 다를 바 없는 상태로 많은 개보수가 필요하다.

"인도차이나반도나 인도네시아 지역은 내 텃밭인데… 그쪽 일이 재밌을 것 같군. 여기서 이렇게 비 맞으면서 툴툴거리느니……."

아그니가 그렇게 앙리 유이에게 불평을 하자 앙리 유이가 피식 웃었다.

"이런, 풍류를 모르는군. 지금 이 빗소리, 정경이 얼마나 운치 있는지 모르겠나?"

"따분해. 운치니 풍정이니 그런 건 다 배부른 놈들이 하는 헛소리지. 난 여기 재미있을 것 같아서 온 거라고."

아그니가 투덜거리자 아담이 핀잔을 주었다.

"우리 곁에 있어야 아웃레이지에 중독되지 않을 수 있다고 생각해서가 아니라요?"

"그것도 있지만……."

"그리고 지금 미사일팀도 영 재미없을 거예요. 지금은 미사일 재조립 작업에 들어갔을 뿐이고 탄두를 얻을 때까지는 어차피 대기해야 하니까요. 화려한 불꽃놀이를 위해서는 지루한 준비 작업이 많이 필요한 법이지요."

"…젠장."

그 말을 듣고 아그니는 짜증을 냈다. 앙리 유이는 피식 웃었다.

"풍류를 즐기기엔… 시끄럽게 칭얼거리는 애가 있어서 무리군."

"설마 지금 나를 두고 하는 말은 아니겠지?"

아그니에게서 살기가 끓어올랐다. 지금이라도 당장 앙리 유이의 머리를 목에서 분리시킬 기세다. 아담이 긴장해서 언제라도 뛰쳐나갈 수 있도록 몸을 움츠렸지만…….

"자, 그럼 코다마 쥬조. 일본 쿠데타를 시작하도록."

"예."

"그리고 아그니! 코다마 쥬조와 함께 국회의사당을 장악하고 총리를 척살하도록. 당신이 좋아하는 가장 화려한 방식으로."

"……."

그 말을 들은 아그니는 엄지손가락을 추켜세웠다.

"아, 이 쌈박한 자식. 반해 버리겠는데?"

심심해 죽던 아그니에게는 이 이상 가는 선물이 없을 것이다.

3

서현은 전화기를 잡고 한숨을 내쉬었다.

한세건은 뱀파이어 헌터라는 아이덴티티가 너무 강하다. 아무리 인류 전체에 대한 위기로 단결을 촉구한다 하더라도 그는 뱀파이어와 손을 잡진 않을 것이다.

뱀파이어를 적대한다는 그의 사명이 인류 문명의 생존보다도 더 우선시하는 것이다.

그러니 그 사이에서 완충 역할은 온전히 서현의 것이다.

서현은 전화기에 저장된 번호, 테트라 아낙스에게 직접 전화를 걸었다. 물론 한세건을 김성희에게 맡겨두고 잠시 빠져나와서 거는 것이다. 한세건 앞에서 이런 짓을 해서 좋을 게 없지.

"자… 정말 큰맘 먹고 거는 건데 좀 받아라."

서현은 전화 발신음을 들으며 손가락 중관절을 살짝 깨물었다. 상황이 급박하게 돌아가니 정말 초조하다.

잠시 후 누군가가 전화를 받았다.

—네, 전화받았습니다.

예상외로 젊은 여자, 아니, 10대 소녀의 목소리가 들린다.

"…혹시 서린이 있나요?"

스스로 말을 뱉어놓고도 바보 같다. 테트라 아낙스가 된 녀석에게 전화를 걸었는데, 뭐 친구네 집에 전화 걸었더니 아직 서먹서먹한 친구네 가족이 받은 것 같은 기분이다. 마이클 잭슨이 잃어버린 유년기에 대한 반동으로 키덜트 경향을 강하게 드러냈다지만 서현은 잃어버린 어린 시절에 대한 보상 심리가 없었는데…….

뜻하지 않은 곳에서 10대 소년의 기분을 느낄 수 있었다. 이걸 좋다고 해야 하나?

—아, 네? 지금 샤워 중인데 실례지만 누구시죠?

"…아니, 거… 잠깐. 아, 이거 혼란스러운데."

그때 휙 하고 바람 가르는 소리와 함께 전화기 너머로 서린의 목소리가 들려왔다.

—앗! 형!

"네놈이 나랑 그렇게 다정하게 말을 나눌 사이는 아니지? 대체 뭐 하는 거냐?"

—아, 그게.

"당장 오라클을 가동시켜. 네놈의 허접한 도덕성 때문에 못하는 거라면 내가 지금 당장 거리로 나가서 서울 시민을 절반 정도 죽여 버릴 테니까. 알겠어? 네 자기만족이 수많은 사람을 죽일 거라고! 네가 뭘 하든 간에 사람이 죽으니까 차라리 합리적인 대응을 해! 언제까지 세상에 응석꾸러기로 남을 거야?!"

서현은 자신에게 살갑게 구는 서린에게 으르렁거렸다. 그러자 서린이 한숨을 내쉬었다.

―형, 지금 상황은 내가 하고 싶어도 할 수가 없어. 아, 혹시나 싶어서 하는 말인데 형도 클레어보이언스는 쓰지 마.

"뭐?"

―음, 뭐라고 해야 하지. 릴리쓰가 일종의 정보생명체이자 곧 정보질병이라는 개념은 알고 있어?

"그 정도야 알고 있지. 릴리쓰가 영혼 상태로 돌아다니다 인간들을 감염시키고 우리를 낳았으니까."

―그래. 현재 앙리 유이가 만들고 있는 아웃레이지의 본질은 정보질병이야. 그리고 테트라 아낙스의 능력인 텔레파시나 예견 능력은 바로 그 정보질병에 접촉하기 쉬운 행동이지. 물로 전염되는 전염병이 돌고 있는데 잠수하고 물장구 치고 그러는 격이라니까.

"……."

서현은 말문이 막혔다. 서린의 말이 사실이라면 테트라 아낙스는 이 상황을 방치하는 게 아니라 정말 손도 발도 못 쓰고 당하고 있다는 소리다. 물론 테트라 아낙스의 수장이 하는 말을 100% 믿을 수는 없겠지만 예지 능력이 정보질병에 약하다는 건 사실이다.

―오라클 시스템을 빼앗길 위험은 아낙스도 이미 예견했어. 내가 새로운 테트라 아낙스가 되자마자 오라클 시스템을 중지시킨 것은 인격자라서 선택한 일이 아니야. 그렇게 할 수밖에 없었기 때문이지. 아, 물론 오라클들의 처우에 동정심을 느낀

것은 사실이긴 하지만… 지금 내게 남아 있는 무기는 일방 송출형 텔레파시와 테트라 아낙스의 군대, 그리고 돈뿐이야.

"……."

본인은 지금 자기 여건이 안 좋다는 의미에서 말하는 것 같은데 듣고 있는 사람 입장으로는 어이가 없을 개소리다. 서현의 침묵이 가지는 의미를 알아챘기 때문일까? 서린은 말을 이어나갔다.

—물론 나도 앙리 유이처럼 수단 방법 가리지 않으면 쉽지. 하지만 나는 체제의 수호자고 지켜야 하는 쪽이 게릴라보다 몇십 배, 몇백 배는 더 많은 자원을 소진해야 해. 미국이 중동에 개입했을 때 왜 막대한 재정 적자를 내고 물러났겠어? 힘이 부족해서? 아니지, 적을 꺾기엔 충분했지만 치안을 유지하기엔 부족했기 때문이야. 나도 만약 앙리 유이처럼 무작정 공세를 감행할 수 있는 입장이라면 지금 당장 미니트맨과 토폴을 앙리 유이의 거처를 향해 동시에 쏠 수도 있겠지.

치안을 깨는 것은 쉽지만 지키는 것은 훨씬 더 어려운 일이다. 테트라 아낙스는 지금 이 상황을 방치하고 있는 게 아니라 최선을 다하고 있는 것이다.

"그렇다면……."

—형의 도움이 필요해. 형만이 아니라 세건… 비스트의 도움도 필요하지. 하지만 그들은 나의 말을 듣지 않겠지. 왜냐면 나는 테트라 아낙스니까!

테트라 아낙스는 뱀파이어의 상징. 그가 인간에게, 다른 이들에게 화해의 제스처를 취한다 해도 그동안 쌓여 있는 원한이 너무나도 크다.

—원망하진 않겠어. 나 스스로도 이게 옳다고 생각해. 테트라 아낙스가 가진 강대한 권력과 힘에 더해서 명분까지 탐할 수는 없지. 테트라 아낙스는 원망의 대상이 되어야 해. 하지만 그러면서도 세상을 지켜야 하지. 그래서 명분을 훼손하지 않으면서도 중간에서 완충 역할을 해줄 사람이 필요했어.

"그게 나냐? 난 전범이라고 불리고 있는데? 나에겐 너무 무거운 임무가 아닐까?"

—더 좋지. 형처럼 과오가 확실한 사람은 절대로 오만해질 수 없으니까.

"……."

—그럼 끊을게. 아, 일본 쪽도 좀 신경 써줘.

"무슨 소리지?"

—보면 알아.

서린은 그 말을 남기고 전화를 끊었다.

4

덴노주의, 그것은 프랑스혁명 시절의 왕당파와는 약간 궤를 달리하는 기묘한 사상이었다.

천황을 중심으로 국가사회주의를 이루면 지금의 모든 불평등과 문제가 해결될 것이라는 순진할 정도의 이 믿음은, 우익적인 일본인들에게는 감히 반론조차 표해서는 안 될 진실로 여겨지고 있었다.

실제로 2.26 사태, 쇼와 혁명이라 불리는 일은 일본의 사상가, 기타 잇키의 저서에 경도된 황군파 군인들이 벌인 쿠데타 사건으로 그들은 현재 사회의 부조리와 문제점을 천황이 직접 통치함으로써 해결될 거라 믿었다.

이들의 과격함은 기타 잇키가 처형당한 이후에도 여전히 이어져 내려와 노벨 문학상 수상자인 문필가 미시마 유키오도 덴노주의에 기반한 쿠데타를 일으킬 것을 촉구하며 할복하기도 했을 정도였다.

만약 지금 일본에서 쿠데타가 일어난다면 그것은 역시 덴노주의자들에 의한 전체주의 쿠데타일 것이다.

"천황은 절대로 덴노주의를 허용하지 않을 겁니다."

코다마 쥬조는 자신의 리무진 차량에 앉아서 그렇게 말했다.

성공적으로 뱀파이어화가 되고 더불어 외관도 60대 정도의 노인으로 변모한 그는 노쇠한 정계의 괴물이 아니라 해군정보부 시절의 총명함과 활기를 되찾았다.

게다가 놀랍게도 그는 앙리 유이에게 충성심을 보이고 있었다. 생로병사, 그중 상당수를 조종하는 앙리 유이의 존재는 코다마 쥬조에게는 거의 신적인 존재로 보였기 때문이다.

'그게 아니면 앙리 유이의 수작이겠지. 뭐가 되었든 간에 이 남자는 일본 정치계의 거물이니까. 손에 넣을 가치는 있을 테니.'

아그니는 그리 생각하면서 창밖을 바라보았다. 심야의 도로에는 극단적으로 개조한 트럭과 차량들이 돌아다닐 뿐, 전체적으로 조용하다. 정각이 지나서 그런지 거리는 한적하다.

"덴노주의는 우익 인사들 전부를 관통하는 신앙이고 그들이 가장 과격한 조직이긴 하지만 이들이 쿠데타를 일으킨다고 해도 현재의 천황이 그걸 받아들일 리 없습니다. 그래서야 실패할 수밖에 없지요. 천황을 명분으로 쿠데타를 일으켰는데 정작 그 천황이 받아들이지 않으면 바로 명분을 잃어버릴 수밖에요. 쇼와 혁명도 그랬습니다."

그는 앙리 유이와 아그니에게 어떻게 해야 효과적으로 세상에 분란을 초래할 수 있을지를 역설하고 있었다. 정계의 흑막, 마지막 쇼군이라 불리는 남자는 열정을 다해 현 상황을 분석하고 설명했다.

"게다가 덴노주의자들이 직접 말하지 않는 그들의 본심은, 미국에 패해 지배를 받는 일본제국의 현재 체제는 미국에 의해 만들어진 가짜 체제이고, 그러므로 미국의 체제를 벗어나 덴노주의라는 그들의 이상적인 모습으로 돌아가면 지금 문제는 다 해결된다고 생각하고 있는 거지요."

우익의 거두인 코다마 쥬조의 평은 신랄했다. 그는 어디까지나 사회의 각계각층을 조종해 자신의 힘을 키우는 데 집중했기 때문이었다.

"그런 놈들이지만 사실 이 일이 있기 전부터 우익 집단들에 이미 제 자금과 사람들을 심어두었습니다. 그렇지만 그들을 이용해서 쿠데타를 일으킨다 한들 그 자체로는 정권을 오래 유지하지 못할 것입니다. 테트라 아낙스라는 뱀파이어에게 대항하고 소요를 일으키기 위해서 무작정 쿠데타를 일으키고 싶어 하는 건 알고 있습니다만, 일이 일단 일같이 굴러가야 효과가 있는 법이지요. 인간들의 손에 의해 효과적으로 쿠데타가 진압당한다면 이것은 간단한 해프닝으로 끝날 것입니다."

"간단한 해프닝은 아니지. 난 엄청나게 많이 죽일 거거든?"

아그니가 그렇게 말하자 코다마 쥬조는 반대했다.

"쿠데타 진입 시 내각 인사를 마구 죽이면 안 됩니다. 일본은 정치를 하던 사람이 아닌 새로운 인사가 정치를 하기 힘듭니다. 민권변호사나 시민 단체 출신의 사람들이 정계에 들어올 수 없는 구조로 되어 있지요. 그들이나 유능한 관료가 죽을 경우……."

"아, 그렇군."

아그니는 단번에 이 남자의 뜻을 이해했다. 놀랍게도 코다마 쥬조는 애국자였다. 뱀파이어 놈들이 자신의 조국을 단지 소란을 일으키기 위한 도구로 쓰려 하는 걸 어떻게든 막거나 최소한의 피해로 봉합하려 하고 있었다.

그래서 앙리 유이를 설득하려 하다니. 제법이다. 앙리 유이의 권속이 된 주제에 그런 짓을 하다니. 아그니는 내심 코다마 쥬조를 응원하며 앙리 유이의 반응을 기다렸다.

"그래서 어떻게 하자는 건가?"

앙리 유이도 어렴풋이 코다마의 의도를 눈치챘는지 물어보았다.

"우선 우익 집단을 이용해… 쿠데타를 일으킵니다. 그리고 저희의 입김이 닿은 이들이 그들을 제압하고 사태를 수습하는 것입니다. 그 과정에서 우리가 국정을 움직이는 데 방해되는 이들을 주로 죽인다면 죄는 죽은 자들이 짊어질 것이고 우리는 정당하게 이 국가의 운명을 거머쥘 것입니다. 당신들이 소란을 일으키는 것 자체를 목적으로 하고 있다는 건 알고 있습니다만 일본의 실권을 장악하는 건 분명히 당신들에게도 가치 있는 일일 것입니다. 그렇지 않습니까?"

"흠. 쿠데타를 쇼로 만들어서 빠르게 끝내자 이건가? 그럼 우익 애국지사들은 시작과 동시에 사형이네? 거참, 우익 인사들에게 거액을 쾌척해서 조직을 키워놨을 텐데……."

"소나 돼지를 살찌우는 건 잡아먹기 위해서지요. 저도 나이가 들고 치매가 와서 그런지 제 거짓말을 스스로 믿었습니다만… 덴노주의? 그런 걸 믿는 이들은 결국 백성에 불과합니다. 스스로의 운명을 개척하지 못하고 남이 이끌어주어야 하는 놈들이 초월적인 이상향으로 천황을 숭배하는데, 이상은 이뤄지지 않을 때 이상인 것입니다. 메시아 신앙은 지금의 고통을 이기기 위한 마약이지만 정말 메시아가 온 뒤에는 결국 아무것도 바뀌지 않았다는 걸 깨닫게 되고 더더욱 절망하게 될 테지요."

"그렇다면 네가 말하는 덴노주의자들이 정권을 장악해 버리고 천황이 그걸 받아들이게 만들면 어때? 그 정도는 할 수 있잖아? 천황 한 명만 정신을 조작하면 되겠군. 그런 걸 하면 아시아에서 과거 일본에 점령당했던 나라들이 다 벌 떼같이 들고 일어나서 전 세계적인 대혼란이 올 텐데."

"……."

천황은 절대로 덴노주의를 용납하지 않는다. 그런 전제하에 코다마 쥬조는 계획을 열성적으로 말하고 있었다. 그의 본심은 이들이 일본을 너무 거덜 내지 않도록, 앙리 유이를 적당히 만족시켜 주면서 일본의 장래는 온전히 지키고 후환이 될 싹들만 초법적 수단으로 제거하려는 것이었다.

그러나 아예 전제를 뒤집어 버리면 어떨까? 아그니는 장난스럽게 말했지만 그것은 코다마 쥬조에게 있어서 청천벽력이었다.

하지만 그때 앙리 유이가 고개를 가로저었다.

"누가 가쿠슈인을 공격하는 바람에 테트라 아낙스도 수를 썼을 거다. 천황을 직접 정신 지배하는 건 힘들 거야. 그래서 양동 작전을 펼치는 거지."

"어느 쪽이 주공이고 어느 쪽이 조공이지?"

"상대의 반응을 보고. 물렁한 쪽이 주공이 된다. 난 작전은 언제나 시작 5분 뒤 쓰레기가 된다는 걸 믿거든. 하지만 누구든 간에 너를 상대하려면 보통 인물로는 안 되겠지."

"…아르곤이면 좋겠군. 지금이면 이길 수 있을지도 모르겠는데."

"……."

아그니가 아르곤을 언급하자 앙리 유이가 움찔하고 놀랐다.

"말이 씨가 된다."

"뭐, 언젠가는 붙어봐야 하잖아? 별로 날 신뢰하지 않나 보군."

"그래서 지금 다른 진마를 영입 중이거든요."

아담이 대놓고 아그니에게 말했다.

"…아, 그래? 이거 이번에 꼭 아르곤이 와야겠네?"

아그니는 그리 말하고 기도하는 시늉을 했다. 그 모습을 본 코다마 쥬조는 기가 막혔다. 앙리 유이가 금제를 걸어둔 덕분에 앙리 유이에게 충성하지만 반세기간 '우국지사'라는 간판을 걸고 살아온 지금 일본의 미래가 심히 걱정되었다. 이런 사이코 흡혈귀 놈들이 국회 공격하는 꼴을 봐야 한단 말인가?

5

홋카이도 네무로 앞바다는 베링 해에서 흘러들어 오는 한류가 대륙붕 내류와 만나 높은 파도가 일어나고 있었다. 이 일대에서 조업하는 이들은 그래서 자신들이야말로 진짜 바다 사나이라고 자부하고 있었다.

홍게잡이 어선에서 조업하던 어부들은 그리 생각하며 오늘도 열심히 조업을 하고 있었다. 그런데…….

한창 조업 중이던 23세의 젊은이 이와타 소우지가 손을 멈췄다.

"뭐 하냐, 소우지?"

어선의 선장이자 소우지의 숙부인 이와타 겐이 물어보자 소우지는 손을 들어 바다를 가리켰다.

"하, 삼촌! 저기 카약이!"

"카약?"

말도 안 된다. 차디찬 수온을 자랑하는 이 베링 해에서 카약이라니, 파도를 만나면 확실히 뒤집어지고 그렇게 물에 빠지면 내한잠수복을 입고 있어도 순식간에 저체온 쇼크로 사망할 것이다. 미친놈이 아니고서야 이런 곳에서 수상 레포츠를 즐길 리없다.

과연… 다가오고 있는 건 카약이 아니었다.

하지만…….

"뭐지, 저건?"

수면 위를 소금쟁이처럼 떠다니는 보트 위에 세 명의 남자가 타고 있었고 한 명이 노를 젓는다. 마치 레일 축차를 타듯 위아래로 레버를 올렸다 내릴 때마다 배가 수면 위를 쭉쭉 미끄러져 나간다. 속도는 놀랍도록 빠르지만… 저들은 북태평양 쪽에서 오고 있는 게 아닌가?

"사, 살려주세요!"

기묘한 보트를 타고 있는 남자가 비명을 지르고 있었다.

"어, 어쩌죠?"

"밧줄 내려줘라."

40년간 이 바다에서 조업해 온 이와타 겐은 난생처음 베링 해에서 수상 레포츠를 즐기는 자들을 보게 되었다.

"으어……."

배에서 밧줄을 내려주자 남자들은 어렵지 않게 어선에 올라왔다. 백인 둘, 흑인 한 명으로 이뤄진 이 세 남자는 방한용 잠수복을 입고 있었는데 몸에서 다들 김을 풀풀 내뿜고 있었다.

"으아~ 이 미친놈들아~! 나 오늘부로 에스프리고 나발이고 다 그만둔다!"

"왜 그래, 몬티… 히스테리를 일으키곤. 생리증후군인가?"

백발의 청년이 싱글벙글 웃으면서 약간 호리호리한 체구의 남자에게 말한다. 그러자 몬티라 불린 남자가 발을 동동 굴렀다.

"닥쳐, 미친놈아! 북태평양을 저걸로 횡단하자니, 대체 무슨 생각인 거야?!"

"재미있었잖아. 그렇지?"

"어, 재미있었음."

흑인이 동의한다. 그들을 건져 올린 이와타 집안의 숙질은 영어를 할 줄 몰랐지만 그들이 무슨 소리를 하는지 신기하게도 쏙쏙 이해할 수 있었다.

그런데 이게 가능한 일인가?

FRP로 만들어진 레포츠용 보트로 베링 해를 건너다니? 게다가 저런 소금쟁이 보트는 수면이 잔잔한 호수에서나 쓸 수 있는 것이지, 파도가 심하면 못 쓰는 게 아닌가?

"아, 흠흠. 일어는 또 간만에 쓰네. 저기, 실례지만 여긴 어디쯤인가요?"

"GPS 있잖아."

"데이터 요금 나간단 말이야."

"GPS는 데이터 안 나가거든, 멍청아."

"너 진짜 진마에게 너무 심하게 군다. 우리 에스프리가 자유방임이라지만 말이야."

"아, 몰라. 난 지금 네놈이 예수님이래도 후려갈기고 싶은 심정이다."

몬티는 어선 위에 벌러덩 드러누워서 데굴데굴 굴렀다.

"어, 여긴 호, 홋카이도 네무로인데."

"음, 일본이지요? 러시아가 아니라? 이대로 쭉 직진하면 동경에 닿을 수 있을까요?"

"…지… 직진?"

어디로 직진을? 설마 저 보트를 타고 계속 바다로 쭉 나갈 셈인가?

"아, 혹시 휴대폰 충전 좀 할 수 있을까요? 물도 좀… 이거 너무 금방 고장 나서… 혹시 버려도 되나요?"

백발의 청년은 작은 충전기용 발전기를 꺼내 보였다. 휴대폰을 충전할 수 있게 손으로 돌리면 발전되는 작은 발전기와 랜턴이 붙어 있는 것이었는데 얼마나 돌려댔는지 부속이 튀어나오려 하고 있었다.

"……"

어부들은 조업을 멈추고 조난자인지 잠시 승선한 이들인지 모를 자들이 배의 전력 케이블로 휴대폰을 충전하고 물을 마시며 식사하는 걸 바라보았다.

"으아… 살 것 같다! 제길!"

"뭐, 덕분에 구속력을 이용해서 소금물을 담수로 정수하는 기술은 많이 늘었지? 스시도 잔뜩 먹고."

"스시는 초밥을 말하는 거야! 우리가 먹은 건 생대구지! 바다에서 식량을 조달하면 된다고? 아이고, 내가 이런 미친놈들이랑 왜 한 패거리가 되어서!"

"이 구속력 컨트롤은 널 훌륭한 뱀파이어로 만들어줄 거야. 실전 훈련인 거지."

"…뭘 가르쳐 준 것처럼 말하고 있어! 이게 뭐 쿵푸 영화야? 가라테 키드야?"

"아, 그만 좀 성질내. 스트레스는 뱀파이어에게도 별로 안 좋거든?"

"애당초 지금 테트라 아낙스는 고든처럼 말이 안 통하는 놈이 아니잖아! 경비도 다 대주고 신분도 새로 만들어준다는데 왜 이런 미친 짓을 사서…….'"

몬티는 계속 방방 뛰었다. 주위 어부들이 보기에도 이 남자의 분노는 정당했다. 저 차가운 바다를 이 보트로 넘어오게 했다면 화가 날 법도 하지. 아니, 살아 있는 것부터 말이 안 되지만 살아남았다 해도 화가 날 거다.

선원들이 그렇게 황당해하고 있을 때 흑인이 키득키득 웃었다.

"화내는 걸 보니 기력이 다 회복된 모양인데?"

"그러게. 그럼 다시 갈까? 아직 몬티가 할 시간이 많이 남았지. 우리 8시간씩 교대하기로 했으니까. 다시 가볼까? 이거 고칠 수 있을 것 같고."

백발의 청년은 휴대폰을 충전하는 동안 드라이버와 낚싯줄, 덕테이프로 손 발전기를 수리했다. 엉성하지만 손으로 돌리니 랜턴에 불이 들어오는 게 기능이 회복된 것 같다. 하긴 영구자석 안에 코일을 넣고 돌리고 그 코일과 연결된 전선이 반도체로 된 정류자에 연결되어 USB 포트로 전력을 보내는 구조로 되어 있는 단순한 물건이다. 영구자석의 케이싱만 멀쩡하면 어떻게든 수리가 된다.

"…으아. 그만해, 미친놈들아! 아저씨! 살려주세요! 우리 밀입국자예요! 자, 얼른 신고! 신고를! 연안순찰대 같은 데에 신고해 주세요!"

"엇차, 실례했습니다. 우리 동료가 마침 생리 기간이라… 히스테리를!"

"으아악! 놔라, 이놈들아! 나 돌아갈래!"

"감사해요! 여러분!"

그들은 날뛰는 마른 체구의 백인을 덥석 잡아 들더니 어부들에게 인사하고 짐을 챙겨서 다시 바다로 뛰어내렸다. 선원들이 말리기도 전에 보트 위에 올라타고 두 명은 뒤에, 한 명은 정중앙에서 패들을 잡고 투덜거리며 다시 젓는다…….

마치 수상 부유선처럼 수면에서 살짝 뜬 채로 배가 돌진해서 저 멀리 사라진다. 디젤엔진을 쓰는 어선보다도 훨씬 더 빠르다.

"…어……."

"뭐지? 우리 여우에게 홀렸나?"

"……."

어부들은 멍한 표정으로 바다 저편으로 사라지는 보트를 바라보았다.

뱀파이어들에게 있어서, 그리고 뱀파이어 헌터에게 있어서 아시아 최대의 시장은 단연코 일본 동경도였다. 동경도와 그 주변 지역에서 출퇴근하는 인구를 합치면 그 인구는 3천만에 달하고 일본인뿐만 아니라 많은 외국인으로 인종의 전시장을 이루고 있는 이 대도시는 동북아시아 제일의 마약 소비 시장이었다.

높은 치안과 경제력은 역설적으로 일본에서 팔리는 마약의 소매가격을 높여주었고 이는 고스란히 마약상들의 수입원이 되었다.

한국에서 생산되는 사이키델릭 문의 대다수가 바로 일본에서 소비되었다. 그런 만큼 아웃레이지 중독자도 가장 많았다.

이들을 폭주시키면 일본의 치안은 마비될 것이다. 그걸 빌미로 우익 지사들이 쿠데타를 일으키고 평화헌법을 정지시켜 가며 '일본의 보통국가화'를 이루지만 천황에게 인가받지 못하고 구심점을 잃게 되면……

코다마 쥬조가 선택한 '미래의 일본을 이끌어 나갈 만한 인재'들에 의해서 이 사태가 진압되면서 일본을 정상화시킨다. 오히려 이후 일본의 국정을 운영하는 데 있어서 마이너스가 될 만한 몽상주의자들을 제거하겠다는 코다마 쥬조의 야심찬 계획이 수립되었다.

뱀파이어가 된 지 얼마 되지 않았으면서도 바로 이런 시나리오를 세부적으로 만들어내는 코다마 쥬조를 보며 아그니는 쓴 웃음을 지었다.

계획 자체는 훌륭하다. 타임 테이블, 병력 이동, 향후 전개에 대해서 코다마 쥬조는 실무자들이나 알 법한 영역을 완벽히 파악하고 있었다. 하지만 그런 게 마음에 들지 않는다.

"헛짓하고 있군."

"헛짓이라고요?"

"그래, 우선 당신이 고른 이들이 과연 다른 놈들보다 더 우수하고 뛰어난 놈이라고 생각해?"

"나이를 먹으면 사람 보는 눈을 가지게 되지요."

"그렇다면 당신보다 내가 훨씬 연상이라는 건 어떻게 생각해? 난 독립투사나 민권변호사가 권력을 잡는 순간 독재자로 돌변하는 꼴을 많이 봤어. 당신이 떠다 먹여주는 정권을 받아먹을 놈들이 지금보다 이 나라를 더 살기 좋게 할 것 같지는 않군."

아그니는 자신의 브라우닝 중기관총을 늘어놓고 솔로 닦으며 말했다.

"당신은 우익 애들이 가지는 애국이 사실은 저열한 자위성 미학이라는 걸 잘 알고 그걸 비웃고 있지. 문제는 남은 그렇게 객관적으로 보면서 자신의 애국심은 그 객관적인 잣대로 보고 있지 않다는 거야. 자신만은 진짜라고 믿나 보지? 스스로의 안목도 꽤 신뢰하고 있고?"

"이 나이 먹도록 일국 정파의 보스 노릇을 하려면 스스로의 안목을 고집스럽게 믿을 필요도 있으니까요."

코다마 쥬조는 쓴웃음을 지었다. 뱀파이어가 된 지금, 그는 아그니가 가지는 힘이 어떤 것인지 잘 알고 있었다. 원하기만 하면 무수히 많은 인간을 피바다로 가라앉힐 수 있는 탐욕스러운 자……

문제는 이자가 멍청한 폭력배 따위가 아니라는 것이다.

이 남자는 아마도 한때 굉장한 이상주의자였을 것이다. 그러나 그 이상에 절망한 지금 그가 기대는 건 폭력에 의한 실증뿐이고, 이게 보통 인간들 같으면 무장투쟁을 주장하다가 죽는 무수한 '지하디스트' 꼴이겠지만……

이 남자는 뱀파이어다. 이 남자가 품는 망상은 이자가 그 대가를 치르는 게 아니라 주위의 다른 엉뚱한 사람들이 치를 공산이 컸다. 게다가 더 큰 문제는 그런 주제에 똑똑하고 자기 잘난 줄도 알아서 설득당하지 않을 거라는 것이다.

"내가 한마디 해주지. 당신 말이 맞아. 나이를 많이 먹으면 사람 보는 눈도, 세상 보는 눈도 생기지. 그리고 내가 옳아. 옳다는 걸 이걸로 증명해 주지."

아그니는 육중한 브라우닝 중기관총을 무슨 공깃돌처럼 가볍게 들어 올렸다.

"아직 준비가 되지 않았습니다."

"무슨 상관이야. 시작해. 지옥의 종소리가 울려 퍼지고 있으니까."

아그니가 그리 말하고 몸을 일으켰다.

"우선 치안을 엉망으로 만들어야겠지?!"

치요다 구 카스미가세키에 위치한 동경도 경시청의 앞에는 가쿠슈인 피습 사건으로 인한 시위가 연일 계속되고 있었다. 외국인 노동자와 밀입국자, 재일 조선인을 내쫓자는 인종차별주의자들의 시위대가 보도에 주저앉아서 일반인의 통행을 막고 있었다.

"대부분의 전체주의자에게 특징이 있다면… 사실 그들 개개인은 전체에 별로 도움이 안 된다는 거지."

그런 그들의 앞에 노란색으로 머리를 염색한 젊은 동양인이 걸어왔다. 물론 겉보기로는 선탠한 일본인과 별반 다를 바 없다. 그래서 그들은 자연스러운 태도로 다가오는 이 남자를 경계하지 않았다.

남자의 곁에 있던 노인과 젊은 소년이 남자에게 물어보았다.

"정말 이렇게 시작할 겁니까?"

"제가 말한 방식대로 하시지요. 아무리 그래도 이건……."

소년은 약간의 의문을 표시했지만 노인은 안절부절못하고 있었다. 하지만 이 노란 머리의 남자는 자신의 동행을 무시하고 담배를 입에 물더니 손가락으로 끝을 건드리는 것만으로 가볍게 불을 붙였다.

"출생으로 얻은 아이덴티티 외에는 남들보다 우월할 게 없는 인간들이 꼭 이렇게 인종차별주의자가 된단 말이야."

"당신이 그런 걸로 남들을 비난할 처지는 아니지요. 살인자면서?"

그의 곁에 있는 이제 중학생쯤 되어 보이는 10대 소년이 투덜거렸다.

"무슨 소리야. 살인자라고 하니 기분이 나쁘군. 나는 박애주의자라고. 내 VT인자로 모두를 공평하게 합일시킬 거거든. 그게 혼팅이 되든 뭐가 되든 어쨌든 저들은 내 안에서 인종과 국가를 초월한 전체의 일부가 되는 거야."

"그런… 지금 이들을 해치게 되면 이들은 순교자가 됩니다. 향후 일본국의 미래를 생각해서도 이건 안 됩니다!"

노인은 자국의 청소년들에게 사형선고를 내리는 노란 머리칼의 남자를 말리려 했다. 하지만 그는 노인을 무시했다.

"미래? 미래 걱정만큼 나에게 어울리지 않는 일은 없지. 자, 그럼… 해볼까."

그리 말한 남자는 손목에 묶고 있던 부적 고리를 끊었다.

그 순간 남자의 그림자에서 묵직한 탄띠들과 브라우닝 머신건이 나타났다. 시위대들은 별생각 없이 앞에서 중얼거리는 이를 보고 있다 갑자기 무슨 영화 특수 효과처럼 나타나는 무기에 깜짝 놀랐다.

"뭐지……."

"거리 마술사인가?"

다들 그런 의문을 품었을 때 노란 머리칼의 남자가 머신 건을 잡았다.

"내가 바로 가쿠슈인의 학살자다!"

시위대는 이 남자가 뭐라고 하는지 이해하지 못했다. 야쿠자들에 의한 총기 소지가 가끔 뉴스에 뜨긴 하지만 실총과는 거리가 먼 삶을 살아온 평화로운 나라의 청년들은 자신들의 눈앞에 있는 저 육중한 쇳덩이가 실제 총일 거라고 생각하진 않았다. 무엇보다 저게 정말 저만큼의 쇠뭉치로 만들어진 실총이라면 사람이 한 손으로 삼각대 연결부를 잡고 기관단총처럼 집어 들 수 있을 리가 없다.

'스티로폼에 퍼티 발라서 만든 것이 아닐까?'

플라스틱 모델을 좋아하는 이들은 그렇게 생각하며 지켜보고 있었다.

그런데…….

두두두두두두두두두.

영화에서 듣던 것에 비해 훨씬 둔탁한 총성과 함께 사람들이 쓰러지기 시작했다. 그 장면이 너무나 비현실적이어서 모두 멍하니 서로를 바라보았다.

"힉…….."

"히이이익!"

시위대는 그제야 자신들의 발밑에 흐르는 피를 발견하고 저것이 진짜 총이라는 사실을 깨달았다.

"자, 너희의 고통을 내가 해결해 주마! 실업, 열등감, 분노, 그 모든 것의 가장 훌륭한 해결책은 죽어 없어지는 거지!"

노란 머리의 남자, 아그니는 웃음을 터뜨렸다. 자유롭고 평화로운 국가에 폭력을 퍼뜨리는 것에, 그는 신실한 신앙인이 천사를 대면하는 것과 같은 어떤 종교적인 열정을 느끼고 있었다.

"으아아악!"

"뭐! 뭐야!"

시위대는 놀란 송사리 떼처럼 흩어졌다. 그러나 피할 길이 없
다. 몇몇 사람은 살기 위해서 엎드렸지만 그것은 자살행위였다.
겁에 질린 군중이 달리며 그들의 등과 머리를 밟고, 밟아서 넘
어진 이들이 다시 길을 막으며 장애물은 점점 커져만 갔다.

두두두두두!

총열이 시뻘겋게 달궈질 만큼 불이 뿜어져 나왔다. 아그니는
달궈진 총을 산처럼 쌓인 시체 위에 올려놓고 정신을 집중했다.

아그니의 구속력이 그를 중심으로 해방되었다. 마치 보이지
않는 손이 주위의 모든 것을 집어삼킬 듯 끌어당긴다. 특히 사
망자의 혈액이, 피와 살이 아그니를 향해 몰려들어 그를 거대한
피의 기둥으로 만들었다. 혈액과 살점들, 심지어는 시체 그대로
떠서 핏물의 기둥에 떠다닌다.

콰드드드득.

아그니는 그 모든 걸 흡수했다. 남은 것은 핏물 한 방울 남지
않은 메마른 시신뿐……

"후우……"

아그니가 입을 벌리자 그의 입안에서 증기가 뿜어져 나왔다.

"아아… 역시. 역시 이게 참을 수 없이 좋단 말이지. 굶주려
있다가 갑자기 폭식하는 것에 중독되면 곤란한데."

아그니는 그리 중얼거리며 시체만이 가득한 거리 한복판에서
웃음을 터뜨렸다.

"아… 무슨 짓입니까, 이게……."

아그니를 말리던 노인, 코다마 쥬조는 눈앞에 벌어진 처참한 살육에 양손으로 얼굴을 감싸 쥐었다. 해군정보부 시절의 영특함을 돌려받은 그는 이런 상황이 불러올 참사를 잘 알고 있었다.

"이제 모두 우경화될 겁니다. 그것도 통제 불가능한!"

"아니, 당신은 통제해야 해. 그러기 위해서 우리의 일원으로 만들었으니까."

소년, 아담은 코다마 쥬조에게 그리 말하고 손가락을 튕겼다.

배니싱 블러드의 생존자들 에두아르도와 츠구미가 텔레포트로 나타나 코다마 쥬조의 곁에 착지한 뒤 그의 팔짱을 끼었다.

"무슨! 놔둬라! 나는 이걸 막아야 해!"

"이미 막을 수 없어요, 영감!"

"안 돼!"

코다마 쥬조가 저항하려 했지만 배니싱 블러드의 흡혈귀들은 코다마 쥬조를 끌고 가버렸다. 그걸 본 아그니가 아담에게 물어보았다.

"왜 처음부터 그러지 않고 여기까지 끌고 왔지?"

"그에게 절망을 좀 가르쳐 주고 싶어서요. 나이 처먹고 추잡하게 늙어가다가 젊음을 되찾자마자 순정파 애국지사인 양 꼴값 떠는 게 보기 싫어서 말이지요."

"너도 참 성격이 나쁘구나."

"대량학살자인 당신만큼은 아니지요. 아, 저기 장갑차가……."

장갑차라기보다는 경장갑을 붙인 진압용 차량이 들어오며

CS탄을 쏘아댔다. 헬기 소리가 나는 걸 보면 인근 건물 옥상에 헬기로 저격수들을 내려놓고 있음에 틀림없다. 하지만 아그니가 그쪽을 바라보지도 않고 손가락을 퉁기자…….

허공에서 CS탄이 폭발했다.

"억!"

장갑 지휘 차량에서 그 장면을 보고 있던 이들이 눈을 가리며 허우적거렸다. 금속이 한순간에 타오르며 무시무시한 빛을 발해 그들의 시력을 훼손시킨 것이다.

"이런, 이런……. 혈인 능력을 최대한 덜 쓰고 해결해야 이득을 많이 보는데… 뭐, 좋아. 간만에 포식도 했고 소화 좀 되게 운동이나 할까?"

아그니는 키득키득 웃으며 다시 손가락을 퉁겼다. 장갑차의 갑판 위쪽에서 용접기를 연상시키는 불길이 확 치솟더니만 녹아드는 쇳물이 안으로 스며들었다.

"으아아아악!"

"아아아악!"

SAT 장갑차조차 아그니의 능력 앞에선 잘 타는 쇠 상자에 불과하다. 아그니는 브라우닝 머신 건을 들어 장갑차 옆에서 보디벙커를 들고 접근해 오는 SAT 대원을 향해 쏘아댔다.

"아악! 맙소사!"

"킥!"

SAT 대원은 방탄복과 방탄헬멧, MP5 기관단총 등으로 무장하고 있었지만 중기관총의 화력을 막아낼 수는 없었다. 급한 대로 장갑차 뒤에 숨었지만……

방금 전 쓰러졌던 시위대의 시체들이 천천히 일어나기 시작했다.

"오, 맙소사……."

"이게… 말도 안 돼!"

SAT 대원들은 눈앞에서 벌어지는 비현실적인 일에 경악했다.

인근 건물에 숨어 있던 사람들은 누가 먼저라고 할 것도 없이 휴대폰 카메라로 그 장면을 찍으며 실황중계 하고 있었다. 자신들의 눈앞에서 벌어지는 끔찍한 일에, 도망쳐야겠다는 마음도 들지 않았다. 도망치려 한다고 과연 도망칠 수 있을지도 의문이 들자 지금 이 상황을 어떻게든 기록에 남겨서 다른 이들에게 알려야겠다는 사명감이 든 것이다.

아그니는 그들의 촬영을 느끼며 한숨을 내쉬고는 달아오른 중기관총을 산처럼 쌓인 시체 위에 올려놓았다.

치이이익… 고기 타는 소리와 함께 시체가 타들어간다.

"으아아악!"

비명과 총성이 뒤따른다. SAT 대원들이 자신들에게 덤벼드는 구울을 상대하느라 정신이 없는 모양이다.

"안됐군."

아그니는 입에 문 담배가 다 타들어가는 걸 느끼고 그걸 검지와 엄지로 집어 들더니만… 희극적인 태도로 그것을 길거리에 놓인 쓰레기통에 조심스럽게 넣었다. 그 모습 역시 고스란히 촬영되고 있었다.

"인간은 역사 앞에서 모두 사관이다. 좋은 태도야. 계속 촬영해."

아그니는 카메라를 향해 손을 까딱이고 새 담배를 입에 물었다. 마치 앞으로 일어날 끔찍한 일을 기록하라는 듯 관객들에게 허세를 부려 보인 그는 손가락으로 담배 끝을 매만져 다시 불을 붙이고 경시청 건물을 향해 손가락을 튕겼다.

쫙!

비스듬히 대각선으로 유리창과 타일 외장재가 붙어 있는 건물 외벽에 금이 그어졌다. 다시 아그니가 손가락을 튕기자 건물 전체에 거대한 V 자 형상의 화상이 남았다.

동경도 전체를 관할하는 경시청의 건물 외벽에 외력으로 거대한 화상 자국이 남고, 그 앞에서 SAT기동대가 몰살당하고, 시위대를 포함한 민간인들이 학살당하는 장면은 일국의 공권력에 대한 심각한 모독이지만 보고 있는 사람은 모독감을 느끼기보다는 당혹스러웠다.

과연 이런 게 가능하긴 한 것인가?

마술사의 트릭이라고 말하기에는 말도 안 된다. 특수기동대를 단신으로 쓸어버리는 짓이 가능할 것 같진 않다.

하지만 사람들은 곧 아그니를 시야에서 잃어버렸다. 아그니에 의해 살해당한 이들이 구울로 되살아나 주위를 덮치며 살아 있는 이들을 닥치는 대로 습격했기 때문이었다.

"하… 하하하하하하하."

아그니는 구울들이 사람을 습격하는 모습을 보며 폭소를 터뜨리고 걸어나갔다. 또 다른 경찰 기동대의 장갑차가, 시위대를 제어하기 위한 호송차가 아그니의 앞을 가로막았지만…….

따닥!

아그니가 손가락을 튕긴 것만으로 장갑차와 차량의 타이어가 폭발해 버리고 차량이 뒤집어진다.

아그니는 담배를 질겅질겅 씹으며 중기관총을 그들에게 겨누었다.

두두두두두두두…….

시뻘겋게 달궈진 총열로부터 다시 총탄이 뿜어져 나와 경찰들을 습격한다. 이제 이 상황은 경찰들로서는 도저히 통제할 수 없는 국면으로 접어들고 있었다.

7

서현은 동경의 관문 하네다 공항의 세관에서 여권을 들고 대기 중이었다. 현재 통관 업무는 거의 마비되다시피 하고 있었다. TV에는 진마 아그니가 도심 한복판에서 시위대를 몰살시키고 SAT기동대도 아작 내는 장면이 어지럽게 찍혀 있었다. 화면이 흔들리는 걸 보니 휴대폰 촬영, 그것도 촬영자가 엄청 동요하고 있는 장면 같았다.

"…아."

서현은 그 모습을 보고 한숨을 내쉬었다. 저런 게 공중파를 탔다는 건 이미 테트라 아낙스의 통제를 벗어났다는 뜻이다.

뱀파이어와 라이칸스로프의 존재가 만천하에 알려진다. 그걸 막기 위해 테트라 아낙스가 힘을 쓴다면? 서린의 목숨과 영혼이 소모될 뿐이다.

하지만 서린을 걱정하기보다 지금 당장 걱정되는 건 그 자신의 문제였다. 계엄이 선포되고 군대가 치안을 확립한다면 공항을 통제하는 건 기본 상식이다.

이거 잘못하면 공항에서 갇혀 있을 수도 있겠다는 생각이 들었다.

"내가 먼저 쿠데타를 일으키고 싶었는데 이거 참, 선수를 빼앗겼네."

서현이 그렇게 중얼거리자 한세건이 그를 흘겨보았다. 엑토플라즘 마스크를 이용해 별다른 개성이 없는 젊은이로 위장한 그였지만 눈빛만으로 사람의 영혼을 도려낼 것 같은 기백이 느껴졌다.

"지금 상황에 농담이 나오나? 아직 저게 쿠데타라고 정해지진 않았어. 치안을 유지하기 위한 계엄령일 뿐이지."

TV에서는 아그니에 의한 학살 장면과 국회에서 자위대 투입을 승인하는 장면을 번갈아서 계속 틀어주고 있었다.

단 한 명의 중기관총 사수에 의해 경찰이 두 손을 든다는 건 있을 수 없는 일이다.

그러나 그게 진마 아그니라면 다르다. 무투파로 유명한 아그니는 어렵지 않게 SAT기동대를 가지고 놀고, 사람들이 이해할 수 없는 구울들의 군대로 도심을 지옥으로 만들고, 비웃듯이 경시청 건물에 흉터를 남기고 사라졌다.

어떻게든 자위대를 써먹으려고 안달 나 있던 우익 정당에게 이보다 더 명확한 명분은 없다. 그들은 신이 나서 자위대에게 치안 유지 명령을 내렸다.

군대가 주권국가의 수도에 완전무장 한 채 들어오는 것이다.

한국인인 한세건 입장에서 이런 장면은 의미심장하게 받아들여졌다.

"이런 게 뱀파이어의 소행으로 이뤄지다니… 참 어이가 없군."

한세건은 역사를 움직이는 뱀파이어의 힘을 체험하고 혀를 찼다.

"테트라 아낙스가 음지에 숨어서 사람들을 기만하고 눈을 가리고 속여대는 것이 짜증 난다고 생각했어. 하지만 그렇다고 숨기지 않고 고스란히 드러내는 걸 봐도 칭찬해 주고 싶은 마음은 들지 않아."

"넌 뱀파이어라면 다 죽이고 싶어 하는 거 아냐?"

서현은 그리 말하며 TV에 시선을 던졌다. TV는 계속해서 일본 내부의 반응을 보여주고 있었다.

야당 측은 여당이 평소 평화헌법을 개정하고 자위대의 활약 무대를 만들어주고 싶어서 안달하더니 이 기회에 저질렀다고 비난을 퍼부었지만 상황이 워낙 심각하기도 하고 그래서 야당에서도 자위대 투입에 승인한 인물이 많았다.

"그런데 수도에 군대가 들어오는 것에 대해서 다들 반응이 과격하군. 이상한 놈들이야."

서현이 그리 말하자 한세건이 어이가 없어서 그를 바라보았다.

"문명사회에서 군대가 수도에 진주하는 계엄 상황이라는 건 결코 좋지 않으니까. 안정된 시민 국가에서 군대가 수도를 점거하는 꼴은… 정말 역사적인 일일 거다."

한세건은 역사라는 단어를 입에 올리며 혀를 찼다. 뱀파이어가 역사를 움직이는 모습을 눈앞에서 보게 되니 기분이 거북한 듯하다.

"그렇군. 나야 워낙 막장 상황을 많이 봐서. 도심 한복판에서 전차포가 불을 뿜는 것도 많이 봤거든. 치안 유지를 위해 군대가 진주하는 정도로도 문명사회의 사람들은 충격을 먹는군. 이런 상황에서 쿠데타라도 일어나면 정말 충격이 크겠어."

"말이 씨가 된다더니."

한세건은 서현의 말을 들으며 TV를 보다 혀를 내둘렀다. 정말 서현이 말한 대로 쿠데타가 발발한 것이다. 치안 유지를 빌미로 수도에 들어오고 국회를 에워싼 자위대는 국회의 해산을 지시했다. 물론 그들을 이곳, 동경도로 불러들인 것은 의회 자신들이지만 계엄하에서 국회의 해산이 무엇을 의미하는가?

8

GHQ에 의해 현대 일본의 구조가 정립된 이후 일본 내부에서도 이 체제에 대한 비판은 항상 있어왔다. 자위권 외에 군대의 보유를 영구적으로 포기한 나라, 외교에 있어서 무력행사의 부분은 어디까지나 타국에 의해 결정짓는, 항구적인 평화 선언을 한 나라에 대해서 많은 우익 일본인은 '맥아더의 망령'이라고 부르고 있었다. 그들은 일본을 재무장하고 군대를 다시 보통 군대로 돌려야만 지금의 기형적인 국가가 아닌, '보통 국가'가 될 수 있다고 열변을 토하곤 했었다.

물론 일본제국의 군화에 짓밟혀 본 동아시아 사람들은 동의하지 않았고 평화헌법을 지지하는 많은 일본 자국민 역시 우익의 시각에 반대하고 있었다. 하지만 현재 일본의 분위기는 돌변했다.

평상시는 바보 취급 하던 우파 시위대가 경시청 앞에서 외국인의 중기관총에 몰살당한 사건이 발생했다. 그것만 해도 여론을 우파로 돌리기 충분했다. 아무리 흉악한 독재자라 해도 외세의 손에 살해당하면 선교자가 되는 법, 국가의 공권력이 농락당하고 도심 한복판에서 대량 학살이 벌건 대낮에 당당하게 벌어졌으니 좌파조차 극우로 돌변하게 하기에 충분하다.

이 범행을 시행한 자는 일본의 얼굴에 먹칠을 한 것이나 다름없다. 좌파도 우파도 이 남자에 대해서 모두들 한마음 한뜻을 품을 수밖에 없었다.

'경찰로는 이자를 막을 수 없다.'

그 결과 자위대의 치안 유지가 의회의 승인을 얻었다.

따져보면 합리적인 절차였지만… 그것은 그만큼 일본인들이 평화에 젖어 있었다는 반증이기도 했다. 군정을 겪어본 제3세계의 사람들, 그리고 대한민국처럼 미국의 우방에 속하지만 역시 군정 독재를 겪어본 이들은 알게 된다. 일단 수도의 코앞에 전차나 장갑차를 놓을 수 있게 되면 지휘관의 몇 마디 말만으로도 정권의 행방이 오간다.

말하자면 눈앞에 먹음직한 고기가 놓여 있는 것이다. 설령 평소 훌륭한 인격자였다 해도 이 유혹 앞에 초연할 수 있을까? 민주주의를 수호하고 민권을 지키기 위해 노력한 이상주의자들이야 말로 범인(凡人)들에겐 가장 위험한 존재다. 이상은 높은데 범인들은 그 이상을 이해해 주지 않는다. 그런데 지금 자신의 손 안에 그 범인들을 종속시킬 수 있는 거대한 힘이 있다면? 휘두르지 않고 버틸 수 있을까? 무수히 많은 아프리카의 독재자가 과거 독립투사였으며 민권변호사였다는 사실이 이를 증명한다.

이상주의자는 인간에게 절망하기 쉽다.

"훌륭하군. 역시… 그대를 우리 혈족으로 받아들인 보람이 있어."

앙리 유이는 박수를 치고 있었다.

코다마 쥬조는 평소 키워오던 자위대 내부의 우익 세력을 움직여 국회를 해산시켰다. 명분은 치안 유지를 위한 정리 작업이지만 이렇게 국회를 해산하고 반대 당의 수장들을 가택에 연금시키면서 그사이에 내각을 새롭게 조정하는 것은 어렵지 않은 일이다.

하지만 정작 일본을 순조롭게 장악한 코다마 쥬조의 얼굴은 어둡고 흐렸다. 그가 원해서 이 권력을 거머쥔 게 아니기 때문이다. 무엇보다도 진마 아그니의 과격함, 인간들에게 재앙을 서슴없이 떠넘기는 그 막돼먹은 모습에 질려 버렸다.

"흡혈귀가 된 제가 이런 말을 하긴 그렇지만 무혈 쿠데타를 이루어야 하기 때문입니다. 아무리 저들이 어정쩡한 놈들이라고 해도 일본의 역사에 유혈 쿠데타라는 기록을 남기면 향후 저항력이 약해집니다. 훗날을 생각하면 여기서 누군가 죽는 건 막아야겠지요."

코다마 쥬조는 그리 말하고 있었다. 말만 들으면 우국지사가 따로 없는데 놀랍게도 이 남자는 며칠 전까지만 해도 자신의 사리사욕을 위해서 국가 경쟁력이고 뭐고 다 갉아먹으며 우익들을 이용해 돈을 우려내던 남자다.

이미 죽을 때까지 매일 호강하며 살아도 남을 돈을 가지고 있으면서도 더, 더 많이 탐욕을 추구하던 남자가 뱀파이어가 되자마자 갑자기 애국지사로 돌변하다니…….

그 모습이 우습긴 하지만 또한 이해가 가는 것이다.

인간의 마음은 쉽게 변화한다. 좋은 방향으로도 나쁜 방향으로도 너무나 쉽게 변해 버린다. 왜냐면 모든 사람은 확고한 자아를 가지고 그 위에 서 있는 게 아니다. 인간의 자아란 다들 그 내면에 태풍을 품고 있다. 아무도 남의 내면을 직접 들여다볼 수 없으니 다들 사람의 겉만으로, 그가 고민하는 모습이 아닌 선택한 모습만을 보게 된다.

코다마 쥬조의 경우 이것은 좋은 방향으로의 변화일까? 그러나 그가 아무리 노력한다 하더라도 앙리 유이의 뜻을 뒤집을 수는 없었다.

"자, 그럼… 의약품을 늘려보도록 하지. 인류의 새 지평을 열어보자고."

앙리 유이는 그리 말하고 코다마 쥬조를 무시한 채 배니싱 블러드의 생존자들, 에두아르도와 츠구미를 손짓으로 불렀다. 이들 배니싱 블러드의 뱀파이어들은 불안한 표정으로 앙리 유이를 뒤따랐다.

"으… 어째 우리, 도구가 된 기분인데."

"……."

눈치를 못 읽는 츠구미는 앙리 유이에게 들리도록 투덜거렸다. 에두아르도는 어이없어했지만 앙리 유이는 그녀의 경솔한 발언을 무시했다.

9

도심으로 밀려들어 온 자위대에는 예전부터 일본의 재무장을 추구하던 강경파들이 있었다.

동북아시아의 다른 나라들은 일본의 재무장을 반기지 않았지만 일본을 자신들의 무장 대리인으로 여기는 미국 입장에서는 은연중에 일본의 재무장을 지지하고 있었고, 이들 뒤에 존재하는 일본 정계의 거물, 코다마 쥬조가 그들을 지원하니…….

강경파들은 빠르게 의회를 장악하고 의회를 해산시키는 한편 자신들의 재무장을 막는 좌파, 온건파 의원들을 가택에 구금시키고 말았다. 이런 일련의 행동은 당연히 중국과 한국, 인도네시아 등의 반발을 샀지만 일본 내부 시민들의 의견은 괜찮지 않냐는 반응이었다.

평화헌법 수호자들조차 갑자기 도심 한복판에서 외국인이 중기관총을 난사해 민간인과 경찰들을 몰살시켰다는 사실에 충격받고 있었다. 물론 치안을 유지하라고 들어온 자위대에서 특정 정치인을 가택에 연금시키고 있는 것은 아무리 충격받은 상황이라 하더라도 용납할 수 있는 게 아니지만 노련한 정치가들은 벌써 그들을 이번 사건에 모종의 관계가 있다는 식으로 연막을 쳐놓고 있었다.

"아차… 너무 늦었네."

백발의 외국인 청년이 이마를 탁 치면서 한탄하고 있었다. 그는 탠덤 바이크에 타서 선두에 서 있고 그의 뒤에는 거구의 흑인이 창백한 표정의 메마른 백인 남자를 앞쪽에 안아서 태운 채로 페달을 밟고 있었다. 안겨 있는 백인 남자는 부끄러워서 죽을 것 같은 표정으로 몸부림치고 있었지만 거구의 흑인은 그를 무시하고 페달을 밟았다.

"…너무 쉽게 생각하고 온 것 같은데. 아르곤, 어쩔 겁니까?"

이들은 뱀파이어 히피 집단이라 불리는 에스프리 클랜의 리더인 아르곤과 그 최측근들이었다. 테트라 아낙스의 요청을 받고 일본에서 준동하는 아그니와 앙리 유이 세력을 견제하기 위해 온 그들이지만 도착하고 보니 벌써 밥이 다 되어 있는 분위기다.

"일단 에스프리 동지들을 찾아볼까?"

아르곤이 그렇게 말하자 몬티가 켁 하고 짜증을 냈다.

"요새 짜증을 너무 심하게 낸다. 왜 그래?"

"아니, 지금 내 처지에 짜증이 안 나면 그게 이상하지 않겠습니까? 그리고 동경에 있는 에스프리의 동지라면 대마초쟁이들인데……."

"음? 원예업을 한다고 하지 않았어?"

아르곤이 그렇게 반문하자 몬티는 더더욱 짜증을 냈고 래트는 피식 웃었다.

"원예업이라는 게 그러니까… 흐흐. 원래 히피라면 대마초, 대마초 하면 히피지요."

래트가 그리 말할 때였다.

거리를 막아서고 있던 자위대원들이 그들을 멈춰 세웠다.

"뭐… 뭐 하는 겁니까, 지금?"

자위대원들은 탠덤 바이크를 타고 있는 세 사람을 보고 당혹스러워서 멈춰 세웠다. 외국인이니 검문검색을 하긴 해야겠지만… 이들의 엽기적인 모습에 차마 뭐라고 말이 나오지 않았다.

"전철값 비싸요. 우리 젊고 힘세요. 자전거 이산화탄소 배출 적고 좋아요. 블라블라? 블라블라!"

아르곤이 능청을 떨며 일부러 어설픈 일어로 말하자 자위대원들이 당혹스러워했다.

"패, 패스포트, 플리즈."

"야, 그리고 탠덤 자전거는 어떻게 되는 거지? 세 명 이상 타면 불법인 거 맞지?"

"젠장. 우린 경찰 아니라서 모르겠는데? 아, 외국인에게 이걸 뭐라고 설명하지?"

자위대원들은 당혹스러워하면서 아르곤이 건네주는 서류를 받았다. 테트라 아낙스가 준비해 준 신분이니 당연히 아무런 하자도 없다.

그런데 그때였다.

"으아악!"

"꺄아아아!"

사람들의 비명 소리가 들린다. 상점 건물에서 사람들이 뛰쳐나오는 게 보인다. 더러는 창문 밖으로 뛰어내려 추락하더니 일어나질 못하고 있었다.

"뭐, 투신이잖아?!"

"맙소사. 무슨 일이야?"

자위대원들이 당황할 때 총성이 울렸다. 그들이 걱정한 브라우닝 중기관총이 아니라 그들이 들고 있는 89식 소총의 소리였다.

"다행이네. 그 중기관총 귀신이 아니라……."

"…다행은 뭐가 다행이야. 뭐가 나타났으니까 총질을 하는 거 아니겠어?"

두 병사가 거의 만담에 가까운 대화를 주고받을 때였다.

저 앞에서… 뭔가가 우르르 몰려나온다.

"맙소사. 좀비다!"

"으억… 뭐, 이런……."

좀비라는 용어에 다들 당혹스러워했지만 그것 이상으로 저것을 명확하게 설명할 방법이 없었다. 갑자기 난폭해진 사람들이 마구 주위를 습격하는데 살아 있는 사람을 물어뜯고 찢어발기는 괴력을 발휘한다. 인간이라기보다는 흉포한 고릴라들이 도심 한복판에 우르르 몰려다니는 것 같았다.

이미 발포 허가를 받은 자위대원들이 소총으로 그들을 조준했다. 하지만 겉모습이 인간인 이들에게 방아쇠를 당기는 건 아무래도 심리적 저항감이 컸다. 게다가 우르르 몰려온 데 비해서는 머릿수가 그렇게 많지 않다. 한 20여 명 정도? 거리도 30여 미터 떨어져 있기 때문에 소총을 연발로 놓고 당기면 제압하지 못할 리가 없다.

장갑차 위에 올라탄 이가 확성기로 그들에게 경고했다.

─폭동은 중범죄입니다. 그 이상 접근할 경우 치안 유지를 위해 부득불 조치를 취할 수밖에 없습니다. 이 점 양해 바랍니다.

이런 상황에서도 쏘겠다든가 하는 소리를 직접 하지 않는 것은 칭찬할 만한 부분이다. 하긴 자위대 입장에서는 스스로 군대가 아니라고 주장하고 있었는데 아무리 내각의 승인을 받았다지만 도심에 진주하고, 민간인들에게 총질을 하는 게 쉬울 리가 없었다. 자위대원이 전부 다 우익 지사인 것도 아니고 그들 대다수는 평범한 시민이었다.

그러나 그들의 맞은편에 있는 것은 더 이상 평범한 인간이 아니다.

"어휴, 당하겠다. 도와줘라, 래트."

"네."

아르곤의 명령을 들은 래트가 자전거에서 내렸다. 그러자 그들을 상대하던 병사들이 화들짝 놀라 총을 겨눴다. 거구의 흑인이 자전거에서 내리는 모습에 불안감을 느낀 것이다. 게다가 아르곤 일행이 온 방향은 저 폭도들의 반대 방향, 즉 이들이 난동을 부릴 경우 자위대원들은 앞뒤로 협공을 당하는 형국이 된다. 하지만 그때 래트가 앞으로 물구나무서면서 단번에 간격을 좁히더니 자신을 겨누고 있는 자위대원들의 총을 잡아 전방으로 돌리고 지휘 차량으로 뛰어올랐다. 너무 가까워서 오발 사고를 일으킬까 봐 아무도 총을 못 쏘는 사이 지휘 차량의 천장에 올라선 래트는 하늘로 발을 쭉 걷어찼다.

건물 위에서 뛰어내리던 '좀비', 아니, 뱀파이어들의 용어로는 '구울'이라고 하는 존재가 래트의 발에 치여 차량 옆으로 떨어졌다.

"컥?!"

자위대원들은 그제야 그들의 머리 위에서 저 '좀비'가 뛰어내렸다는 사실을 알고 경악했다.

파직파직…….

그와 동시에 가로등과 도시의 불빛이 사라지기 시작한다.

정전인가? 자위대원들은 그렇게 스스로 자문해 보고 혀를 내둘렀다. 대도시가 정전되는 건 말도 안 되는 일이다. 그들이 치안을 유지하기 위해 들어왔는데도 정전된다? 있을 수 없는 일이다. 아무리 그 '중기관총의 악마'가 사고를 쳐댄다 해도 갑작스러운 정전이라니?

"온다!"

정전이 만들어내는 어둠의 파도를 따라 좀비들이 밀려온다. 자위대원들은 래트와 아르곤을 무시하고 좀비들을 향해 총구를 돌리고 방아쇠를 당겼다.

두두두두!

연발로 소총의 방아쇠를 당기면 STANAG 소총용 탄창쯤은 단번에 비어버린다. 자위대원들은 직업적으로 훈련받은 이들이니 연발로 소총 방아쇠를 계속 당기는 것보다 끊어 쏘는 게 명중률이나 화력 면에서 더 좋다는 걸 알고 있었다.

그러나 그들의 눈앞에 좀비 떼가 달려들기 시작하자 모두의 이성이 날아가 버렸다. 흥분한 자위대원들은 단번에 탄창을 비워냈고 다행히 그들의 화망은 좀비들을 찢어발겨 순식간에 전투 불능으로 만들었다.

"헉……."

"헉헉……."

자위대원들은 마치 잠수했다가 물 밖으로 기어 나온 사람처럼 숨을 몰아쉬었다. 잠깐의 연사, 몸을 쓸 것도 없이 손가락만 당기고 소총을 견착하기만 하면 되는 작업일 뿐인데 모두 다 손에 땀을 쥐고 숨이 벅차올랐다. 100미터 전력 질주라도 한 기분이었다.

그러나…….

챙강!

건물 창문이 부서지고… 위에서 구울들이 뛰어내린다.

골목길을 따라 달려오는 구울들의 그림자가 자동차 헤드라이트, 건물에 설치된 비상등의 조명을 받아 어지럽게 일렁인다.

"좀비 영화가 되어버렸네?"

아르곤은 태연하게 그 상황을 보고 중얼거렸다.

"억……."

"으억!"

자위대원들은 그 모습을 보고 비명을 지르며 검문용 바리케이드에 들러붙은 채 총을 겨누었다. 몇몇은 구울들을 향해 그냥 발포했지만 아까 전 연사로 텅 비어버린 총은 방아쇠 당기는 쇳소리만 낼 뿐이다. 이성적인 사람들은 탄창을 교체하고 있었지만 다들 중증 알코올중독자처럼 손을 떨고 있었다. 몇몇 사람이 탄창을 떨어뜨리자 자위대원들이 서로서로 욕하면서 탄창을 주우려 허덕인다.

하지만 불은 꺼져 있고 사방이 어두컴컴해서 뭔가 잘 보이지 않는다. 게다가 적들의 기척, 도시를 배회하는 구울들의 기괴한 소리, 사람들의 비명 소리가 들려오고 있는데 탄창 하나 줍자고 어두운 바닥에 엎드리는 것도 못 할 짓이다.

"으… 어……."

자위대원들이 패닉을 일으키고 있는데 정작 지휘관은 멍하니 자신의 차량에 올라온 래트만 바라보고 있었다. 그때 아르곤이 친절하게 바닥에 떨어진 탄창을 집어 들어서 자위대원에게 건

네주었다.

"자자, 모두 진정들 하시고. 일단 중앙에서 방어 태세 취하세요."

아르곤이 그렇게 말하자 패닉을 일으키던 자위대원들이 정신을 차렸다. 누군지 모르지만 이 외국인들은 묘하게 침착한 표정이다. 아니, 아까 전 저 흑인의 발차기… 그건 사람의 영역을 벗어나 있었다. 못해도 4층 높이에서 뛰어내린 인간을 발차기로 옆으로 치워 버린다는 게 가능한 일인가?

"으… 사람들 보고 있는데 할 겁니까?"

몬티가 질려서 아르곤을 바라보았다. 그러자 아르곤이 어깨를 으쓱해 보였다.

"놀면 뭐 하겠어? 일해야지, 일. 음, 뭔가 휘두를 만한 게 없나?"

주위를 두리번거리던 아르곤은 상가 건물 하나를 향해 손을 뻗었다.

와장창!

창문을 깨고 한 자루의 일본도가 날아와 아르곤의 손에 안착했다. 마치 칼 그 자체가 생명이 있어서 날아든 것 같아서 자위대원들은 그 모습을 멍하니 바라보고만 있었다. 신원을 알 수 없는 자가 그들의 앞에, 손대면 닿을 거리에 도검을 들고 있다는 걸 인식하지 못할 정도였다.

그도 그럴 것이 아무것도 없는 20여 미터 거리에서 칼이 날아온 것이다.

"오, 사무라이 소드. 좀 가볍고 그래서 내 경우는 중국식 대도를 좋아하는데 그래도 한번 써봐야지."

그렇게 말하며 칼집을 봉한 끈을 풀고 칼을 빼 든 아르곤의
얼굴에 실망의 빛이 스쳐 지나갔다.

"진짜 칼이 아니라 알루미늄이네. 그것도 알루미늄 섀시 같아."

"연출용 장식품인 듯하군요. 사람 머리통을 후려갈기면 부러
질 듯? 그걸로 구울들을 상대할 수 있겠어요? 버려요."

"뭐, 그야 그렇지만… 모양은 예쁘네. 마음에 들어."

아르곤은 그리 말하고 검지와 집게로 칼의 밑동을 붙잡고 칼
날을 쓱 밀었다. 새하얀 서리가 아르곤의 손에서 폭포수처럼 흘
러내리며… 알루미늄 가검의 도신에 새하얀 냉기가 드라이아이
스처럼 콸콸 흘러내린다. 그 모습을 본 자위대원들이 기겁했다.

그와 동시에 사방팔방에서 구울들이 밀려들었다.

10

한세건과 서현이 공항에서 걸어 나왔을 때는 이미 해가 다 떨
어진 뒤였다.

그렇다고는 해도 아직 8시, 도심은 한창 기능할 시간이다. 그
런데 이상한 일이 벌어졌다. 공항과 도심을 잇는 도쿄 모노레일
과 케이힌 선 모두 다 운행을 중지했다.

─고객 여러분께 알려 드립니다. 죄송합니다. 현재 당 철도는
운행하지 않고 있습니다. 빠른 시간 내에 운행이 재개될 수 있

도록 최선을 다하겠습니다.

이런 입에 발린 듯한 안내만 계속 방송되고 있을 뿐이었다. 서현과 한세건은 공항 앞에 택시를 잡아타려고 했지만 택시기사들은 정중한 자세로 현재 차가 막히고 있으니 심사숙고하라고 말했다. 차를 타고 가다 길이 막히면 제자리에서 미터기만 잡아먹게 될 테니 조심하라는 경고였다.

확실히 공항과 도심을 연결하는 도로에도 차들이 느릿느릿 기어가고 있었다. 이 정도면 걸어가는 게 더 빠르겠다.

이상한 일이다. 경찰력이 와해되고 쿠데타가 시작되었다고 해도 일본은 상당한 수준의 치안과 법치를 자랑하는 나라였다. 그런데 왜 도시로 들어가는 일이 막혔을까?

그 해답은 곧 밝혀졌다.

지직… 지지지직.

가로등이 일제히 꺼지기 시작했다. 그뿐만 아니라 도시의 불빛이 모두 꺼져간다.

"대정전?"

한세건은 그 모습을 보고 당혹스러워했다. 이런 대도시에서 정전이라니? 물론 이런 상황을 대비해 공항에는 자체적으로 발전 시설이 준비되어 있으니 공항은 불이 꺼지지 않았지만… 삽시간에 주위가 어두워졌다.

"화끈하게 해주네. 설마 원자력발전소 같은 데 크루즈미사일을 꽂은 건 아니겠지?"

서현은 남의 일인 것처럼 말하고 있었다. 하지만 그걸 듣고 있던 한세건 입장에서는 당황스러운 소리다.

"……."

러시아제 크루즈미사일이 날아와 일본을 후려갈긴다면 미일 동맹에 의해 미국이 이 사건에 개입하게 된다. 잘못하면 3차 세계대전이 일어날 판이다.

"그건 막아야지. 그런데 현 상황에서 교통수단이……."

한세건은 주위를 둘러보았다. 서현도 그걸 아쉬워했다.

"내 자전거라도 가져오는 건데."

"……."

평상시 한세건은 서현의 자전거에 대해서 잔소리를 늘어놓았다. '도심 한복판에 그런 거 타고 다녀서 사람들 놀라게 하지 마라', '차체가 가벼워서 고속 주행 중 요철 밟고 붕 날아다니면 너야 다치지 않겠지만 너 때문에 다른 사람들 다친다', '아니, 대체 왜 그렇게 궁상을 떠는데?' 등.

그러나 지금 이 순간은 한세건도 서현의 자전거가 절실히 필요했다.

"…저기, 저건 어때?"

그때 서현이 한세건에게 뭔가를 가리켰다. 한세건이 보니… 기념품 가게에 있는 캐리어인데… 캐리어를 펼치면 킥보드처럼 변하게 되어 있었다.

"설마 저걸 타고 동경으로 진입하자고? 제정신이냐?"

"아니면 요새 유행하는 크루저 보드라든가."

"…절대 사양한다. 그리고 내가 장담하건대 너나 내가 그런 거

타고 가면 한 5킬로미터 지점에서 베어링이 다 녹아 들어갈 거다."

크루저 보드나 킥보드의 베어링은 어디까지나 인간이 타는 것을 상정해서 만들어진 것이다. 서현이나 한세건이 그걸 탄다면 제조사가 상상한 그 어떤 상황보다 훨씬 고속으로 주행하게 될 테고 결국 윤활유가 변질되고 베어링이 과열되어서 변성되다 빠질 것이다.

"아, 그걸 생각 못 했네. 어, 그런데……."

서현이 공항 진입로를 손가락으로 가리켰다. 차량 한 대가 무서운 속도로 공항 진입로로 들어오고 있었다. 애스턴 마틴 라피드가 미칠 듯한 기세로 달려오더니만 한세건과 서현의 앞으로 미끄러져 들어오더니 무슨 타이어 회사 광고처럼 칼제동을 펼쳤다.

"…이 운전 방식은……."

한세건이 중얼거릴 때 운전석의 문이 열리고 한 남자가 내려섰다. 영국제 고급 승용차에서 가톨릭 신부복을 입은 은발의 남자가 내려섰다.

"늦었군. 빨리 타라."

운전석에서 내려선 가톨릭 신부는 한세건과 함께 뱀파이어 헌터들에게 진마사냥꾼이란 이름으로 추앙받는 자, 실베스테르 신부였다.

第13夜

문명의 적

1

인간이 신의 적자이며 모든 것은 인간을 위해 만들어졌다고……

아브라함계 유일신앙은 그렇게 말한다.

그러므로 인간은 문명을 일구고 그 문명의 갈 길 앞에 놓여있는 모든 것을 쟁기로 갈아엎어 버렸다. 신이 그들에게 권한을 주었으니 지상의 모든 것을 경영하는 데 있어서 방해되는 것은 뭐든지 파괴해 나갔다.

그 문명의 총아인 동경도는 권역 인구 3천만이 넘는 초대형 도시… 세계 전체를 통틀어도 유례없을 정도로 거대한 도시다. 그 규모만으로도 어지간한 국가의 총인구를 능가한다.

그러니 문명을 토벌하고자 하는 이라면 이 동경을 목표로 삼는 게 당연하다.

실베스테르가 타고 온 애스턴 마틴 라피드는 아쿠아 펄 컬러로 도장되어 있는데 어찌 된 일인지 차체 여기저기에 흠집이 나 있다. 게다가 피도 묻어 있는 게 아닌가?

"혹시 해서 물어보지만 뺑소니로 여기까지 온 건 아니겠지요?"

"사람은 아니지. 구울이다."

"……."

구울을 치고 왔다. 그야 뭐 뱀파이어 헌터에게는 흔히 있는 일이다. 문제는 지금 막 일본에 내려선 서현과 한세건 입장에서 보면 동경 전체가 구울과 뱀파이어로 가득 차 있다는 인상을 받을 수밖에 없다는 점이다.

"지금 동경은 존 로메로 감독의 세계가 되어가고 있어."

실베스테르는 쐐기를 박았다. 좀비 영화 같은 곳이 되어버렸단 말인가? 그렇다면 이건 굉장히 심각하다. 동경처럼 큰 도시에서 그런 일이 벌어졌다는 건 테트라 아낙스의 제어가 완전히 망했고 이 세계가 비문명, 야만의 손길에 떨어졌다는 뜻이다.

"테트라 아낙스를 파괴하기 위해 혼신의 힘을 기울여 왔던 입장에서 어떻게 생각해?"

서현이 그렇게 물어보자 한세건은 캐리어를 열고 방탄 소재로 만들어진 레이싱 슈트를 꺼내 거리 한복판에서 그걸 입기 시작했다. 상의와 바지, 전부 다 벗어버리고 빠르게 갈아입는 모습은 주위의 시선을 신경 쓰는 기색이 없다.

과연… 한세건은 얼굴을 양손으로 쓱 쓸어 올려 엑토플라즘 마스크도 벗었다. 선명한 형광 녹색을 포인트로 물들인 한세건 특유의 머리칼이 드러났다.

"앙리 유이는 이 오만에 대한 대가를 치러야 해."

"그것엔 동감하지."

서현은 차에 올라탔다.

한세건이 조수석에, 서현이 뒷좌석에 타는 걸 확인하자 실베스테르가 운전석에 앉아서 브레이크를 밟은 채 액셀러레이터를 끝까지 당겼다. 엔진이 으르렁거리며 차체가 제자리에서 몸부림친다.

"…차 부수려고 한 맷혔나."

서현이 실베스테르의 과격한 운전에 뭐라고 하는 순간 차량이 쏜살같이 튀어 나갔다. 차들이 굼벵이처럼 막혀 있지만 실베스테르는 그 사이로 빠져나가기 시작했다. 그 순간 서현은 느꼈다.

'한 맷힌 거 맞구나. 이 차 중고로 사도 2억 넘지 않던가? 새거가 3억 넘고?'

그러는 사이 실베스테르가 외쳤다.

"자… 모두 무거운 엉덩이 들어서 협력해라!"

은발의 가톨릭 신부는 그리 말하고 몸을 우측으로 던졌다. 한세건도 이미 합을 맞추기라도 한 듯 다리를 들어 실베스테르의 운전석 옆 창문에 대고 체중을 이동했다. 쿠페에 가까운 스포츠 세단이 오른쪽으로 기울며 바퀴를 든다.

"허……."

서현도 균형을 맞추며 기겁했다. 애스턴 마틴으로 잘도 이런 미친 짓을? 그것도 둘이 쌍으로? 무엇보다도 이런 차는 무게 밸런스가 낮아서 기울이기가 힘들게 되어 있는데…….

　투콱!

　정차되어 있던 다른 차의 사이드미러를 쳐 날리면서 차량과 차량 사이를 빠져나간다. 사람들이 기겁해서 뭐라고 뒤에서 외쳤지만 실베스테르는 그들을 무시했다.

　"…중앙분리대를 쓴다!"

　"음, 이런 방법이 있었군."

　차가 막혀서 어떻게 가려고 그러나 궁금했었는데 그 의문이 깨끗하게 해소되었다. 중앙분리대 쪽으로 바퀴를 든 채 차가 곡예를 하며 달리자 운전자들이 놀라 우측으로 알아서 피해서 이 미친놈들에게 길을 비켜주었다.

　"서현 너도 도와. 밸런스를 둘이 잡으면 속도를 더 높일 수 있어."

　한세건은 창문을 열고 차량 위로 몸을 노출시켜서 마치 썰매나 스케이트보드를 타듯 밸런스를 잡는다. 서현도 어쩔 수 없이 한세건처럼 창문 밖으로 몸을 드러냈다.

　"하… 하하하하. 하… 뒷좌석 좁았는데 잘됐네."

　서현은 그리 말하며 함께 밸런스를 잡았다. 그러자 정말 실베스테르가 차를 신나게 밟아서 속도를 올리는 게 아닌가. 두 사람의 밸런스를 믿고 달리니 두 바퀴만 지면에 댄 채로 슬슬 시속 100킬로미터가 넘어가고 있었다.

2

시원하게 사고를 친 아그니는 먹은 것 소화도 시킬 겸 동경도 청에 올라서서 쌍안경을 들고 물을 마시고 있었다. 몸에 물을 부어 넣을 때마다 등으로부터 증발되어서 마치 거대한 보일러 같이 변해 있었다. 단번에 대량의 피를 마실 수 있는 아그니지 만 먹은 것을 자신의 것으로 온전히 만들기 위해서는 소화 작업 이 필요했다. 다행히 이런 섭식 방법은 아그니에게 딱 맞았다.

VT인자는 일종의 저주이며 영적인 인자. 아그니의 VT는 몰 살, 참살, 참혹한 죽음, 대량 살상에 특화되어 있었다.

"역시… 이게 좋아."

아그니는 생수를 벌컥벌컥 들이마시고 쌍안경으로 도시 곳곳 을 내려다보았다. 도시 전역이 정전되었지만 지진이나 재해에 대비하기 위해 비상등이나 비상 전원이 설치된 동경 곳곳에 빛 이 번뜩인다. 차량의 불빛도 번쩍이고 있는데 그 빛빛마다 구울 과 뱀파이어들이 출몰해 희생자를 늘리고 있었다.

앙리 유이는 스스로 만든 아웃레이지를 각각 알파 타입과 베 타 타입, 감마 타입 등으로 나누어 부르고 있었다. 알파 타입은 뱀파이어, 베타 타입은 그 알파 타입의 혈액으로 만든 사이키델 릭 문에 중독된 인간을 말한다. 그리고 감마 타입은 그로 인해 유발된 영체, 엡실론 타입은…….

'뭐 지금까지는 순조롭군.'

지금 알파 타입과 감마 타입이 동경도 전역에 출몰해 도시를 쑥대밭으로 만들고 있었다. 이것을 막기 위해 자위대가 배치되어 있지만 그들의 배치는 코다마 쥬조의 라인을 통해서 다 이쪽에 알려져 있다. 앙리 유이는 일본을 자신의 것으로 만들기 위해서 자위대원 중 자신이 다루기 힘든 정치적, 사상적 성향을 보이는 이들을 역시 다루기 번거로운, 죽어줘야 할 인사들의 거처에 배치시키고 그쪽을 공격하고 있었다.

오늘 밤, 일본의 정치 판도는 완전히 수술당할 것이다. 하지만 그보다 더 두려운 것은 이로 인한 문명 붕괴다. 이제 뱀파이어와 구울들, 마법과 초상 능력의 존재는 만천하에 까발려지게 된다. 테트라 아낙스가 이걸 막기 위해서는… 오라클 시스템이 있다 하더라도 막대한 희생을 감수해야 한다.

"마음에 드시나요? 당신이 시작 테이프를 끊은 과업의 불길이 이 도시를 불태우는 걸 보는 게?"

소년은 그렇게 말을 걸어온다. 아담이라는 해괴한 이름이 붙은 녀석이 아그니의 곁에서 도시를 바라보고 있었다.

"그런 너야말로 한국인으로서 감상이 어때? 한국인은 일본을 싫어하지 않던가?"

"전형적인 스테레오타입이로군요. 애석하게도 제게 한국인이란 아이덴티티는 없어요. 아니, 인간이라는 아이덴티티도 없군요."

"그런 점에서는 넌 나와 비슷하군. 하지만 앙리 유이도 그럴까?"

"…뭘 말하고 싶으신 겁니까?"

"이 파괴 그 자체가 목적이라면 나는 앙리 유이의 곁에서 계속 싸울 거야. 하지만 만약 이게 앙리 유이의 어떤 인간적인 고

뇌나 번뇌, 아, 그러니까 왜 그런 거 있잖아. 악당인 줄 알았던 녀석이 사실 이 녀석도 좋은 녀석이었어……. 그런 걸로 빠지면 절대 가만두지 않는다."

아그니는 그리 말하고 있었다. 그는 앙리 유이의 의도를 의심한다. 앙리 유이가 테트라 아낙스를 공격하는 행위 이면에 아낙스에 대한 숭배와 사랑이 있다면 이 악행은 단지 악을 위한 행동이 아니라 불순한 것이 되어버리기 때문이다.

"뭔가 철저하게 순수한 악, 그런 오그라드는 걸 목표로 하고 계시는가 보군요. 안심하세요. 제 주인님은 결코 당신을 실망시키지 않을 테니까."

"그래?"

"사실 지금까지만 해도 매우 만족하고 계시지 않나요? 이 대도시를 불태우고 인간들의 문명이 살얼음 위에 놓여 있다는 걸 통감하게 해주니… 테트라 아낙스의 시대에는 감히 꿈꿀 수 없는 일이지요."

"뭐, 그 점에서 만족하긴 하지만… 음……."

그때 아그니는 쌍안경에서 눈을 떼고 육안으로 자신이 본 걸 확인한 뒤 다시 쌍안경으로 그 장면을 보았다.

"허… 맙소사, 아르곤이잖아? 언제 일본에 와 있었지?"

"아르곤… 테트라 아낙스의 사냥개 말인가요?"

아담은 아르곤을 비난했다. 하지만 아그니는 고개를 가로저었다.

"아니, 적어도 그 녀석은 절대로 사냥개가 아니야. 녀석이 충성하는 건 테트라 아낙스가 아니라 그 자신의 뭐랄까, 신념이라기엔 조잡하지만 그렇다고 남에게 굽혀지지도 않는 어떤 가치관 때문이지."

"굉장히 고평가하시는군요."

"예전에 내가 졌거든. 날 이긴 놈은 고평가해 줘야지."

아그니가 그렇게 말하자 아담의 눈썹이 파르르 떨렸다. 무투파로 유명한 아그니가 순순히 패배를 인정하는 자가 이미 이곳에 와 있다니……. 걱정될 수밖에 없다.

"안심해. 내가 VT 20만 꼴랑 넘을 때 일이니까. 그리고 지금은 좀 다르지. 그런데 앙리 유이와 그 부하인 너희는 저 녀석 막을 준비는 되어 있나? 설마 내가 아르곤 대책의 전부는 아니겠지?"

"진마는 진마로 상대해야겠지요. 좋은 설욕의 기회 아닌가요?"

"난 소화 다 되면 그때 싸우지. 솔직히 지금 아르곤하곤 별로 붙고 싶지 않아."

"언제나 오만하신 줄 알았는데요."

"나를 말 몇 마디로 조종해서 아르곤에게 던져 주고 싶은가 본데… 그런 짓은 나에게나 너희에게나 멍청한 짓이야. 코다마 쥬조에게 사람을 조종해서 저 아르곤을 좀 괴롭히라고 해. 그동안 난 이걸 다 소화시키고 만반의 준비를 다 갖춘 다음 상대할 테니."

아그니는 그리 말하고 표연히 자리에서 일어났다.

2차 세계대전 후 전후 호황과 냉전 기류 속에서 히피즘이 태동했다.

'LOVE & PEACE'.

베트남전에 반대하던 히피들이 외치던 구호는 히피즘의 상징이 되었다. 뱀파이어 클랜 '에스프리'는 바로 그런 히피즘에 입각한 클랜이며… 베트남전보다 훨씬 이전에 결성되었다.

피를 빠는 괴물이 사랑과 평화를 열망한다는 건 일견 웃기게 보일 수도 있지만 영생불사의 생명을 가진 존재들이 자신의 생명을, 시간을 어떻게 쓸 것인가를 강구해 보면 이렇게 되는 것도 당연하다.

아그니처럼 인간들을 도륙하는 자가 있다면 그저 가늘고 길게, 자신의 삶을 즐기며 살아가고 싶어 하는 이들도 있게 마련이다. 물론 에스프리의 구성원 모두가 이 이념에 동조하진 않는다. 하지만… 아르곤은 설령 이 이념을 위해 목숨을 걸지 않는이라 해도 클랜에 받아들였다.

당연히 테트라 아낙스는 그런 에스프리를 인정하지 않았다. 진마 아르곤과 그의 VT인자를 받은 이들은 정규 클랜으로 인정하지만 그렇지 않은 이들은 아웃로로 규정한다.

하지만 이에 대해 아르곤이 그들을 비호하니…….

에스프리의 뱀파이어들은 뱀파이어 헌터의 표적 신세를 면할 수 있었다.

이런 짓은 테트라 아낙스의 권위에 도전하는 행위고 월야의 질서를 흐리는 행위기도 하지만… 아르곤의 공로가 적지 않아서 아무도 그 점을 문제 삼지 않았다.

지금 아르곤이 일본에 도착한 것도 바로 그 때문이었다. 에스프리를 위해, 그리고 그 자신의 신념을 위해 그는 앙리 유이의 폭거를 막을 수밖에 없었다.

땡강……

가볍고 텅 빈 금속음이 거리를 흔들었다. 아르곤의 손에 들려 있던 알루미늄 가검이 조각나서 떨어지고 있었다. 역시 코스튬 플레이용 소품……. 사람 하나 벨 수 없도록 안이 텅 비어 있기까지 하다.

하지만 이 검은 자신의 역할을 충분히 다했다. 그의 뒤에는 마치 바티칸 시국의 조상 '부활[La resurrezione]'처럼 웅장한 위엄을 자랑하는 거대한 얼음벽이 형성되어 있었고 그 벽 안에 많은 구울이 산산조각 난 채로 갇혀 있었다. 그 장엄한 모습은 두렵기까지 하다.

이 백발의 청년, 아르곤은 사람의 피를 빠는 흡혈귀. 어둠의 존재이나 그 위용은 절대 저열한 존재로 보이지 않는다.

뱀파이어보다 더 위대한 초상적인 힘의 권화(權化)로 보였다. 이 초상적인 힘의 권화는 그 무시무시한 힘으로 단번에 무수히 많은 구울을 학살하고도 아쉬워하는 기색이 역력했다.

"제대로 된 장비를 갖추지 않으면 안 되겠는걸."

아르곤은 부러진 검을 내려놓고 뒤돌아보았다. 자위대원들은 아르곤이 처리하지 않은 방향의 구울들을 상대하느라 곤욕을 치르고 있었다. 탄창을 다 비워내도 전열의 구울들이 몸으로 총탄을 받아내고 그 뒤의 놈들이 끊임없는 파도처럼 잇달아 덤벼든다.

"으아아아!"

자위대원들이 비명을 지르는 찰나…….

쩌저저저적!

한 줄기 한기가 구울들 사이에서 거미줄처럼 번져 나가며 그들을 붙잡았다. 거기에 총탄이 쏘아지자…….

파사삭…….

마치 거대한 유리창이 산산조각 나듯 얼어붙은 구울들이 산산조각 났다. 이것은 아르곤의 혈인 능력과 그 제어 능력이 입신의 경지에 올라 있음을 입증하는 것이었다.

보통 얼음조상은 총탄을 맞는다고 그렇게 순식간에 산산조각 나지 않는다. 냉동육을 가공하는 일이 결코 녹록지 않다는 것은 정육업자라면 누구나 동의할 것이다. 하지만 아르곤의 냉각 기술은 얼음의 조직을 서로 엇갈리게 해서 총탄을 맞는 순간 산산조각 나서 깨어지도록 만들 수 있었다.

아르곤 외에는 에스프리의 그 누구도 터득하지 못한 신기였다.

"어… 으……."

총탄을 쏜 자위대원들이 되레 놀라고 당황하고 있었다. 하지만 아르곤은 그들의 목숨을 구하고도 어떤 공치사도 필요 없다는 듯 앞으로 걸어 나갔다. 왜냐면 또 다른 적들이 몰려오고 있기 때문이었다.

"오, 맙소사."

자위대원들은 비명을 질렀다. 왜냐면 그들이 이번 작전에 투입되면서 가져온 탄약을 다 써버렸기 때문이었다. 치안 유지라는 목적에서 그들은 한 명당 150발의 탄약을 들고 배치되었다. 이 150발은 정상적인 치안 유지 업무에서는 다 쓸 수 없는 많은 분량이었지만 이 상황은 정상적인 게 아니다.

게다가 이번에 몰려오는 적들은 좀비처럼 마음 없는 놈들만 있는 게 아니었다.

"저기다!"

또 다른 구울의 무리와… 그들을 이끄는 뱀파이어가 모습을 드러내었다.

아르곤은 뱀파이어들 사이에서 절대 무시할 수 없는 실력자로 유명하다. 하지만 이들은 아직 아르곤의 명성을 모르는지 당당하게 아르곤에게 돌격해 온다.

"…오늘 손님이 많네."

아르곤은 투덜거리며 정신을 집중해 냉기를 손에 머금었다. 그러자 래트가 핀잔을 주며 뛰어 나갔다.

"혈인 능력을 마구 쓰지 마요! 진마를 상대해야 할 거 아냐!"

"그런데 무기가 없어. 이거라도 써야지 뭐. 아껴서 어디다 쓰게?"

아르곤이 그렇게 대답하자 몬티가 말했다.

"래트에게 맡기고 일단 뒤에서 체력을 회복시켜요! 일단 봅시다! 과연 앙리 유이가 뭘 믿고 이런 대규모 반란을 저지르는지!"

"내가 간다!"

래트의 몸이 튕겨 나가며 길거리에 주차해 있던 차량을 발로 차올렸다. 경차라고 해도 공차 중량 700킬로그램의 쇳덩이가 데굴 구르더니만 길목 앞에 떨어졌다. 구울들은 그 경차를 뛰어넘어 래트에게 덤벼들었지만 래트는 차를 뛰어넘는 이들을 걷어차면서 차를 넘어오는 이들이나 우회해 오는 놈들을 차례차례 상대했다.

장애물 때문에 돌격 속도가 늦춰지는 걸 노려서 하나하나 타격으로 쓰러뜨린다. 게다가 여기에 혈인 능력을 가미해서 래트의 주먹질, 발길질마다 냉기가 풀풀 흩날리며 명중하는 적들을 그 자리에 얼어붙게 만들었다.

그러나 그때 뱀파이어가 뛰어들어 경차의 밑으로 손을 쓱 집어넣더니 단번에 들어서 뒤집어 래트에게 차량을 날려 버렸다. 래트가 그걸 피하며 물러나는 사이 다른 뱀파이어가 벽을 박차며 삼각 날아차기를 래트에게 날렸다.

"와우! 가라테카인가?"

래트는 한 손으로 땅을 짚고 백 플립으로 빠져나오며 감탄했다. 삼각 날아차기로 덤벼들었던 뱀파이어는 몸을 단단히 웅크린 채 돌격하면서 래트가 백 플립으로 균형이 흐트러진 틈을 노려서 로우킥을 날린다. 백 플립에서 미처 회복하지 못한 래트가 양팔로 그 공격을 막자마자 래트의 몸이 그대로 날아간다! 그걸 다른 뱀파이어가 공중에서 킥으로 캐치했다.

"컥!"

허공으로 사출되다 가로등에 걸린 래트의 몸이 뱅글뱅글 돌며 추락하는 모습을 본 몬티가 기겁했다.

"…뭐 하는 거야?!"

래트라고 맞고 싶어서 맞은 게 아닐 텐데 몬티는 마치 래트가 방만히 굴다 맞은 것처럼 짜증을 냈다.

여기의 뱀파이어들은 아웃로로 근근히 먹고살다 앙리 유이에게 포섭된 급조된 놈들이리라. 그런데 에스프리의 에스콰이어나 다름없는 래트가 저런 굴욕을 당하다니?

"하하하. 웃기는군! 정식 클랜원이라 해도 고작 이건가!"

래트에게 성공적인 공격을 가한 뱀파이어는 자신의 발에 얼어붙은 피부를 손으로 털어냈다. 피부 한 면이 각질처럼 떨어져 나가며 진피가 보였지만 그것도 잠시……. 순식간에 아문다. 두 뱀파이어가 마치 옛 쿵푸 영화의 악당처럼 파이팅 자세를 취했다.

우스꽝스러운 모습과 달리 이들의 실력은 진짜였다.

"난 이미 진마나 다름없다! 어디 소문 자자한 진마, 아르곤의 솜씨를 볼까?"

뱀파이어들은 자신의 실력을 자신하면서 아르곤에게 덤벼들었다. 선두에 선 뱀파이어가 아르곤을 꺾기 위해 과감하게 뛰어들었다.

'우선 앞차기!'

이 아웃로 뱀파이어는 신중하게 앞차기를 날렸다. 공수도나 무에타이에서 초전 탐색용으로 로우킥보다 더 자주 쓰이는 앞차기지만 그냥 탐색용 발차기도 진마를 상대로 뻗기엔 껄끄럽다.

마치 악어 농장의 울타리 너머로 팔을 집어넣는 기분이랄까?

한 번의 실수가 목숨을 잃을 수도 있으니 신중해질 수밖에.

'피하거나 뒤로 물러나면 초승달 차기처럼 골반을 틀어넣어서 찌른다……'

뱀파이어는 그렇게 머릿속에서 다음 수까지 생각하고 있었다.

하지만 아르곤은 팔짱을 낀 채로 무성의하게 옆차기로 반격했다. 아예 골반을 넣은 채로 차는 발차기니 앞차기보다 길기도 하고 애초에 아르곤의 다리가 이 뱀파이어보다 훨씬 길다. 아웃로 뱀파이어의 앞차기가 막 시작되려는 순간에 이미 아르곤의 발차기는 그 뱀파이어의 복부에 명중했다.

'이 정도쯤… 괜찮……'

뱀파이어는 자신의 재생력을 믿고 아르곤의 발차기를 버티려 했지만 그 순간 허탈한 느낌이 들었다. 깜짝 놀란 그가 자신의 몸통을 바라보니 몸통 뒤로 새빨간 얼음이 쭉 뻗어 있다.

뒤돌아서 그걸 보니… 뱀파이어의 몸통에서 피와 살이 거대한 얼음 스파이크가 되어 사출… 그대로 후열에 있던 구울들을 덮쳐 전부 산산조각 낸 것이다. 피와 살을 통째로 얼려서 분리시켰으니 재생력이나 구속력으로 회복할 수 있는 성질의 손상이 아니다.

"어……"

아웃로 뱀파이어는 몸통에 커다란 구멍이 뚫린 채 털썩 주저앉았다. 그의 뒤에서 협공을 가하던 뱀파이어가 깜짝 놀랐지만 이미 늦었다. 아르곤은 옆차기를 회수함과 동시에 스텝을 바꾸면서 간단히 뱀파이어의 킥을 피하고 빙글 몸을 돌려서 팔꿈치를 뱀파이어에게 찔러 넣었다.

퍽!

뱀파이어의 등에서 무수한 피얼음칼날이 빠져나왔다. 두 뱀파이어가 대량의 혈액을 잃고 그대로 바닥에 쓰러졌는데… 이 상황에서 재생도 하지 못하고 헐떡이며 죽어가고 있었다.

"음. 신체 능력은 좋은데 역시 경륜이 부족하네. 아니, 이 경우는 경륜이 부족해서 다행이라고 해야 하나?"

아르곤은 자신의 목에 손을 대고 뚜둑뚜둑 목을 풀면서 중얼거렸다. 아웃레이지에 중독된 이 뱀파이어들의 신체 능력이 너무 뛰어나다. 공수도나 킥복싱, 복싱 등 무술을 연마한 자들이 이런 신체 능력을 얻게 되면 설령 혈인 능력을 개화시키지 못한다 하더라도 위협적인 존재가 된다.

래트도 어디 가서 맞고 다니는 인물은 아닌데 두들겨 맞은 걸 보면 알 수 있지 않은가?

이 아웃로 뱀파이어들의 높은 신체 능력은 골치 아프다. 전차와 비행기가 날아다니는 현대전에서 인간 개개인의 무력, 신체 능력은 아무런 의미가 없지만 그것은 어디까지나 전선이 명확하게 규정되는 전쟁에서의 이야기다. 문명의 심장부, 도심에서 반달리즘, 테러리즘이란 이름의 독을 뿌려댈 때는 이야기가 달라진다.

"큰일이야, 큰일. 빨리 막지 않으면 안 될 텐데. 이들에게 앙리 유이의 위치를 물어봐야 알려줄 리가 없겠지?"

아르곤은 모자를 고쳐 쓰면서 래트에게 다리를 뻗었다. 래트가 아르곤의 발목을 잡자 다리를 당겨서 그를 일으켜 세웠다.

"크억… 뭐… 뭐야, 이것들."

래트는 자신의 팔이 부러져 뼈가 피부를 뚫고 나온 걸 보고 기겁하고 있었다. 팔뼈만이 아니라 늑골도 부러져서 뛰쳐나와 있었다. 물론 이 상처는 순식간에 재생된다. 래트는 아르곤 다음가는 에스프리의 강자다. 하지만 그 강자가 평소라면 거들떠도 안 봤을 아웃로 뱀파이어들에게 이렇게 농락당하다니, 몸이 재생되더라도 정신적으론 충격이 크다.

"으… 맙소사. 이래서야… 여긴 지옥이잖아?"

맞은 것은 래트지만 몬티는 그야말로 정신이 나갈 지경이었다. 고작해야 아웃로 뱀파이어가 이 정도 힘을 가지고 있다면 이곳은 그야말로 용담호혈, 가벼운 마음으로 와선 안 될 곳이었다.

"도망갑시다. 우리가 뭐 받아먹은 거 있다고 여기서 싸워요? 테트라 아낙스 편들 이유도 없구만. 아, 아니면 차라리 앙리 유이 편에 붙는 건 어때요?"

"하하. 재밌는 농담인걸, 몬티."

"농담 아닙니다. 래트가 단 두 방에 구겨지는 걸 보면……."

"안 구겨졌어?! 어떻게 날 그렇게 표현할 수가 있어?"

래트가 버럭 소리를 질렀다.

"아니, 그건 구겨짐이다. 구겨짐 외에 다른 어떤 단어도 그 이상 적절할 수 없다고 생각되는군."

아르곤이 몬티의 편을 들어주었다.

"그래도 물러날 수는 없어. 에스프리의 이념에 반대되는 일에

꼬리를 말고 도망치면 앞으로 남아 있는 기나긴 생애를… 부끄러움과 후회로 고통받을 것 같거든?"

아르곤은 이미 기나긴 생애를 살아온 자다. 그럼에도 불구하고 그가 건전한 정신을 유지할 수 있는 것은 자신의 원칙에 충실하고 낙천적인 성격을 가지고 있다는 점이 크게 작용했으리라. 100살만 넘기더라도 정신 건강의 위기를 겪는 뱀파이어들 사이에서 아르곤의 그런 강인한 정신과 확고한 신념은 존중받아 마땅한 것이었다.

하지만 정작 아르곤의 클랜 멤버인 몬티는 '에스프리의 이념'이라는 단어를 듣자마자 빈정거렸다.

"아니, 에스프리의 이념이라면… 대마초 피우고 여자애들 꼬셔서 흡혈 난교 파티 하는 거 아니었나요? 엿 같은 히피 새끼들."

몬티의 신경질적이고 과격한 말에 아르곤은 식은땀을 흘렸다.

"그런 걸 한단 말이야? 뱀파이어는 성욕이 흡혈욕으로 전사되지 않냐?"

"아르곤이야 생긴 거랑 달리 '스토익(Stoic:금욕적)' 하니 여태 모르는 것 같지만……. 보통은 스윽스윽… 하다가 흡혈하면 쾌감 두 배… 맛있는 전채 요리를 곁들인다는 느낌이지요."

래트가 그리 말하며 해죽 웃었다. 그 모습을 보고 아르곤의 눈이 가늘어졌다.

"내가 몰라서 그러는 게 아니라… 가급적 흡혈 충동을 일으키고 싶지 않아서 그런 건 피해 다니는 건데 말이지."

하지만 흡혈욕을 일으키지 말자고 하는 건 인간으로 치면 성욕이나 식욕을 일으킬 만한 것들을, 맛있는 음식과 매력적인 이성과의 관능적인 만남 등을 피한다는 것이니 금욕적이라고 불려도 할 말이 없다.

"…많이 해봤어?"

아르곤이 래트에게 질문을 던졌다.

"많이까지는 아니고 자주 해봤습니다. 앨라배마의 블랙맘바가 놀면 곤란하지 않습니까?"

"블랙맘바는 겉이 검은 게 아니라 속이 검은 뱀이고 앨라배마에 없어. 뭐, 강제로 하는 게 아니라면 별문제 없지. 음, 아웃로 뱀파이어에게 두 대 맞고 구겨졌지만 그런 래트라도 삶의 기쁨을 느껴야겠지? 두 대 맞고 구겨졌지만 말이야."

"…화났어요?"

래트는 어째 아르곤의 말에서 적의가 느껴져서 그렇게 물어보았다. 물론 아르곤은 고개를 가로저었다.

"아니, 그럴 리가."

그러나 잠시 후 아르곤이 투덜거렸다.

"뱀파이어가 스토익한 게 어디가 어때서? 진마인 내가 욕망대로 이 여자 저 여자 지분거리면 흡혈욕이 폭주해서 감당하지 못하게 될 거야. 응? 안 그래? 가뜩이나 긴 뱀파이어 인생, 흡혈욕 정도는 억눌러야 할 거 아냐?"

"……."

"그리고 뭔가 일이 있으면 보고를 하든가. 아니, 뭐 좋은 일이 있으면 소개를 하든가 할 것이지 날 **빼놓고** 자신들끼리 그렇게

들 놀고 있단 말이야? 아, 물론 불렀으면 거절했겠지만 거참, 방패막이로 실컷 이용만 당하는 기분이네. 딱히 내가 그걸 하고 싶다는 게 아니라 그냥 기분이 안 좋다고. 응?"

아르곤은 투덜거리며 래트를 타박했다.

"아무래도 에스프리는 히피즘에서 탈피해야겠구나. 하긴, 히피즘도 몰락한 지 꽤 됐지."

"…왜 쓸데없는 이야기를 해서."

래트는 동료인 몬티를 힐난했지만 몬티는 잘됐다는 표정이었다.

3

도심에 들어서자 애스턴 마틴 라피드는 그야말로 처참한 몰골로 변해 있었다. 실베스테르와 서현, 한세건, 셋이 곡예를 부린 덕분에 꽉 막혀 있는 길을 뚫고 올 수 있었지만 덕분에 차 외장은 완전히 망가졌다.

고가의 스포츠 세단이 엉망이 되었지만 정작 그 차주인 실베스테르는 무심하기만 했다.

"역시 우핸들 차량은 내 취향에 안 맞아."

실베스테르는 그리 말하고 주차장에 주차되어 있는 다른 차량, 세탁 공장 납품용 차량에 접근해 문을 열었다. 차량 위에는 세탁물들이 걸려 있지만 그 밑에는 악기를 실어 나르기 위한 실드 케이스가 있었다. 실베스테르가 그 케이스를 꺼내서 열자 안에는 무기가 그득그득했다.

"일단 도폭선은 일반용으로 준비했는데, 한세건 너는 전기점화 기폭식을 썼지? 특수형으로……."

"도폭선은 글쎄요. 이번에는 써선 안 될 것 같은데요. 아그니의 능력은 점화, 폭약류를 몸에 감고 다니다 사용하는 건 자살행위가 될 겁니다."

한세건은 그렇게 대답하면서도 무기를 골랐다. AA—12 샷건과 드럼탄창, 글록 18과 탄약들을 잔뜩 챙기고 대량생산 된 카타나를 슬링으로 연결해서 허리와 등에 채웠다.

"탄약은 언제든지 버릴 수 있도록 해두지 않으면… 아그니를 상대할 때 곤란할 테지."

서현도 한세건의 말에 동의하고 AK—74와 도검을 챙겼다.

실베스테르는 휴대폰 대신 무전기 리시버를 건네주었다.

"휴대폰 중계기는 UPS에 연결되어서 한동안 무난히 가동되겠지만 만약을 생각해서 무전기 체계로 바꾼다. 앞으로 이걸로 대화하도록 하지."

서현과 한세건은 그걸 받아 들어 장착했다. 이로써 무장과 통신 장비, 모든 걸 갖춘 셈이다.

"자, 그럼 어디부터 찾을까? 이대로 도시를 배회해 봐야 시간만 낭비할 뿐이야."

한세건은 서현에게 질문을 던졌다. 실베스테르야 이 방면의 프로지만 약간 인간 감성에서 벗어난 인물이다. 슬프게도 라이칸스로프인 서현이 실베스테르보다 훨씬 인간답고 이런 전략 전술에서 더 믿음직하다.

"전력을 복구시키면 어지간한 구울들은 자위대의 상대가 안 될 거야. 중무장한 인간들이면 구울들은 쉽게 제거 가능하니까. 일단 전력을 복구하는 것만으로도 이 도시의 치안 상태가 상당히 회복될 테지. 뱀파이어라면 이야기가 좀 다르겠지만… 그 뱀파이어야 우리가 잡아주면 될 테고."

서현은 미리 다운로드했던 일본 동경도 지도를 살펴보면서 혀를 찼다. 일반적인 교통지도라서 이것만으로는 전력 배선에 대해서는 알 수가 없다. 도쿄의 전력을 담당하는 동경전력의 서비스 맵을 얻지 않으면 모르겠지.

그러나… 이 정도 대규모 정전이면 전력 서비스 맵을 얻을 필요도 없다.

"전력이 어떻게 배분되어 있는지 모르지만 이런 대도시는 발전소 하나만으로 전력을 공급받진 않을 거야. 동경 23구 전역의 전력이 끊겼다면, TEPCO(동경전력)의 모든 발전소가 동시에 꺼진 게 아니라면 컨트롤 타워 그 자체의 문제일 거야. 변전소 한두 개를 파괴하더라도 현대적인 전력 회사라면 반드시 여분의 파워 라인을 가지고 있을 테니까. 아, 하지만 이건 자위대도 알고 있겠군. 아마 지금쯤 동경전력 컨트롤 센터를 놓고 뱀파이어들과 자위대의 한판 승부가 펼쳐지고 있지 않을까?"

"이 혼란을 틈타서 쿠데타 같은 걸 일으키지 않을까?"

"내가 쿠데타를 일으킨 건 ICBM의 항법 코드를 얻기 위해서

였어. 그냥 ICBM을 발사시켜 봤자 위성항법 장치의 도움을 못 받으면 목표로 날아가지 않거든? 즉 난 권력을 얻기 위해서 쿠데타 세력에 협력한 게 아니야. 권력자만이 가지고 있는 것을 빼앗기 위해서 덤벼든 거지."

"쓸데없이 말을 꼬아서 하는 자를 위해 존재하는 게 정신병원이지. 요약해서 말해봐."

"요컨대 뱀파이어나 라이칸스로프는 권력 그 자체를 목적으로 쿠데타를 일으키지 않는다는 거야. 뱀파이어나 라이칸스로프가 국회를 해산시키고 군대를 깔아봤자 권력을 잡을 수는 없으니까."

"사람을 얼굴마담으로 깔면?"

"그럼 가능하겠지만 그런 순리를 밟을 놈들이면 이렇게까지 할 필요가 없지. 안 그래? 좀비 나이트를 만드는 건 도저히 물러설 길 없는 짓거리였어. 인간들로 치자면 핵무기나 화학병기를 쓰는 전쟁범죄, 인류에 대한 반역 행위, 인류 문명의 적이라 할 수 있겠지."

"실제로 저놈들은 인류 문명의 적이다. 이 짓거리가 계속되면 결국 뱀파이어의 존재가 알려지게 될 테고 남의 목에 이빨 꽂고 얻는 영생불사라도 탐낼 놈들은 넘쳐날 테니까."

"그래. 인류 문명의 적… 그렇지."

서현은 그런 평가를 내리고 이를 갈았다.

"젠장, 멋지잖아. 인류 문명의 적. 나도 그런 거 되고 싶었는데."

"그만해, 미친놈아. 너 미친놈인 건 충분히 알았으니까 상황봐가면서 지랄해."

한세건이나 서현이나 둘 다 상당히 머리가 좋아서 별로 판단 근거가 많지 않은 상황에서도 빠르게 상황을 파악할 수 있었다.

이 상황에서 그들이 도출한 결론은 이게 단순한 쿠데타일 리 없다는 점, 그리고 현재 상황에서는 어찌 되었든 이 사태가 테트라 아낙스의 세계를 파괴하는 데 굉장히 주효하다는 점이다. 그리고…….

"사람이 많이 죽으면 싫어도 심령 스폿이 되지. 그리고 뱀파이어에 의한 살육, 구울에 의한 살육이 많아질수록 VT인자는 빠르게 증대된다. 아그니가 굳이 한꺼번에 대량 살상을 하고 꿀꺽 먹어치우는 게 아니야. VT인자를 높이는 데 있어서 가장 최적의 방법이니까."

"그리고 그 VT인자는 릴리쓰와 같은 정보생명체의 파편이기도 하고 말이지?"

"파편이라고 하면 너무 큰 느낌이고 각질 가루 같은 거라고 해두지. 그 안의 유전자는 분명히 인간의 것이지만……."

"각질 가루라고……?"

그런데 그때 그들의 귀에 비명 소리가 들려왔다.

"잠깐 기분 전환도 할 겸 사람 도우러 갈까?"

별게 다 기분 전환이겠다. 그러나 서현과 한세건은 새로 얻은 무기에도 익숙해질 겸 고개를 끄덕였다.

"그러지."

서현과 한세건이 그렇게 움직이는 걸 본 실베스테르가 감탄했다.

"…의외로군. 사이가 좋아 보이는데?"

"절대 아닙니다. 불쾌하군요."

"이 녀석이랑 내가? 웩… 맙소사."

한세건과 서현이 동시에 반발했다.

실베스테르가 그런 한세건에게 열쇠를 던져 주었다.

"네 취향은 아니겠지만… 혼다 CBR650이다."

"음, 슈퍼모터드나 오프로드가 좋은데……. 뭐, 괜찮겠지요."

한세건은 키를 받고 주차장에 놓여 있던 CBR650에 올라탔다.

"서현! 뒤에 타! 모멘텀을 부탁하지!"

"…모멘텀을 부탁한다는 게 대체 무슨 소리냐? 의미 불명이 잖아?"

"모르진 않을걸? 아까 전에 이미 한번 해보고서도 모른다면 내 생각보다 더 저능아인가 보군."

"만약 나 때문에 자빠지면 대가리를 아스팔트에 갈면서 너의 멍청함을 후회해라. 응?"

서현이 한세건의 뒤에 타자 한세건은 시동을 걸고 주차장 펜스로 돌진했다. 하지만 이미 애스턴 마틴으로 스케이트보딩을 했던 서현은 어쩌라는 건지 말하지 않아도 알고 있었다.

모멘텀을 부탁한다는 말이 의미 불명이라고 말한 주제에 서현은 잽싸게 뒷좌석에서 일어나더니 발을 굴렀다. 그와 동시에 한세건이 앞바퀴를 들고 펜스를 직격… 그대로 펜스 지주를 쓰러뜨리며 바이크가 펜스를 타고 점프해 주차장 밖으로 날아갔다.

붕 날아간 바이크가 주차되어 있던 차량의 지붕을 찍고 미끄러져 내려가며 구울들에게 포위당해 건물 주차장 앞의 간이 건물 위에 올라서 있는 사람들 근처로 달려간다. 서현은 한세건의 어깨를 잡고 옆의 가로등을 차서 한세건이 바이크를 쉽게 꺾을 수 있게 해주었다.

바이크가 옆으로 기울며 지면을 아슬아슬하게 스치는 동안 서현은 살짝 점프해서 한세건이 커브를 틀고 균형을 회복하길 기다린 다음 바이크에 착지한다. 이 곡예로 거의 90도 직각으로 방향을 튼 한세건의 오토바이가 구울들 사이로 돌진했다.

"아주 시장 통 났군! 많이도 모였어!"

한세건은 콜드스틸제 일본도를 휘둘러 구울들을 썰어버리고 파워 슬라이드를 펼쳐서 바이크로 다른 구울들을 들이받아서 날려 버렸다. 한세건의 바이크에 치인 구울들이 옆의 건물 지하 주차장으로 데굴데굴 굴러가 떨어지는 게 흡사 볼링 핀들을 쓰러뜨리는 것 같다.

"스트라이크!"

서현은 바이크에서 몸을 날린 채로 공중에서 AK—74로 구울들의 머리통에 바람구멍을 뚫었다.

"크악! 뭐야, 이놈들은!"

구울들 사이에 있던 뱀파이어가 양팔로 머리통을 감싸고 서현의 총격을 막아내었다.

"…이런 데 숨어 있었군."

"숨어 있기는 누가! 어중간한 헌터 따위에게 당할 내가 아니……."

하지만 뱀파이어가 미처 뭐라고 말하기도 전에 한세건의 오토바이 앞바퀴가 뱀파이어의 복부로 치달렸다. 뱀파이어는 그걸 양손으로 받아내어 막아냈지만… 체중의 가벼움은 어쩔 수 없어서 붕 위로 떠버렸다.

그리고 그렇게 떠오른 뱀파이어의 머리 위로 서현의 발뒤꿈치가 떨어졌다.

퍼억!

서현의 발뒤꿈치 떨어뜨리기가 잔인하게도 뱀파이어의 머리를 몸통에 쑤셔 박았다. 머리가 몸 안에 들어간 충격으로 척추가 부러지며 등 뒤로 뼈들이 튀어나왔다.

서현은 그 뱀파이어의 손목을 잡고 다시 붕 들어서 바닥에 패대기치고 한세건에게 뻥 걷어찼다. 한세건이 오토바이로 받아서 건물 소화전으로 날려 버리자 뱀파이어가 비명을 질렀다.

"자… 잠깐!"

"어차피 송사리라 뭐 아는 것도 없겠지?"

서현은 군용 슬링 벨트에 역시 군용 나이프를 걸어서 크게 휘둘러 뱀파이어를 후려갈겼다. 묵직한 칼날이 뱀파이어의 두개골을 잘라 버렸다.

"쌍… 말 좀 하……."

"하지 마."

서현은 심드렁하게 뱀파이어의 머리를 잘라내서 들고 저 멀리 집어 던졌다.

"대체 내가 왜 이제 막 처음 본 뱀파이어 놈하고 이름 트고 말 트고 감정 소모를 해야 하나? 아주 도원결의 맺자고 할 놈이네."

"베어그릴스가 방울뱀 머리 처리하는 것 같군."

세건이 한마디 하자 서현이 답했다.

"그땐 묻었지."

"…어제의 적이 오늘의 친구라지만 둘이 너무 호흡이 잘 맞 는군."

실베스테르는 서현과 한세건이 싸우는 걸 보고 그도 몸을 날 려 주차장 옆에 설치된 자판기 위를 밟고 건물 지붕으로 뛰어올 랐다.

"나는 나대로… 일을 해볼까."

"으… 가, 감사합니다."

구울들에 의해 고립되어 있던 사람들은 갑자기 나타난 두 청 년이 아무리 봐도 인간적이지 않은 힘으로 구울들을 도륙하는 걸 보면서 얼어 있었다. 그들 중 가장 나이 어린 여자아이가 다 른 사람들에게 떠밀려 억지로 감사 인사를 하는 걸 보니 이들은 서로서로 일면식이 있는 듯했다. 교활하게도 여자아이가 인사를 하면 분위기를 부드럽게 할 수 있을 거라고 생각한 모양이다.

하긴 저들 입장에선 명백히 총도법 위반을 하면서 난입한 청 년들이 구울과 별반 다를 바 없이 위험해 보이겠지. 특히 오토 바이의 중량과 엔진의 마력을 이용하는 세건과 달리 맨손으로 뱀파이어를 찢어서 해체해 버리는 서현의 존재는 그들에게 있어서 공포를 불러일으키는 이해 불가의 괴물일 것이다.

"뭐, 그건 됐어. 당신들 여기 대기하고 있고. 이제 어디로 간다?"

서현은 자신이 구조한 사람들에게도 별다른 감흥을 느끼지 않는지 즉시 다음 계획에 돌입했다.

확실히 그들에게 이 사람 구조는 좋은 기분 전환이 되었다.

"TEPCO의 컨트롤 센터?"

"아니, 이 경우는……."

서현은 콘택트렌즈를 빼고 하늘을 올려다보았다. 동경의 하늘 위로 사람들의 상념, 원념, 최후의 비명이 시각 정보로 형상화되어 꿈틀거리고 있었다. 마치 거대한 만화경 안에 갇힌 기분이랄까? 그중 가장 강렬한 흐름을 발견한 서현이 다시 콘택트렌즈를 꼈다.

"눈이 빨갛지만 중2병은 아냐. 쓸모 있다고."

"난 아무 말도 안 했다만? 그래, 뭐가 보였어?"

한세건이 물어보자 서현은 으쓱해 보였다.

"이건 개략적인 아우라를 보는 거라 확언할 수 없지만 저쪽 방향이면 어디냐?"

"…나야 모르지. 일본인들에게 물어봐."

"아, 실례. 여기서 약 십오 킬로미터 정도 떨어진 거리면 뭐지요?"

서현이 그렇게 물어보자 사람들이 당혹스러워했다. 도시에서 살고 있는 사람들이 거리와 방향만으로 뭐가 있는지 알기는 쉽지 않다.

보다 못한 서현이 휴대폰을 꺼내서 동경 지도를 펼쳐 봤다.

"…치요다 구로군. 국회도 있고 총리대신 관저도 있고 황거라고 일본 천황이 거주하고 있는 성도 있는 곳인데? 게다가 놀랍게도… 아키하바라도 있어."

"쿠데타로군 그럼. 아키하바라 뱀파이어 축제 같은 걸 계획하고 있을 리는 없을 테니."

"그렇잖아도 희생자가 많은데 쿠데타로 정권이 뒤집어지거나 일본 천황을 뱀파이어로 만들어 버리면 이 일은 역사에 남아. 역사에서 뱀파이어를 지우지 못하면 인류 문명은 끝장이다."

"테트라 아낙스 같은 소리를 하는군. 역사를 기만하자고?"

"테트라 아낙스 편을 들자는 건 아냐. 다만 인류 역사와 문명이 뱀파이어 놈들에게 강간당하게 할 수는 없지."

"…여기서 만약 네놈이 강간하려고 했는데 뭐 그런 소리 하면 화낸다."

"그럴 리가. 내가 역사를 범한다면 그건 화간이다. 당연한 일이지."

"뭐가 되었든 동아시아 판도는 개판이 나겠군. 음, 좋아. 풋옵션에 잔뜩 넣어뒀는데… 대박 벌겠군."

한세건이 그렇게 중얼거리자 서현은 감탄했다.

"와, 방금 무시했어? 사람이 좀 모처럼 재밌는 개그를 치면 받아줘야지. 그런데 수배범 주제에 주식 투자도 하냐?"

"언제까지 뱀파이어 피를 팔아서 자금을 충당할 수는 없으니까."

"호."

뱀파이어의 피는 마약을 뿌리는 일. 그렇기 때문에 아웃레이지는 마약중독자들, 뱀파이어 헌터들의 고객들에게 빠르게 퍼졌다. 지금 여기 구울화된 인간 상당수가 바로 뱀파이어 헌터들의 고객이었을 터.

그런 의미에서 한세건이 하는 짓은 옳다.

"하지만 주식 하다 한강 물 수온을 몸으로 측정하는 애들이 한둘이 아니라고 알고 있는데?"

"뭐, 나야 주가를 얼마든지 스스로 조작할 수 있으니까."

"…아, 그거?"

서현은 한세건이 종로경찰서장을 능멸하고 시청 한복판에 자기 얼굴 영상을 내보냈던 걸 떠올리고 혀를 찼다. 그때도 단타로 치고 빠졌나 보다.

"대한민국의 무수한 개미들이 불쌍하군."

"그래, 사람 불쌍한 걸 아는 작자가 ICBM을 날리고 싶었어? 방금 전 뱀파이어도 알고 보면 뭔가 슬픈 사연이 있을 것 같지 않았나?"

한세건은 그렇게 말하고 아차 싶었다. 뱀파이어 헌터로서 모든 뱀파이어를 조지겠다는 한세건이 뱀파이어에게 슬픈 사연이 있다는 소릴 하다니? 하지만 서현은 거기서 한술 더 떴다.

"그래서 나불거리기 전에 제거해 줬지. 내가 워낙 마음이 약해서 말이야. 사연을 알게 되면 막 감정이 동하고 그러더라고."

"입에 침이나 바르고 거짓말을 하지그래?"

"그러는 너야말로 온 세상 모든 뱀파이어를 조지고 싶어 하는 거 아니었어? 잘됐네. 이제 뱀파이어들이 온 천지에 드러나게 되면 엿 같은 인간 놈들이 속속 뱀파이어가 될 텐데 네가 영원히 싸울 수 있어서. 완전 발할라지 뭐야."

서현은 그렇게 말하고 주위를 둘러보았다. 여기저기서 불길이 치솟고 있었다. 뱀파이어나 구울들의 공격, 그것에서 살아남기 위한 사람들의 움직임이 화재를 부르고 있는 모양이다.

간단하게는 성냥으로 양초에 불을 붙였다가 실화했겠고…….

심하게는 뱀파이어나 구울과 싸우기 위해 일부러 가스등에 불을 붙였음에 틀림없다.

실베스테르가 동경을 존 로메로의 세계라고 했는데 과연 거장 감독의 예술 세계다운 맛이 있다.

"국회 쪽으로 가볼까?"

"아, AK 말고 나도 5.56㎜탄 쓰는 무기 가져올 걸 그랬나. 자위대도 5.56㎜ 쓰지?"

서현은 그렇게 결론짓고 탄창을 교체했다. 서현의 말을 들어보면 필요하다면 인간인 자위대원과도 싸워야 한다는 걸 감수하고 있다는 것을 알 수 있었다. 자위대원을 죽이고 그 무기와 탄약을 탈취할 셈일까?

마약중독자, 막장 뱀파이어 헌터인 한세건도 살인에 대해서 거부감이 좀 있는 편인데 역시 라이칸스로프 용병답게 살인에 대한 허들이 낮은 것 같다.

"죄 없는 군인들을 가급적 안 죽이면 어때?"

"그러고 싶은데……."

"뭐, 일단 상황을 좀 볼까. 가지."

한세건은 바이크 뒷좌석을 가리켰다. 서현이 올라타자 한세건은 주저 없이 액셀을 당기며 돌진… 주차되어 있는 차량을 올라타며 점프해 사람들이 버리고 도망친 차량을 뛰어넘어 사라져 갔다.

4

아르곤과 그 일행은 자신들에게 합류를 권하는 자위대원의 요청을 거절했다. 자위대원들은 자신들을 도와준 아르곤 일행과 함께하면서 이 지옥에서 살아남고 싶었던 거겠지만 아르곤과 그 일행은 해야 할 일이 있었다.

"대신이라긴 뭐하지만 남는 총 있으면 주지 않을래요?"

"……."

"탄약은 안 줘도 됩니다. 알아서 조달하지요."

아르곤이 그리 말하자 그들은 전사한 동료들의 무기를 건네주었다.

아르곤은 그걸 받아 들고 혀를 찼다. 30㎜ 오리콘 포라든가 손으로 155㎜ 포탄을 집어 던지던 아르곤에게 이런 개인화기는 너무 가볍고 빈약하게 느껴졌다.

"역시 고르디우스 매듭을 테트라 아낙스에게 받았을 때 그냥 가지고 올 걸 그랬지?"

테트라 아낙스가 그들에게 이 사태를 예견하고 막아달라고 부탁했을 때 당연히 활동 자금과 무기를 주었다. '고르디우스 매듭'은 끊으면 안에 가두어두었던 장비가 나오는 마도구로 매우 비싼 가격을 자랑하고 있다. 마약이나 무기의 밀매에 쓰면 그 효율이 어마어마하기에(멕시코—미국 간의 연간 코카인 밀수량 전체를 담을 수도 있다!) 고가인 것은 당연한 일이다.

문제는 아르곤의 클랜 에스프리는 항상 만성적인 재정 적자에 시달리고 있다는 것이다.

테트라 아낙스의 예지력을 빌려서 자본 투자로 막대한 부를 축적한 다른 뱀파이어들과 달리 아르곤은 자본 투자를 등한시했다. 테트라 아낙스의 타락을 대비해야 하는 아르곤이 테트라 아낙스의 돈을 받아먹기 시작하면 만약의 사태가 생겼을 때 테트라 아낙스를 징죄할 수 없다. 그렇게 고집을 부렸기 때문이었다.

그런 주제에 테트라 아낙스가 작전에 필요하다고 준 지원품을 팔아먹은 것은 무슨 센스인지 모르겠다… 고 몬티는 중얼거렸지만 아르곤의 괴팍함은 어제오늘 일이 아니다.

"자, 그럼 다시 자전거를 타고 가볼까?"

아르곤과 래트는 다시 KHS의 조립식 탠덤 바이크를 조립해 탑승하더니 거리를 향해 달려갔다. 거리 곳곳에 놀란 사람들이 버리고 간 차량들이 방치되어 있어서 길을 가로막고 있으니 자전거를 타는 것은 합리적인 행동이지만 이 자전거에 타기 위해서 몬티가 지불해야 하는 건 치골의 고통만이 아니었다.

"요리 컴."

"싫어! 으악! 나는 대체 왜!"

몬티가 그런 상식의 절규를 하고 있을 때였다.

<u>오오오오오!</u>

어디선가 스산한 목소리가 몬티의 절규에 호응하고 있었다.

"음?"

아르곤이 자전거 주행을 위해 모자를 돌려 쓰다가 멈칫했다.

"방금 그 소리 설마 몬티가 마침내 '뭉크의 절규'를 외칠 수 있게 된 거야?"

"뭐, 게임 스킬같이 말하고 그래요? 생긴 건 뭉크의 절규 맞지."

래트가 중얼거렸지만 그때… 벽과 길 너머로 엑토플라즘을 휘감은 유령들이 모습을 드러내었다.

"아, 진짜……."

아르곤은 손가락을 툭 튕겼다. 아르곤의 냉기가 퍼지며 엑토플라즘이 얼어붙고 이내 산산조각 났다. 영체인 엑토플라즘은 기본적으로 점성이 매우 높은 아몰퍼스 재질이다. 결정구조를 원하는 대로 고착시키고 운동에너지를 빼앗아 버리는 아르곤의 혈인 능력, 동결은 엑토플라즘 구조를 빠르고 간편하게 파괴할 수 있었다.

유령들로서도 당혹스러웠을 것이다. 지금까지 그들은 일종의 정보생명체로, 현실의 병기에는 거의 영향을 받지 않으며 마법이나 마도구에 의해서도 그다지 큰 타격을 받지는 않았다. 반면 그들이 현실에 접촉하면 생겨나는 엑토플라즘은 현실의 인간들을 간단히 살해할 수 있는 병기가 되었다.

그런데 그 엑토플라즘이 너무나 허망하게 부서져 내린다. 그뿐인가?

유령들이 액토플라즘을 생성하는 순간 아르곤의 공격을 받게되면 엑토플라즘을 통해서 아르곤의 동결 공격이 유령들조차파괴한다.

이건 아르곤의 동결 공격이 사실상 분자의 움직임을 정지시키는 능력이기 때문에 가능한 일이다. 일단 좌표가 유령의 본질에 연결되기만 하면 아르곤의 공격은 유령마저 정지시켜 버리는 게 가능했다.

그런데 이 유령들은 열을 생산하지 않고… 실재 차원에 존재하지 않기 때문에 가열되지도 않는다.

접촉만으로 영구 동결. 그렇기 때문에 유령들이 아르곤에게엑토플라즘 공격을 감행한다는 건 자신의 목숨을 내거는 짓이어야 했다. 물론 아르곤을 소모시키려면 유령만큼 좋은 적수가없다. 아르곤은 그럼 반드시 혈인 능력을 사용할 테니까.

"힘쓰지 마요! 빤히 보이지 않습니까? 이건 아르곤을 소모시키기 위한⋯⋯."

"아니, 저걸 봐라."

아르곤은 유령들을 가리켰다. 유령들은 아르곤의 동결 공격을 받아보고 나서 더 이상 엑토플라즘 공격을 감행하지 않고 도주하고 있었다.

아르곤을 소모시키기 위해서라면 오히려 목숨을 걸고 덤벼야 할 텐데 이상한 일이다. 그게 아니더라도 유령들이 저렇게 일사 불란하게, 죽음을 두려워해서 물러나는 것도 말이 안 된다. 아 르곤은 세상 곳곳을 유랑하면서 심령 스폿이라는 스폿마다 찾 아가서 유령들을 얼려서 제거하는 짓도 한 적이 있었는데 그때 만난 유령 대다수는 별다른 의지 없이 아르곤에게 덤벼들었다 가 혼쭐이 났다.

덕분에 심령 스폿을 유랑하는 보통의 덕후들은 유령을 만나 는 일도, 심령 현상을 경험하는 일도 못 하게 되었다. 아무리 뛰 어난 덕후라도 천 년간 정상적인 직업 없이 실업 상태를 유지하 고 오직 쌈박질만 해온 백수 전문가 아르곤보다 먼저 심령 스폿 에 당도할 수는 없었고, 아르곤이 먼저 도착한 심령 스폿은 더 이상 심령 스폿일 수 없었기 때문이었다.

"놀랍군. 앙리 유이가 저 영들을 통제하고 있다니. 정말 유령 왕이라도 될 셈인가?"

아르곤이 그렇게 중얼거리더니 아직 자전거에 탑승하지 않은 몬티를 발로 차서 밀고 래트를 끌어당겼다.

그들이 있던 곳으로 유탄이 날아오다 스쳐 지나갔다.

시한신관이나 접근신관이 아닌 촉발신관식 유탄… 자위대의 도시 진압용 장갑차에 달려 있는 유탄 발사기로 쏜 것이다.

"…저것들은?"

아르곤은 혹시 저들이 유령을 상대하려고 쏜 게 잘못해서 그 들에게 날아온 게 아닐까 하고 바라보았다. 그러나 포탑에 있던 이들과 그의 지휘하에 있는 병사들은 아르곤을 발견하고 달려 온다.

"저기다!"

총탄이 불을 뿜는다. 아르곤은 몸을 웅크려 공격을 피하고 골 목길로 달렸다.

"이쪽으로!"

"네!"

"아니, 어째서 우릴 공격하는 거야?"

래트가 중얼거리자 몬티가 답해주었다.

"젠장! 이미 앙리 유이가 인간들 허수아비를 세워놨겠지! 그 리고 우리에게 덮어씌운 거라고!"

"뭘? 어떻게?"

"테러범인지 뭔지겠지!"

"아니, 테러가 뭐 맨날 일어나냐? 이 평화로운 세상에……."

래트가 하늘을 올려다보니 어디서 불이 났는지 시뻘건 불기 둥이 전기 다 꺼진 도시 한복판에서 뿜어져 나오고 있고, 여기 저기 구울들이 사람을 습격하고, 사람들은 차를 버리고 걸어서 도망치면서 사방팔방에서 비명과 탄식을 화음을 이루며 외치고 있었다.

"어……."

"병신아."

"음."

"앨라배마의 새까만 병신아, 너 말이야, 너."

"인종차별이야."

몬티와 래트가 불붙었을 때 아르곤이 그들의 목덜미를 잡고
휙 몸을 날렸다.

"일단 피하지."

"어……."

피하자는 건 둘 다 동의하고 있었다. 그런데 아르곤은 입으로
는 피하자면서 놀랍게도 그들을 겨누고 있는 장갑차를 향해 돌
격하고 있었다. 아무리 진마래도 유탄 발사기와 무수한 총구 앞
에서는 피곤할 텐데… 라고 생각했지만 아르곤은 어느새 장갑
차 위에 내려서 있었다.

"으……."

지휘관이 얼른 권총을 빼 들려고 했지만 아르곤은 그의 손목
을 잡았다.

"억!"

"왜 장갑차로 뛰어들었냐 하면 보통 사람들은 펄쩍 도약하는
사람을 잘 못 맞혀. 좌우로 움직이는 것에만 익숙하지 도약으로
접근하는 건 못 맞히거든. 아마 일본 애니메이션에서 애들이 날
아드는 애들에게 비정상적으로 낮은 명중률을 보이는 건 그 때
문일 거야."

아르곤은 뜬금없이 그렇게 설명했다. 몬티와 래트는 서로를
바라보았다.

"저거 갓차만(독수리 오형제) 이야기지?"

"나는 덕후가 아니라서 모르겠는데?"

"생긴 건 완전 너드(Nerd)같이 생긴 게 뭘 이제 와서 **빼고** 그래?"

한편 아르곤은 부하들의 추측은 무시하고 지휘관에게 물어보았다.

"당신들은 왜 우리를 공격했습니까?"

"너희가 이 사건의 원……."

그 순간 아르곤은 지휘관의 팔을 잡고 앙 하고 깨물어 버렸다.

주위의 병사들이 놀라서 소총을 겨누었지만 차마 쏠 수는 없었다. 여기서 쏘면 지휘관도 확실히 죽는 거고 그런 짓을 벌이면 상관살해죄를 뒤집어쓰게 될 수도 있으니까. 물론 옛날이야기나 창작물 같으면 여기서 상관이 '난 죽어도 상관없다~' 같은 대사를 읊을 수도 있겠지만 그건 어디까지나 그 상관 혼잣말이지, 말 한번 들었다고 바로 쏴버려서 상관이 정말 죽어버리면 그때는 군법재판에 회부된다.

상관 스스로야 개인적으로 원망은 안 할지 모르지만 군법이란 게 그렇게 말랑말랑한 게 아니다.

일단 군법재판이 시작되면 무사히 살아나기 힘든 것은 동서고금 마찬가지다.

"흠, 피 맛을 보니 순수한 인간이긴 한데… 그렇군, 정말 아무것도 몰라."

아르곤은 피를 통해서 이 남자의 기억이나 심상을 읽어 들였다. 테트라 아낙스처럼 텔레파시를 통해 상대의 정신 방벽을 비틀고 뒤집어 열어서 안을 들여다보는 것은 할 수 없었지만 피를 통해 영적 생명의 일부를 빨아들여 동조화하는 것은 할 수 있었다.

"그 옛날 일본제국 시절의 황도파 장교들은 따지고 보면 메이지유신을 하고 나서도 사실상 사족들에 의해 유지되던 봉건적인 제도를 타파하기 위해, 봉건귀족을 타파하기 위해 왕을 전면에 내세우려고 천황중심주의를 주창한 것인데……. 그 후 약 1세기가 지난 지금에는 봉건 타파의 이념은 남아 있지 않고 해괴한 광신만 남아 있군. 이 남자는 정말 아무것도 몰라."

아르곤은 그렇게 중얼거리며 지휘관을 놓아주었다. 아르곤에게 피를 빨린 지휘관은 맥이 풀려서 부들부들 몸을 떨고 있었다.

"간만에 헌혈 팩이 아닌 생피를 먹으니 기분은 좋은데 남자라는 게 좀 별로다. 아니, 맛은 괜찮아. 음, 나쁘지 않아."

아르곤은 그렇게 중얼거렸다. 그걸 본 몬티와 래트가 가슴을 쓸어내렸다.

만약 이자가 아웃레이지에 중독되어 있었다면 아르곤도 위험해질 판이었기 때문이었다. 물론 아르곤이 아무런 대책도 없이 그런 어리석은 짓을 할 거라고 생각하진 않지만…….

"아웃레이지에 중독된 놈을 먹어봐야겠는데. 아니면 아까 전 유령들이라도……."

"……."

정정. 어리석은 짓을 하려고 하는구나.

"아니, 그러다 같이 맛이라도 가면 어쩌려고요?"

"난 저것들이 릴리쓰 그 자체라 해도 버틸 수 있어."

"아니, 대체 왜 그런 근거 없는 자신감이……. 이미 하는 소리를 보니 반은 맛이 가 있는데? 직업도 없고 백수에 남들에게 매번 얹혀살고 이번에 테트라 아낙스가 준 장비도 외상값 갚느라 팔아먹고 오리콘 포랑 중국도도 갖다 팔아먹고……. 그런 사람이 대체 어디서 자신감을 만들어낼 수 있는지 신기하군요."

몬티가 빈정거리자 아르곤의 표정이 어두워졌다.

너무 말이 심했나 하고 몬티가 당황하는 그때였다.

하늘에 거대한 소용돌이가 나타났다. 그리고 도시 곳곳에 낙뢰가 떨어지기 시작했다. 하지만 천둥소리는 나지 않는다. 왜냐면 저 낙뢰는 실제의 번개가 아니라 영적인 에너지의 흐름이기 때문이었다.

몰살당한 무수히 많은 사람의 영적인 에너지를 착취해 강력한 마법이 시전되고 있었다. 이론상으로는 가능한 일이지만… 테트라 아낙스조차 저지르지 않은 일이 지금 이 순간 앙리 유이에 의해서 벌어지고 있는 것이다.

"…이럴 시간이 없군. 얼른 가자."

아르곤이 그렇게 말한 바로 그 순간, 갑자기 그들에게 총을 겨누고 있던 자위대원들 사이에서 폭발이 일어났다.

"악!"

"으악!"

큰 폭발은 아니다. 하지만 그래서 더 심각했다.

사람들이 가지고 있던 총화기의 탄약이 격발하지도 않았는데 산화한 것이다.

"이런!"

아르곤은 상대가 누구인지 깨달았다. 아그니가 용케도 자기 종적을 감추고 처음부터 화끈하게 공격을 시작한 것이다. 아그니의 능력인 산화는 이 산소의 바다를 헤엄치고 있는 인간들에게는 매우 위험한 공격이며… 소요 에너지도 그렇게 많지 않다. 반면 동결 능력, 사물의 운동에너지조차 빼앗는 아르곤의 능력은 같은 범위에 적용되는 힘이라면 아그니보다 훨씬 더 많은 에너지를 소모했다.

"자, 아르곤! 어디 못다 한 승부를 내볼까?!"

어디선가 아그니의 목소리가 들려왔다.

최악의 타이밍이었다.

5

서현은 붉은 눈을 개방한 채 하늘을 올려다보고 있었다.

정상적인 눈으로도 각지에서 불타오르는 연기 사이로 죽음의 얼굴들이 보인다. 뱀파이어라는 저주받은 존재에 의해 살해당한 인간의 영혼들이 안개에 찍혀 그 모습을 드러낸다.

일반 시각으로 볼 때도 그럴진대……. 오른쪽 붉은 눈으로 본 세계는 그야말로 총천연색의 지옥이다.

하늘에는 무수히 많은 사람의 죽음, 그로 인해서 사출된 단말마와 영적인 힘이 어지럽게 휘몰아치고 있었다. 붉고 푸른 저주의 비명들, 보랏빛의 영체들, 형형색색의 광기가 마치 한껏 쏟아부은 물감들이 엉키는 것처럼 현란한 모습을 만든다.

"그야말로 지옥의 천장 같군. 이미 이건 과거의 아낙스에 대한 열등감 폭발이나 연모의 정이라고 넘어갈 정도가 아니야."

한세건을 이곳에서 벗어나게 해야 한다는 생각이 들었다. 사실 서현은 그를 싱가포르로 보내고 자신은 이곳에서 앙리 유이를 처단할 생각이었다. 앙리 유이의 마법 재료로서 가장 이상적인 게 바로 그라면 이런 곳에 한세건이 오게 해서는 안 된다.

하지만 한세건은 서현의 뜻에 따르지 않았다.

낚시에는 미끼가 필요한 법이라면서.

하긴 한세건이 이곳에 없다면 앙리 유이가 이 자리를 떠나 한세건을 추격할지도 몰랐다. 그랬다면 여기가 아니라 싱가포르 인근 말레이시아나 태국, 인도네시아 등지에서 이 지옥도가 그려졌을지도 모르지.

"그래서 뭔가 보이나, 서현?"

한세건은 서현에게 물어보면서 주위를 둘러보았다. 거리 곳곳에 차량이 불타고 있는 데 비해 어째 한기가 스며든다.

그리고…….

우우우우우우

사거리 모퉁이에 있는 편의점의 쇼윈도에 성에가 맺히고 거기에 사람들의 손자국이 찍히기 시작했다. 마안을 가지고 있는 서현이 아니라 한세건의 눈에도 확실히 보인다.

척척척척척…….

묵직한 페인트를 묻힌 손이 벽에 그것을 찍어 바르는 듯한 모습이 펼쳐졌다. 아스팔트 바닥에, 차량 벽에 온통 피 묻은 손바닥들이 찍힌다. 마치 어딘가에 갇힌 사람들이 몸부림치며 벽을 긁는 것 같은 모습이었다.

"조심해. 온다."

"젠장, 더러운 시절을 떠올리게 하는군."

한세건은 자신이 혼팅에 의해 피폐해졌던 시절을 떠올리며 칼을 빼 들었다. 악령들이 서현과 한세건을 향해 휘몰아친다.

"그때랑 차원이 다를걸? 지금은 맞서지 말고 저쪽으로 도망쳐!"

서현은 한세건의 바이크에 올라타고 전방을 손으로 가리켰다.

"뭐? 굳이 그럴 필요까지야."

"어서!"

그 순간 갑자기 가로등이 눈앞에서 휘어지더니 우그러졌다. 자체 하중이나 바람에 의해 꺾이는 게 아니라 무수한 핏빛 손자국이 가로등에 찍히더니만 손으로 플라스틱 장난감 우그러뜨리듯 쇠로 만들어진 가로등이 우그러진다.

"…후!"

한세건은 바닥에 쓰러져 있는 자위대원의 시신에서 수류탄을 빼 들어서 던졌다. 가로등이 우그러지고 있는 곳, 보이지 않는 무형의 악령을 향해 수류탄이 날아가더니 멋지게 폭발했다.

"와! 제법인데?"

서현은 그 모습을 보고 감탄했다. 마안을 가진 서현이라면 모를까 한세건에겐 잘 보이지도 않을 텐데 정확하게 악령에게 수류탄을 선물한 것이다. 폭탄은 확실히 악령에게 타격을 주었지만 악령은 잠시 주춤한 정도였다.

"가자!"

한세건이 바이크를 몰고 차량과 바리케이드를 뛰어넘었다. 오프로드용 바이크로도 힘들 텐데 650 같은 로드용 바이크로도 잘도 차량을 뛰어넘은 한세건은 치요다 구 방면으로 질주했다.

하지만 그때 하늘로부터 구름이 소용돌이치며 아래로 급강하한다.

"와앗!"

서현은 참지 못하고 감탄사를 터뜨렸다. 릴리쓰의 자식, 서현도 이런 건 처음 본다. 악령들이 능동적으로 한세건을 향해 공격해 오는 것이었다. 명백한 적의지만 한세건은 미처 그걸 알아채지 못하고 있었다. 아마 보이지 않는 것 같다.

"위에서 온다!"

"어쩌라고!"

"스프롤!"

"이거 바이크거든! 전투기 아냐!"

한세건은 그렇게 말했지만… 마침 옆에 놓여 있던 납작한 닛산 페어레이디의 보닛을 밟고 붕 바이크를 날리며 공차 중량 220kg짜리 바이크로 플립을 펼쳤다.

"…잘하네!"

서현이 바이크에서 몸을 날려 건물 벽에 손톱을 박고 멈춰 섰다. 한세건을 노리고 하늘로부터 떨어졌던 악령들이 지면에 충돌하면서 메마른 하늘로부터 번개가 떨어졌다.

"…컥! 뭐야, 이건?"

한세건은 그걸 보고 당혹스러워했다. 혼팅에 걸렸을 때 악령들이 한세건을 매도하고 괴롭히는 건 자주 경험했었지만 이런 건 처음이었다.

"뭐긴 뭐야. 모진 놈이라서 벼락 맞는 거지."

"이런 건 반격할 수도 없잖아?"

"반격할 생각이었냐? 지하도로 피할 수 있겠어?"

"…아니."

한세건은 고개를 저었다. 동경의 지하철 쪽에는 방공호 시설이 되어 있었는데 이미 상당수의 사람이 그쪽으로 피신해 있었다. 구울들이 거리를 배회하고 있지만 자위대원들에겐 그것들을 잡기 위한 탄약이 부족했다. 이 중 생각이 있는 자위대원들은 민간인을 지하도로 대피시키고 지하철도 입구인 계단 앞에 차량을 세워 바리케이드를 만들었다. 개활지에서 자유롭게 움직이는 적들을 사격할 경우 탄약 소모가 크지만 지하도 입구처럼 좁은 골목으로 끌어들이게 되면 효율적으로 사격이 가능하다.

지켜야 할 곳도 적으니 좋다. 그런 이들이 있는데 지하도로 들어가는 건 민폐를 끼치는 것 같다.

게다가 그들에게는…….

한세건은 실베스테르에게 받은 무전기를 손으로 건드려 보았다.

"FM 무전기는 지하로 들어가면 안 돼."

"음, 중계기로 연계되는 휴대폰이 아니니까. 그런데 정작 이

문명의 적 **223**

걸로 연락해야 할 신부는 대체 뭐 하고 있는 거야?"

서현이 그렇게 중얼거릴 때였다.

—한세건. 그리고 개자식.

"아, 말하니까 튀어나오는군. 그래, 가톨릭 신부님, 현 상황은?"

—현재 황궁 앞에서 뱀파이어와 자위대가 격돌하고 있다. 천황이 뱀파이어가 되거나 죽어버리면 오늘 일은 도저히 수습이 불가능해지니 막도록 해.

"허… 천황을?"

일본인들에게 천황이 가지는 무게를 생각해 보면 천황을 뱀파이어로 만들거나 죽여 버리는 건 확실히 대사건이다.

—나는 전력망을 공격하고 있는 새로운 진마와 싸워야 한다. 동경도를 공격하고 있는 세력과 몬주 증식로를 노리고 있는 놈들이 또 따로 있어서……. 동경 전역의 정전은 동경 공격의 일환이 아니야. 몬주 증식로를 노리는 것이다.

"몬주 증식로……!"

서현도 한세건도 증식로에 관해서는 알고 있었다.

몬주에 위치한 고속증식로, 그것은 일반적인 가압경수로와 달리 냉매로 액화 금속(나트륨)을 사용하며 우라늄 238에 중성자를 흡수시켜 플루토늄으로 만드는 장치다. 농축 우라늄을 만드는 우라늄 농축 장치가 핵 확산 금지 조약에 의해 규제되고 있는 데 반해 이 고속증식로는 아직 제약이 없다는 걸 이유로 일본 정부에서 무리하게 연구했지만 연구 도중 연료봉을 바닥에 떨어뜨리는 참사가 발생해 전기 먹는 괴물로 변해 버린 상태였다.

안의 연료봉을 식히기 위해서 지속적으로 냉매를 돌려주지 않으면 폭발한다. 전력을 만들기 위해 만들어진 원자로에 오히려 폭발을 막기 위해 지속적으로 전기를 공급해 줘야 하는 상황인 것이다.

그렇다면 지금 정전은 동경을 공격하기 위함이 아니라 오히려 몬주 증식로 폭주를 위한 시나리오의 부가적인 효과에 지나지 않는다는 것인가?

—나는 전력 복구를 위해 움직일 테니 너희들은 쿠데타 쪽을 맡아주도록. 현재 이 동경의 혼란은 테트라 아낙스의 예지가 제대로 작동하지 않고 있으니 우리가 대신해야겠지. 뱀파이어 놈의 구멍을 메워주려고 우리가 애쓰는 격이지만⋯ 이 경우는 어쩔 도리가 없군.

실베스테르 역시도 이 사건에서 그들이 해야 할 일이 테트라 아낙스의 편을 드는 것이나 다름없다는 걸 인정하고 있었다. 그러나 앙리 유이는 이미 문명의 적이다. 인류 문명을 향유하는 뱀파이어나 라이칸스로프, 인간 입장에서는 앙리 유이야말로 명실상부한 공적이다.

—⋯그럼.

실베스테르는 무선에서 사라졌다.

"몬주 증식로라⋯⋯."

한세건은 실베스테르의 말을 곱씹으며 혀를 찼다.

"정말 역사에 길이 남을 일이로군. 하지만 증식로 쪽은 실베스테르에게 일단 맡기고 우린 이쪽 일부터 처리하지. 어떤가, 서현!"

"치요다 구 쪽으로! 마침 이쪽도 악령이 느슨해!"

서현은 악령들이 느슨한 방향을 지시했다. 일본 천황이 기거하는 황거가 있는 방향에 가깝기도 했다.

"황거 쪽의 악령이 느슨하다니 함정 아냐?"

치요다 구야말로 발화점이라고 할 수 있었다. 앙리 유이가 여러 개의 발화점에 동시에 불을 붙이는 방법으로 테트라 아낙스의 예지에 대항해 작전을 벌이고 있다는 건 알겠다. 하나 분명한 것은 황거와 의회가 위치한 치요다 구는 격전의 중심 중 하나라는 것이다. 그런데 악령들이 느슨하다고?

"함정일 가능성이 농후하지만 앙리 유이를 낚기 위한 미끼가될 각오도 다지지 않았어? 가자!"

서현이 그리 말하자 한세건은 한숨을 내쉬고 그쪽으로 방향을 틀었다. 어째 아무래도 서현과 태그를 이뤄서 활동하지 않으면 이 사태를 도저히 해결하지 못할 것 같다. 백지장도 맞들면 낫다는데 지금 그에게 주어진 사명의 무게는 엄연히 백지장과는 비교할 수 없는 무게……. 반드시 맞들어야 했다.

"내가 라이칸스로프 놈이랑 손잡고 이 무슨 짓을……."

한세건이 투덜거리며 바이크의 방향을 틀었다.

6

치요다 구에서 악령들이 느슨한 이유는 테트라 아낙스가 파견한 최강의 퇴마사라고 할 수 있는 자, 아르곤이 있기 때문이었다. 하지만 현재 아르곤은 또 다른 진마, 아그니와 맞서고 있는 중이었다.

아르곤은 자위대가 만약의 사태에 대비해 의회와 황거를 지키기 위해 설치한 콘크리트 엄폐벽에 몸을 숨기고 있었다.

아그니가 그의 이름을 불렀으니 조심할 수밖에 없다.

언제, 어디서 아그니의 총격이 날아들지, 발화 공격이 날아올지 몰랐다. 그리고 그 어떤 것이라 해도 치명적이다. 아르곤은 만약의 경우를 대비해 자위대의 탄약과 차량들을 피해 물러났다. 그리고 바리케이드들 사이로 이동하면서 아그니의 움직임을 감지하려 촉각을 곤두세웠다.

하지만 아그니의 공격은 이어지지 않았다.

아그니 입장에서도 아르곤을 공격하는 것은 부담스러운 일이었다.

아그니가 무투파라고는 하지만 그건 어디까지나 아그니가 불필요하게 클랜 멤버를 늘리지 않고 직접 사냥에 나서기 때문이다. 아그니로서도 자신을 위협할 수 있는 아르곤을 상대로 싸워서 자신의 가치를 입증하겠다는 생각 따윈 하지 않았다.

아그니는 과정보다 결과를 중시하는 성격이었고 싸우지 않고 이길 수 있다면 얼마든지 그 쪽을 택할 사람이었다.

"자, 아르곤. 간만에 날 보니 기쁘지?"

"실례지만 누구시더라?"

아르곤은 상대를 알면서도 모르는 체 반문했다.

"날 도발하려는 거라면 잘못 생각하고 있는 거다. 내가 그런 싸구려 도발에 놀아날 것 같으냐?"

"칭얼칭얼, 쨍알쨍알, 뀨뀨?"

"……."

어지간하면 낚이지 않으려고 만반의 준비를 다하고 있었는데도… 아그니는 그 순간 짜증이 나서 발화 능력의 강도를 더 올렸다. 가로수와 시체가 불타오르고 인근에 주차된 차량들이 폭발하며 사방팔방에서 불기둥이 치솟아 올랐다.

"이것은 그야말로 '낚임' 그 자체로군. 이런 반응을 보이고도 난 도발당하지 않았다고 주장하려면 안면에 어떤 강판을 깔아야 가능할지 모르겠군."

아르곤은 빈정거리고 있었다.

"확실히… 도발당했다고 인정해야겠군. 하지만 이건 어때?"

아그니는 다시금 손가락을 튕겼다. 그러자 자위대원들 사이에서 불길이 일어났다.

"으아아악!"

자위대원들이 죽는다. 그 모습을 본 아르곤이 즉시 자신의 능력을 펼쳐 불들을 꺼버렸지만… 이미 많은 자위대원이 살아날 수가 없게 되었다. 일단 불이 붙으면 아그니의 발화 능력은 순식간에 속까지 태워 버리기 때문에 뒤늦게 끈다고 해도 의미가 없다.

피하지방이 자글자글 끓어오를 정도로 타오르는 걸 보니 살리긴 텄다.

"…마음이 아프긴 한데 대체 날 얼마나 순진무구한 소년으로 보길래 이런 걸로 낚으려고 하는지 모르겠네. 부끄럽다. 솔직히 너무 보기 안쓰러워서 낚여주고 싶을 지경이야."

"……."

"이것은 부끄러움 그 이상으로 묘사할 방법이 없는 성격의 부끄러움이군. 이래서 과연 얼음과 불의 노래라고 할 수 있겠어? 난 너처럼 부끄러운 녀석하고는 별로 한 세트로 엮여서 놀고 싶지 않은데?"

아르곤의 빈정거림을 들은 아그니 역시 부끄러워하고 있었다. 아르곤이 선량한 뱀파이어라고 알려져 있긴 하지만 확실히 사람들을 구하기 위해 자신을 굳이 위험하게 만들 인물은 아니다.

"그, 그렇다면 장갑차째로 태워주지……!"

"능력 계속 쓰면 위치 상정이 가능하거든? 그런 쓰잘데기 없는 짓 하기 전에 좀 이야기나 하지. 진마끼리 만나는 것도 드문 일이니까. 이야기 상대가 좀 필요해."

아르곤의 목소리는 차분하고 태연했다. 게다가… 그는 그렇게 말하면서 지금 입에 풍선껌을 던져 넣고 씹기 시작했다.

"너랑 이야기할 게 없다."

"그럼 그냥 귀 씻고 듣거나."

아르곤은 그리 말하고 말을 꺼냈다.

"폴 포트(캄보디아의 옛 독재자) 치하의 킬링 필드에서 고통받던 캄보디아 청년이 뱀파이어가 되어 비뚤어져서 세상에 대한 복수를 하려고 하는 스토리로 만화를 만들려고 하는데."

"……."

"프랑스 만화를 만들 거야. 예술성이 넘쳐나겠지. 프랑스인들은 인도차이나에 관심이 많을 테고."

"하지 마라, 응? 그거 나 아니니까. 내가 뱀파이어가 된 건 18세기 때라는 걸 모르진 않을 텐데? 폴 포트 치하가 아니라."

"네가 아닌 건 상관없어. 그런 걸 만들면 이제 이 월야의 주민들은 널 만날 때마다 사실은 네가 매우 슬픈 백스토리를 가진 불쌍한 놈이라고 생각하겠지. 네가 아무리 나쁜 짓을 해도 너무나 가혹한 운명이 널 파괴해서 세상을 저주하는 악과 깡 외엔 남은 게 없는 가련한 부서진 영혼으로 여길 거야."

"……."

아그니는 아르곤의 말을 듣자마자 전신에서 닭살이 사정없이 돋아나는 걸 느낄 수 있었다. 확실히… 지금까지 아그니가 받아 온 그 어떤 협박보다 훨씬 더 현실적이고 잔인한 협박이었다.

"사실은 너도 착한 놈이었……."

"아, 진짜! 이 개자식아! 주둥이 안 닥쳐?!"

참다못한 아그니가 엄폐물에서 뛰쳐나와 중기관총으로 아르곤이 숨어 있는 장갑차를 쏘면서 전력으로 발화 능력을 발휘했다.

금속을 산화시키는 건 당연히 아무리 아그니라 해도 막대한 심력을 소모하는 일이었지만 지금 아르곤의 입을 다물게 하기 위해선 그 정도의 대가쯤은 당연히 치를 용의가 있었다.

그런데…….

쩌저저저적…….

아그니는 자신이 뛰쳐나온 순간 지면과 공기가 얼어붙는 걸 느꼈다. 그의 머리 위에 새하얀 서리의 구체가 형성되는 걸 본 아그니는 혀를 찼다.

"이런 썅……."

무시무시한 힘이 단번에 아그니가 있던 자리를 덮쳤다.

"보이지 않는 곳에 혈인 능력을 사용하는 건 너만의 특기가 아니지. 넌 최근 각성한 모양이지만 나는 증기기관이 발명되기 전에 쓰던 능력인걸."

아르곤은 그렇게 말하며 녹아내리는 장갑차에서 **빠져나왔다**.

하지만 그 자리에 있어야 할 아그니의 모습은 어디에도 보이지 않는다. 다만 동결된 브라우닝 기관총과 탄띠가, 그리고 아그니의 상징이기도 한 화려한 주황색 알로하셔츠가 보였다.

"……."

벗으면서 이탈했나? 그렇게 생각하기엔 어딘지 모르게 영적인 압력이 사라져 있었다. 이렇게까지 살기와 존재감을 지울 수가 있나 싶을 정도다. 아르곤은 자위대원들에게 넘겨받은 총검들을 비수처럼 역수로 잡고 언제든지 던질 태세를 취한 채로 주위를 둘러보았다.

하지만 아그니의 모습은 찾을 수 없었다.

"……."

"하지 마라."

아그니는 자신을 바라보고 뭐라고 말하고 싶어 하는 배니싱 블러드의 잔존자 에두아르도를 바라보았다. 뭔가 말하고 싶어 하는 듯하지만 아그니의 위협 때문에…….

"아주 제대로 도발당했군요."

입을 다무나 싶더니만 하고 싶은 소릴 다 한다.

"아, 진짜 짜증 나거든? 좀 입 다물어라, 응?"

"아니, 뭐……. 그냥 그렇다고요."

에두아르도는 그렇게 말하고 혀를 찼다. 진마 아그니의 능력은 그가 보기엔 가늠할 수도 없을 만큼 까마득하게 높은 경지에 있는 것이었다. 그런데도 방금 전 일전으로 아르곤에게 죽을 뻔했다.

아르곤의 동결 능력은 재생력으로 씹어 먹을 수 없는 성질의 것이다. 물론 그런 만큼 보통 능력과 비교도 안 될 만큼 많은 에너지를 소모할 것이다. 실제로 아르곤의 클랜원 중 아르곤처럼 제대로 동결 능력을 사용할 수 있는 인물이 거의 없는 게 그의 능력의 난이도를 반증하는 것이다.

에두아르도의 혈족인 배니싱 블러드가 그러했듯……. 저 아르곤의 혈족에게 아웃레이지를 먹인다면 저들 대다수도 혈인 능력을 각성할 수 있게 되리라.

문제는 아르곤의 혈족이 생포 가능할까?

"저 몬티라는 남자는 어떻게 생포 가능할 것 같은데. 신체 상태도 그렇게 좋지 않고."

그러나 그걸 수행할 아그니는 아르곤과의 일전에서 단 한 번에 밀려 버렸다.

"다시 싸우면 돼. 방금 전에는 방심해서 당했을 뿐이다."

"틀린 말은 아니라고 생각합니다만… 총기를 두고 왔어요."

"음……."

무기가 없다. 아그니도 그 점을 깨닫고 혀를 찼다. 진마 중에는 자신의 재생력을 너무 믿고 총화기 맞는 걸 아무렇지 않게 여기는 이들이 있지만 그런 건 허세일 뿐이다. 총이 있고 없고는 결코 무시할 수 없는 큰 차이다. 아그니는 빈손을 쥐었다 폈다 하면서 물어보았다.

"자위대가 미니미를 쓸 텐데 그걸 좀 가져올 수 없나?"

"FN 미니미 기관총 말이지요? 그런데 그게… 지금 자위대원들도 탄약이 그리 많지 않습니다."

"…흠."

아그니가 동경 시내에서 무력시위를 벌여서 자위대가 도심에 진입했다. 그러나 이것은 어디까지나 치안 유지를 위해 출동한 것이고 자위대의 작전 계획상에 존재하는 상황이다.

그렇다는 것은 그들이 탄약을 불출할 때 작전 계획대로 불출해서 분배했음에 틀림없다.

군대도 관료적으로 움직일 수밖에 없는 일본에서 탄약 보급을 계획 없이 필요한 대로 마구 꺼냈을 리가 없다. 그 결과 자위대원들은 탄약이 부족해져서 구울들에게 밀리고 있었다.

"그러고 보니 앙리 유이는 어때?"

"효과적으로 진행하고 있습니다. 코다마 쥬조와 자위대원들은 국회를 해산시키고 비상 체제로 돌고 있습니다. 이대로라면 확실히 헌법 개정 가능하겠지요."

에두아르도는 유럽 출신이긴 하지만 일본에서 오래 살아서 일본인이나 다름없었다. 그런 그에게 평화헌법의 개정이 어떤 의미로 다가오는 것일까? 에두아르도는 침울한 표정을 지었다.

"좌파였나 보군. 평화헌법 개정에 울상이 되는 걸 보니."

"우리 배니싱 블러드는 뱀파이어의 정체가 만천하에 알려지지 않아야 더 메리트 있는 것이라는 걸 알고 있었습니다. 뱀파이어의 힘으로 암흑가에서 야쿠자들 사이에서 대접받는 건 매우 남는 장사였으니까요. 술, 마약, 여자, 온갖 쾌락을 어렵지 않게 사들일 수 있었고 근심, 걱정 따위는 없었지요. 하지만 이렇게 되면……."

에두아르도는 앙리 유이의 방식을 마음에 들어 하지 않았다. 앙리 유이가 제공하는 마약, 아웃레이지가 없었다면 살아남지 못할 처지에 있었기에 어쩔 수 없이 앙리 유이의 조직에 합류했지만 그 조직이 벌이는 일과 결과를 꺼려 하는 것이다.

"너희 조직을 내다 버렸던 테트라 아낙스에게 복수하는 길인데도 마음에 들지 않는다는 건가?"

아그니는 주인도 아르바이트생도 도망쳐 버린 편의점으로 쳐들어가 생수와 탄산음료를 벌컥벌컥 들이켜며 투덜거렸다. 아르곤에게 당한 것도 있고 아직 잔뜩 빨아들인 피를 다 소화하지 못해서 몸에서 열이 치솟았다. 그는 그렇게 음료를 들이켜고 편의점 아르바이트용 셔츠를 가슴팍을 열어젖힌 채로 걸쳤다. 평상시 입던 알로하셔츠 대신 편의점 셔츠를 입은 그는 거리로 걸어 나왔다.

달이 붉게 물들어 있었다. 원래 오늘은 그리 달이 크게 뜨는 날이 아닌데⋯ 이날 밤의 달은 이상하게 크다. 그리고 그 위에서 울부짖고 있는 망령들의 모습이 보인다.

"⋯그래. 테트라 아낙스의 복수라면 이 이상 가는 방법이 없을 텐데?"

아그니가 그 달을 보고 취한 듯이 중얼거렸다. 에두아르도는 냉정하게 말을 받았다.

"전 츠구미처럼 바보가 아닙니다. 테트라 아낙스가 우리를 버린 것 자체에 화가 났다기보다는 그 결과 안정적이고 즐거운 쾌락적인 삶을 살지 못해서 화가 났었지요. 앙리 유이가 만드는 세계에서 그 쾌락을 다시 누릴 수 있을지 의문이군요."

"넌 참 생활감 넘치는 뱀파이어로군. 아담이란 그 꼬마보단 훨씬 속물이라 마음에 드는데. 그래서 앙리 유이는 뭐래? 아르곤을 계속 나보고 막으래?"

"아니요. 이제 목표는⋯ 한세건으로 바뀌었습니다."

"뭐?"

"한세건을 잡아주시지요."

"⋯⋯."

아그니는 그런 에두아르도의 얼굴을 보고 벙찐 표정을 지었다.

"아르곤이라면 모를까 나보고 고작 인간 뱀파이어 헌터를 상대하라고?"

"한세건은 그냥 인간 뱀파이어 헌터가 아닙니다. 사이키델릭 문이란 비약이 인간에게 전래된 이래… 수백 년, 아니, 천 년의 시간이 흘러서 만들어진 몇 안 되는 귀중한 샘플이지요."

"실험체라 이건가?"

"네, 그 실험체를 회수해 주시지요."

"내 대답은 알고 있겠지?"

아그니는 편의점의 카운터에서 담배를 꺼내서 입에 물고 키득키득 웃으며 답했다.

"싫어!"

7

한세건과 서현은 악령의 추적을 피해서 황거 공원으로 향했다.

옛 일본 중세식 성과 그 성을 둘러싼 해자, 그리고 해자를 둘러싼 공원으로 이뤄진 이곳 황거 공원은 일본 전역의 정치의 중심, 의회와 총리 관저가 인접해 있어서 가장 강렬한 방어선이 펼쳐져 있었다.

그러나 그런 만큼 구울과 뱀파이어들의 공격도 거세었다. 서현과 세건이 바이크를 타고 지나는 길목, 길목마다 자위대원들과 구울들, 뱀파이어들 간의 격렬한 사투의 흔적이 남아 있었다.

"이거 참… 복잡한 기분이군."

한세건이 그 모습을 보고 한마디 했다.

"한국인 입장에서 일본 천황을 구하러 가는 거라서 그런가? 한국인은 일본인 상당히 싫어하잖아?"

서현이 그런 걸 물어보았다. 서현도 법적으로는 한국인이지만 라이칸스로프라는 아이덴티티가 인간의 국적이나 민족성이란 개념을 훨씬 초월해 있기에 그에게는 남의 이야기처럼 들렸다.

"그런 거 아냐. 내가 월야의 세계에 들어왔을 때 이미 국가주의란 관점에서의 정체성은 사라졌어. 인간이냐 뱀파이어냐가 중요하지. 지금 내가 복잡한 심정을 느끼는 건 다른 게 아니야."

한세건은 그리 말하고 입술을 깨물었다.

문명의 끝을 느낀다. 한국인 입장에서는 차분하고 정갈해 보이던, 적어도 이 사태가 터지기 전엔 그러했을 치요다 구의 거리는 지옥으로 변해 있었고 이 사태가 수습된다 하더라도 이후는 분명히 이전과 같지 않을 것이다.

아이러니컬하게도 뱀파이어를 음지에 머무르게 하던 테트라 아낙스야말로 인류 문명의 수호자였다. 한세건이 테트라 아낙스를 인류의 기만자로 여기고 그의 룰에 저항하려고 했지만 앙리 유이가 룰을 파괴하자 세계가 변해 버렸다.

미친 달의 세계가 현실을 침범하니 무고한 피가 아스팔트를 적신다.

"테트라 아낙스가 적어도 앙리 유이보다는 낫군."

한세건은 그리 말하며 바이크를 돌렸다. 내구성 좋은 혼다의 바이크였지만 역시 한세건의 무리한 운용 덕분인지 현가장치와 프레임이 이탈되면서 삐걱거린다. 로드용 바이크로 온갖 트릭을 펼치며 거리를 주파했으며 때로는 뱀파이어나 구울을 상대해야 했으니 당연하다.

"테트라 아낙스의 존재를 인정해야겠다고 마음을 바꾼 거냐?"

"그럴 리가 있나? 테트라 아낙스도 앙리 유이도 사이좋게 손잡고 뒈지는 게 인간에게 가장 좋은 결과지. 감기가 폐결핵보다 낫다고 굳이 감기를 인정하고 달고 살 필요는 없잖아?"

"모든 뱀파이어를 이 세상에서 동시에 지운다는 건 불가능해. 인간이 존재하는 한 뱀파이어를 근절하기란 요원하지."

"브레이크 잡을 거니까 입 다물어라."

한세건은 그리 말하고 바이크의 브레이크를 밟으며 스키딩을 했다. 공차중량 200㎏이 넘는 바이크도 한세건의 비인간적인 완력에서는 흡사 가벼운 BMX 자전거나 마찬가지였다. 타이어로 지면을 긁으며 급정거하자 서현이 손을 아스팔트에 대었다. 서현의 팔 위로 나타난 새카만 검은 그림자가 거대한 야수의 발톱이 되어 지면에 박혀 아스팔트를 긁으며 제동력을 보태주었다.

"능력을 아낌없이 쓰는군?"

한세건이 바이크를 세우며 물어보았다. 그러자 서현이 어깨를 으쓱해 보였다.

"담배 한 개비 정도로 수명 줄어든다고 걱정해서 영화배우가 담배를 안 피울 수는 없잖아? 담배 피우는 배역을 주면 얼른 피워야지."

"망작에 출연해도 말인가?"

"인생사 원래 죄다 망작 영화라네. 우리 인생을 관할하고 있는 신이란 감독 새끼가 이게 상당한 저능아거든."

"……."

겉모습이나마 가톨릭 신부인 실베스테르가 들었다면 펄쩍 뛸 소리겠지만 실베스테르와의 무전은 현재 연결되지 않았다. FM 무전기의 주파수 거리를 벗어난 모양이다. 실베스테르는 몬주 증식로 폭주를 막기 위해 동경전력 쪽으로 향했으니… 이곳 치요다 구와 황거 공원은 세건과 서현이 처리해야 한다.

과연 저 앞에 무수히 많은 구울이 우글우글 몰려 있는 게 보였다. 적어도 수천 마리……. 대부분 저예산으로 만들어지는 좀비 영화에서는 보기 힘든 거대한 시체의 인파가 몰려 있었다.

"으아아악!"

그리고 그들 사이에서 만국 공통어의 비명이 들려오고 있었다.

"…제때 찾아왔나 보군."

서현과 한세건은 황거 진입로로 향했다. 황거로 들어가는 다리 쪽에는 콘크리트와 강철로 만들어진 바리케이드가 쳐져 있고 어찌나 쏴댔는지 시뻘겋게 달아오른 FN 미니미를 거치한 자위대원들이 총탄을 뿌려대고 있었다.

구울들만이라면 저 화망에 걸려서 녹아났겠지만 아웃레이지에 중독된 뱀파이어들이라면 이야기가 달라진다.

그들은 거의 진마에 가까운 신체 능력을 가지고 있어서 총탄을 몸으로 받아내도 몇 걸음 뒤로 주춤거릴 뿐, 행여 머리에 맞아서 쓰러지거나 해도 곧 일어나 몸을 재구성해서 달려든다.

자위대원들이 폭발물을 써서 뱀파이어들을 상대하지만 그것도 곧 역부족이었다.

"아, 진짜… 도와주기 싫다."

한세건이 그걸 보며 투덜거렸다. 자위대원들이 머리에 욱일승천기를 형상화한 반다나를 두르고 있는 걸 보니 저들은 일반적인 자위대원이라기보다는 이 위기의 순간에 천황을 옹위하려는 천황본위제의 구일본제국을 숭상하는 집단이라는 걸 알 수 있었다.

"한국인으로서의 아이덴티티를 버렸다면서?"

"이봐, 저 욱일승천기를 머리에 매다는 게 자위대 표준 장비일 리가 없어. 저 자식들은 황도파고 이 순간에도 덴노주의니 뭐니 미시마 유키오처럼 할복할 각오로 쿠데타를 벌인 거라고."

세상이 어려워지면 평상시 불손한 마음을 먹고 있던 세력이 옳다구나 하고 머리를 들게 마련이다.

"황도파는 과거 일본에서도 숙청당한 세력이라고. 시대착오적인 놈들 같으니."

한세건은 짜증을 내면서도 샷건에 드럼탄창을 끼우고 뱀파이어를 겨누었다. 이러니저러니 해도 설령 저런 민주주의 법치국가를 파괴하려 하는 범죄자보다 뱀파이어를 더 미워하는 한세건이었다.

퉁!

한세건의 샷건이 불을 뿜자 선두에 서서 자위대원의 총탄을 무시하며 으르렁거리던 뱀파이어의 머리통에 한세건의 총알이 꽂히며 동시에 혼팅이 퍼져 나갔다. 무수한 망령이 마치 수챗구 멍으로 물이 빨려 들어가듯 안쪽에서부터 뱀파이어를 먹어치우기 시작했다.

"쿠악!"

머리가 슬러그 탄에 날아가 쓰러진 뱀파이어가 꿈틀거리며 비명을 질렀다. 구울들이 한세건을 눈치채고 일부가 몸을 돌려 마치 화살처럼 한세건을 향해 뛰어들었지만 그보다 앞에서 서 현이 막아섰다.

탄약이 많이 있다면 구울들이 아무리 덤벼든다 해도 총알 밥 이 되지만 지금은 아그니와의 조우를 염두에 두고 탄약을 그리 많이 가져오지 않은 상황이었다. 대신 서현은 접이식 도끼를 들 고 구울들을 맞이했다.

"네 도끼가 이 금도끼냐?!"

서현은 그리 중얼거리며 달려드는 구울의 머리를 쳐 날렸다. 그걸 본 한세건이 어이가 없어서 물어보았다.

"무슨 사이코 짓이냐?"

"아니면 이 은도끼?"

호쾌한 어퍼 스윙과 함께 산산조각 난 구울이 날아간다. 공격 을 한 순간의 허점을 노리고 다른 구울들이 달려들지만 서현은 다리를 쓱 들어 올리더니 빙글 돌아서 스위치 스텝으로 빠져나 가며 간단히 자신의 허점을 노리며 달려드는 구울들을 피해낸 다. 마치 판타지스타라 불리는 톱스타 축구 선수가 조기축구회 아저씨들을 따돌리듯 가뿐한 몸놀림이었다.

"아니, 그냥 쇠도끼라고? 정직하구나!"

스텝을 바꾸면서 몸을 뺀 서현이 그 움직임을 그대로 연결해서 호쾌하게 수평으로 야구 배트 휘두르듯 도끼를 휘둘렀다. 퍼퍼퍽 하고 구울들이 산산조각 나며 그 육편들이 사방으로 비산했다.

'너무 크게 휘둘렀는데⋯⋯.'

한세건이 그렇게 생각한 순간 서현이 손으로 땅을 짚더니 발차기로 구울들을 걷어차며 가뿐히 균형을 회복한다. 킥복싱이나 복싱, 무에타이나 검도에 익숙한 한세건에게는 경악할 정도로 변칙적이면서도 이치에 맞는 움직임이다.

"상으로 이 도끼 다 가져라."

서현은 이미 구울들을 부수며 걸레짝으로 변해 버린 도끼를 팩 집어 던져 구울들을 쓸어버리고 한세건에게 손을 내밀었다.

"자."

"뭐가 '자~'야, '자~'는⋯⋯."

한세건은 그걸 보고 한숨을 내쉬고 일본도를 던져 주었다. 말을 하지 않아도 이심전심, 염화미소가 따로 없다. 이런 녀석과 그런 거 하고 싶지 않은데 어째 호흡이 착착 잘 맞는다. 서린 때에는 서린이 좀 띨빵해서 짜증 나는 일이 많았는데 서현은 월야의 세계에서 보면 이미 완성된, 한 사람분 이상의 역할을 충분히 하고도 남는 인물이었다.

"좋아⋯ 응?"

서현과 한세건은 모두 몸을 틀어서 자신들에게 겨눠진 총격을 피했다. 자위대원의 FN 미니미가 불을 뿜어 서현과 한세건 사이로 흡사 영화에서나 나올 것 같은 총격흔을 만들었다.

피피핑!

"뭐지? 쿡 오프(총이 과열되어서 계속 격발되는 현상)인가?"

"아니, 저건……."

한세건은 자위대원들 사이에서 총격이 벌어지는 걸 보았다. 무슨 일이지? 내부 분열인가? 그런데 그 안에서 갑자기 거대한 얼음벽이 만들어지는 게 아닌가?

그리고 왠지 어디선가 보았던 백발의 청년이 자위대원들을 옆구리에 끼고 달려 나오는 게 보였다.

"와! 젠장! 돌아버리겠네!"

"…어……."

한세건과 서현의 앞으로 아르곤 일행이 자위대원들을 데리고 나오다 딱 맞닥뜨렸다.

"……."

"…어……."

어색한 공기가 잠시 감돌았다. 그러나 아르곤이 잽싸게 손을 내밀었다.

"잠깐! 지금 우리끼리 싸울 때가 아니야. 일단 자리를 피하지."

"응?"

투확!

그 순간 그들의 뒤에서 자위대원들이 무려 총류탄을 쏘는 게 보였다.

물론 아르곤은 손가락을 뒤로 딱 튕겨서 총류탄을 공중에서 얼려 버렸다.

얼어버린 총류탄의 고체 연료가 연소되지 못하면서 추진력을 잃고 도중에 떨어지더니 구울들 사이에서 폭발했다. 하지만 저게 도중에 떨어지지 않고 날아왔다면 정확하게 아르곤 일행 앞으로 떨어졌을 것이다.

"뭔 짓을 했길래 인간들에게 쫓기는 거야?"

서현이 입으로는 그렇게 물었지만 몸은 즉시 일본도를 챙기고 자리를 피할 준비를 했다.

서현은 이 뱀파이어가 그래도 저 자위대원이나 다른 놈들보다 말이 통하는 상대라고 여기고 있는 것이다. 다만 한세건의 경우는 자신의 프로파간다, 이념과 지금 이 상황이 정면충돌하고 있어서 잠시 혼선을 빚고 있었다.

"일단 피하지!"

"아니, 잠깐… 저 자식 아르곤……."

"아르곤은 비활성 가스고."

"아니, 이 자식아. 저거 뱀파이어라고!"

"저게 뱀파이어인 건 문과인 나도 안다."

서현은 한세건을 설득하고 물러났다.

"너 문과 아니잖아, 새꺄!"

8

황거 공원을 빠져나와 치요다 구 시내로 돌아설 때까지 자위대원들은 계속해서 공격을 가하고 있었다. 게다가 그들에게 공격당하고 있는 구울과 뱀파이어들도 일단 거리가 가까워지면 공격을 감행해 온다.

구울과 뱀파이어들이야 이성을 상실한 괴물이라고 쳐도 인간인 자위대원들까지 공격해 오는 건 정말 이상하다. 황거 진입로는 해자로 둘러싸인 성과 육지를 연결하는 가교로 되어 있어서 화력을 집중시키기 좋지만 그럼에도 불구하고 탄약과 화력이 충분하지 않을 텐데 그 얼마 없는 탄약을 아낌없이 쏘아댈 정도라니. 아르곤이 단단히 미움을 산 모양이다.

"무슨 일이지, 뱀파이어? 인간들에게 뭐 건드렸나?"

한세건의 입장 상 뱀파이어에게 말 걸기 애매할 테니까 서현이 물어봐 주었다.

"뱀파이어들이 천황을 노릴 테니까 우리가 경호하게 안에 들여보내 달라고 했더니만 저놈들이……"

"게다가 같은 자위대원들도 공격하더라니까!"

아르곤과 래트가 그렇게 설명하고 자신들의 옆구리에 끼워져 사색이 된 자위대원들을 내려놓았다. 그들의 말은 경위는 설명하지만 왜 저들이 공격하는지 그 이유를 설명해 주진 못했다. 이들이 대신 설명해 주려는 걸까?

"쿠, 쿠데타입니다!"

"맙소사. 상급 부대에 보급을 요청하러 왔는데 대뜸 쿠데타라니! 대체 황도파는 무슨 생각을!"

아르곤과 래트 덕분에 살아난 자위대원들은 손발을 휘두르며 그렇게 말하고 있었다. 말하자면 쿠데타군들이 자신들 파벌에 속하지 않는 다른 세력을 제거하려 한 모양이었다.

"이 상황에서 무슨 망발을……."

뱀파이어와 구울들이 밀려오는 좀비 영화 같은 세계 속에서 천황의 신병 확보를 생존보다 우선시하다니 정말 덴노주의자들의 뇌세포는 어떻게 되어 있는지 궁금해졌다.

"하긴 옛날엔 천황을 정말 신이라 생각하고 천황 행차에 새전도 던졌다지."

아르곤이 턱을 괴면서 납득하고 있었다.

"…와패니즈 인증인가?"

"그러고 보니 아까 전에 갓챠만 이야기도……."

래트와 몬티가 자신들의 수령의 문화적 정체성을 의심하기 시작했다.

서현은 자위대원들을 돌아보았다. 외국인인 서현과 한세건도 쿠데타를 염두에 두고 있는 상황이다. 파벌도 다른 군대가 작전 계획과 달리 병력을 이동해 황거에 포진해 있고 자신들은 탄약조차 부족한 상황이라면 어찌 된 일인지 의심해 보는 게 당연하지 않을까? 한데 정작 자위대원인 그들이 쫄래쫄래 걸어 들어갔다가 위협당했다니 궁금해서였다.

"실례지만 어째서 자위대에 입대하셨는지?"

서현이 질문을 던져보자 자위대원들이 얼굴을 붉혔다.

'아니, 지금 타이밍에서 군인 아저씨가 얼굴 붉히는 건 별로 보고 싶지 않거든. 빨리 말이나 해라' 라고 서현이 내심 생각했지만 입 밖으로 내지는 않았다. 이들이 자신 내면에 있는 부끄러운 모습을 별 부담 없이 내비칠 수 있도록 기다려 주어야 했다.

과연… 자위대원들은 자신의 부끄러운 내면을 적나라하게 드러내 보였다.

"초, 총을 실제로 쏠 수 있으니까 좋아서요."

"옛날 일본 밀덕들 사이에서는 프랑스 외인부대를 가면 먹어줬거든요. 저도 어린 시절에 프랑스 외인부대를 꿈꿨는데 요새 외인부대 가면 수단에 파견된다면서요? 게다가 프랑스어를 배우긴 어렵고… 그래서 우선 자위대에서 경력을 쌓으려고……."

"……."

서현이 괜히 물어봤다는 생각에 입을 다물었다. 하지만 징병제 국가인 한국이나 제한적 징병제 국가인 러시아보다 어떤 면에서는 더 낫다고 볼 수 있을 것이다. 스스로의 선택으로 진로를 결정한 사람에게 그 동기가 엄숙하지 못하다 해서 비웃는 건좋지 않은 일일 테지.

"그리고 당신들은……."

"에스프리의 아르곤이다."

"앨라배마의 흑뱀, 래트 거닙."

백발의 뱀파이어 청년과 흑인은 별로 거부감 없이, 아니, 상당히 친밀감 넘치는 태도로 자신을 소개했다. 뱀파이어라는 점만 제외하면 정말 무슨 배낭여행 중 '카오산 로드(Khaosan Road:태국 향락의 거리)' 의 호스텔에서 만난 사이같이 여겨진다. 친한 친구는 아니지만 뭐 친하게 못 지낼 것도 없는 사이?

반면 음울한 표정의 백인 뱀파이어는 두 사람의 속없는 태도에 짜증을 냈다.

"진마사냥꾼 한세건과 라이칸스로프 갱의 리더 이사카 베르게네프를 상대로 이 무슨……. 게다가 전에 싸웠었잖아? 뭘 처음 보는 놈들처럼 굴어?"

그런 몬티의 모습을 본 아르곤이 한마디 했다.

"아니, 그럼 뭐 서로 인상 쓰고 짜증을 낼까? 나중에 싸우게 되더라도 우선 의사 전달, 정보 전달을 분명히 하자고. 그리고 우리네 인생살이가 얼마나 긴데 남자 얼굴을 다 기억하고 산담?"

"아니, 그건 아니지. 기억나긴 하잖아?"

서현이 그렇게 말할 때 한세건이 벌떡 일어나 일본도를 뽑아들더니 아르곤의 얼굴에 겨누었다.

"내 앞에서 웃지 마. 네놈들은……."

그러나 한세건이 무슨 짓을 하기도 전에 그의 칼날을 서현이 덥석 잡았다.

"이봐."

"놔, 지금 뭐 하는 짓이냐? 개자식, 같은 괴물끼리 단합 대회하냐?"

"하아……."

서현은 한숨을 내쉬었다. 한세건의 입장상 아르곤을 좌시할 수 없다는 건 알겠다. 선하든 악하든 뱀파이어의 존재 자체가 인류 문명의 적이라는 건 지금 이 순간 앙리 유이가 전심전력으로 다 보여주고 있었으니까.

그러나 한세건은 절대자가 아니다. 그가 마음먹은 대로 지상의 모든 뱀파이어를 다 지워 버릴 수 있는 것도 아닌데 굳이 말 통하는 녀석까지, 온 세상이 지옥이 된 이 바닥에서 견제해야 하는가?

'하지만 한세건은 그렇게 할 수밖에 없겠지.'

서현은 쓴웃음을 짓고 칼에서 손을 뗐다. 한세건이 살기를 피우면 그의 혼팅이 검신에 불꽃처럼 붙는데 이건 서현에게도 별로 좋지 않았다. 뱀파이어의 희생자들의 영체, 혹은 뱀파이어들의 영적인 파편들의 집합, 거대한 유산이라고 할 수 있는 혼팅은 뱀파이어들에게 특히 치명적인 영적 독소이지만 그렇다고 일반인들에게 좋은 것도 아니다.

"한세건, 온 세상의 뱀파이어를 없애겠다는 강박관념에 대해서 논할 거라면 나중에 하자고. 지금은 뱀파이어가 먹다 버린 풍선껌이래도 정보가 필요해."

"아니… 필요 없어. 어차피 이 녀석들이 알고 있는 건 그렇게 대수롭지 않을 테니까. 내가 타협할 수 있는 건 라이칸스로프까지가 한계다. 뱀파이어는, 특히 선한 뱀파이어는 더더욱 용납 못 해."

악한은 악한대로 싫어하지만 선한 뱀파이어는 그보다 더한 비뚤어진 증오심을 품게 한다. 뱀파이어의 존재 자체가 악이 아니라 오직 선택의 문제일 뿐이라고, 뱀파이어가 불러오는 재앙이 단지 개개인의 인성 문제일 뿐이라고 호도하는 프로파간다의 집합체나 다름없기 때문이다.

아르곤이 살아서 움직이는 것이… 한세건에게는 도저히 용납할 수 없는 프로파간다가 숨 쉬며 걸어 다니는 것처럼 보였다.

그리고 아르곤이 그런 상대를 대하는 것은 이번이 처음이 아니었다.

"뱀파이어의 존재를 인정하지 못하겠다는 건 알겠어. 하지만 내가 널 위해서 나 자신의 본질을 포기할 수는 없잖아?"

아르곤은 모자챙을 훑으면서 눈을 빛냈다. 여차하면 한세건과 이 자리에서 붙을 셈일까?

"…둘 다 그만. 내가 성의를 다해서 말리려고 하는데 그럴 거냐? 내가 중재하겠다고 하잖아?!"

아르곤과 한세건, 서현 셋 다 심상치 않은 살기를 내뿜기 시작했다.

"오, 맙소사. 다 큰 애새끼가 셋이나 있어."

서현까지 열을 내는 모습을 보자 몬티가 짜증을 냈다.

다행스럽게도 그 순간 황거로부터 폭발이 일어나면서 그들 셋의 주의를 끌었다.

하지만 그것은… 결코 다행이라고 할 수 있는 게 아니었다.

그날 동경에서 사람들은 자신의 상식이 거대한 골판지 위에

덧붙인 색종이에 불과했다는 걸 깨닫게 되었다.

엑토플라즘을 뿜어내는 거대한 살덩이, 한때 인간이거나 뱀파이어였던 것, 그 살의 탑이 도심 한복판에서 치솟아 올랐다.

살덩이들이 동경타워를 골조 삼아서 들러붙었다. 황거 중앙에서 황거 안에 대피하고 있던 천황 일가와 궁내청 직원들, 쿠데타를 일으켜 천황의 승인을 받으려 했던 신황도파 장교들 모두 그 거대한 살덩이의 구성체가 되었다.

아웃레이지에 오염된 이들이 커럽티드로 변모한 것이다.

살덩이에 벌어진 균열들, 기형적으로 돋아나 있지만 하나하나는 일반적인 인간의 그것과 다르지 않은 치아들 사이로 새하얀 증기와 점액질의 액체가 뿜어져 나온다.

그리고 악령들이 대기 중을 배회한다.

"아, 당했네. 젠장, 저거 막으려고 온 건데."

아르곤은 순수하게 감탄했다.

뱀파이어 사이에서도 무력으론 손꼽히는 그였지만 인간을 함부로 해치지 않는다는 원칙을 가지고 있는 그는 황도파 쿠데타군이라 하더라도 인간 병사들을 함부로 죽일 수 없었다.

만약 강간범, 약탈범, 살인자 집단이라면 죽일 수 있었겠지.

그러나 쿠데타라는 건 선악을 바로 판단하기 애매한 법이다. 특히 '덴노주의' 라든가 '주체사상' 같은 생경한 개념을 들고 나오면 아르곤이 단번에 '이건 죽여도 된다' 하고 손을 쓰기 쉽지 않았다.

그 결과가 이것이다.

"쿠데타군이고 나발이고 쓸어버려야 했는데. 너무 엑조틱(Exotic)한 개념을 들고 나와서 저 녀석들도 나름 합리적인 이유가 있지 않을까 하고 일단 물러난 게… 이런 결과를 초래하다니."

무시하고 쓸어버릴걸, 아르곤이 그렇게 후회하고 있는 사이에 하늘에서 악령들이 쏟아져 내렸다.

"…이거나 먹어."

아르곤이 동결 능력을 방출하자 하늘에서 쏟아져 내리는 악령들이 그대로 굳어버렸다. 엑토플라즘의 창이나 가시들도 아르곤을 노리고 날아들었지만 아르곤이 아낌없이 능력을 펼치자 죄다 얼어붙어서 산산조각 났다.

"어쩌지?!"

"천황을 구하긴 텄어. 보아하니까 국회도 마찬가지인 것 같은데."

치요다 구 곳곳에서 살덩이 커럽티드들이 건물을 부수고 돌아나고 있었다. 자민당 중앙 당사와 국회, 총리 관처를 전부 살덩이 커럽티드들이 에워싸고 있으니 정계가 완전히 마비된 것이리라.

"이… 무슨."

코다마 쥬조는 황거와 자민당 당사, 국회 전부 커럽티드가 된 것을 보고 기겁했다. 그는 자신의 눈앞에 서 있는 소년, 아담을 보고 외쳤다.

"이야기가 다르지 않소! 이 나라를 내 뜻대로 하게 해주겠다고 하면서 이렇게 파괴하다니!"

"파괴? 뭔가 착각하고 있는 것 같군요. 아웃레이지의 영적 오염을 견뎌낼 수 있는 자들이 아니고서는 생존 자격이 없는 것뿐이에요. 텐노주의 쿠데타 세력이나 합리적인 판단이 불가능한 이들을 제거하고 새로운 일본을 만들겠다고 마음먹은 당신의 뜻에 어울리는 결과일 텐데요."

"……."

새로운 일본이긴 하다. 하지만 그 새로운 길은 이전보다 못한 최악의 결과일 것이다.

생각해 보면 이들은 인외의 괴물. 코다마 쥬조와의 첫 만남도 폭력적이고 파괴적이었다. 이들이 코다마 쥬조에게 새로운 일본을 선사하겠다는 걸 왜 곧이곧대로 믿었던 것일까?

'아니, 이들에게 내맡겨 두면 내 조국이 파괴될 거라는 걸 알고 있었지. 그래서 나라도 최선의 결과를 만들어내자고 애쓴 것인데… 설마 이놈들이 권력 구조를 파괴하는 정도가 아니라 문명 그 자체를 파괴할 줄이야.'

코다마 쥬조는 도저히 이해할 수 없는 것에 대한 공포감으로 소년을 바라보았다. 코다마 쥬조 역시 뱀파이어가 되었지만 그럼에도 불구하고 그는 국적, 민족, 그리고 인간이란 아이덴티티를 공유하고 있었다.

그러나 이들은 그런 게 없다. 그들은 인간의 모습을 하고 있지만 인간과 근본적으로 다르기 때문에 철저히 파괴할 수 있다.

지금 이 끔찍한 참사를 일으킨 세력의 중요 간부로 보이는 소년, 아담은 카페의 쇼윈도에 찰싹 달라붙어서 불 꺼진 도시 위에 감돌고 있는 구름과 영체들을 바라보며 웃고 있었다.

"또 하나의… 재미있는 일이 시작되었군요."

"무슨……."

그 순간 코다마 쥬조는 밤하늘 위를 감돌고 있는 구름이 기묘한 빛으로 번쩍이는 걸 보았다. 마치 솜에 불을 붙여서 그 불이 번지는 것처럼… 구름에 기묘한 전기 스파크가 번져 나갔다. 북쪽으로부터 번지는 전기 스파크는 매우 미세한 정도였지만 시력이 좋아진 코다마 쥬조의 눈을 속일 수 없었다.

"몬주 증식로가 폭발했군요. 역시 인근 발전기로 긴급 전력을 들이부어 봐야 소용이 없었나 보군요."

소년은 그렇게 말했다.

"뭣……."

코다마 쥬조는 그 말을 듣는 순간 주먹을 움켜쥐었다. 손톱이 손바닥의 살을 파고들어 피가 철철 흘러나왔지만 코다마 쥬조의 구속력이 그 피를 붙잡아 다시 체내로 밀어 넣었다.

분노가 치솟아 올랐다. 이것들은 그를 농락했다. 그의 목숨을 유린해 뱀파이어로 만든 것도 모자라서 그의 마음까지 유린하고 농락했다.

하지만 그 분노는 값싼 분노였다.

"후후후후."

소년은 새하얀 이를 드러내고 웃고 있었다. 기묘하게도 요염

하고 사특한 웃음이었다. 뱀파이어가 된 코다마 쥬조가 보기에도 이 소년은 그야말로 악의의 화신, 재앙의 권화라 할 존재였다. 그 웃음이… 두렵고 무서워서 방금 전까지 타오르던 애국심, 조국에 대한 우국충정, 그리고 자존감이 일거에 꺾여 버린다.

두렵다.

이 녀석 앞에서는 끓어오르던 피조차 식어버린다.

"자민당 간사장도 죽었고 많은 의원도 사망, 황도파 군인들도 제거되었으니 코다마 쥬조, 당신이 새로운 일본을 만들어주세요."

마음을 꺾어놓고 요구한다. 일본의 현실을 잘 알고 있고 인맥을 틀어쥐고 있으며 설사 쿠데타가 일어났든 대재앙이 일어났든 초법적 수단을 동원해서 사람들을 쥐고 흔들 수 있는 인간, 그것이 필요해서 이들은 코다마 쥬조를 뱀파이어로 만들어 데리고 있는 것이다.

"……."

코다마 쥬조는 이를 갈았다. 권력자로 반세기를 살아온 그가 이런 어중이떠중이 외국인 놈들에게 농락당하다니…….

하지만 그의 분노는 싸구려 분노일 뿐, 코다마 쥬조는 고개를 숙였다.

"예… 알겠습니다. 그럼 구체적으로 어떤 걸 원하십니까?"

"매스컴에 대규모 방송을, 그리고 주일 미군의 치안 개입을 요청하시지요."

"……."

그런 짓을 하면 일본 정계에서 목숨이 끊기게 된다. 흑선 내항의 굴욕을 기억하고 매번 역사의 중요 이벤트로 가르치고 있는 일본에서 외세에 전격적 의존을 요청하는 정치가는 자신의 기반을 스스로 폭파시키는 것이나 마찬가지다.

아니, 일본이라는 국가 자체가 이미 존속할지 어떨지 모르는 상황에서 정계에서의 목숨 따위는 무가치한가?

그렇다고는 해도 누군가 꼭두각시를 세워야 한다. 웃기는 노릇이다.

코다마 쥬조가 정말로 우국지사라면 이런 놈들의 요청에 굴복해서 인선을 뽑고 이들이 원하는 대로 일을 굴리는 대신 차라리 덤벼들었어야 했다. 그러나 그의 애국심이란 결국 싸구려… 그는 뱀파이어들의 요구대로 새로운 인선을 뽑아 이 상황을 저들이 원하는 대로 세팅해 주기 위해 움직였다.

第14夜

아포칼립스

1

'광기의 좀비 바이러스 대폭주, 몬주 증식로 폭발… 일본 내각 붕괴.'

윤전기가 열심히 종이 신문을 찍어내고 있고, 인터넷에선 연일 기사가 폭주하고 있었다.

살아남은 사람들, 운 좋게 동경도의 아수라장에서 탈출한 사람들이 올린 휴대폰 영상이 여과 없이 각종 매체에 올라가서 사람들에게 공포와 근심을 전파했다.

G7의 일원이던 일본. 전 세계에서 가장 치안이 좋은 나라 중 하나가 단번에 괴멸적인 타격을 입었다. 새로이 구성된 내각에서 하토무라 총리가 주일 미군의 협력을 요청했지만 동경만으

로 진입하는 것에 대해서 미국 정부는 난색을 표하고 있었다. 방사능과 미지의 바이러스에 오염된 곳에 함부로 대규모 병력을 구난 차원에서 보낼 수는 없다.

모든 병사가 생화학에 대응하는 전문가가 될 수는 없다.

우선 전문가 먼저 보내어 바이러스의 샘플을 채취하고 연구 시료를 얻고 대책을 세운 뒤 그다음에 구조 작업을 펼치는 게 당연한 일……

하지만 그것은 동경도 안에 전기도 식량도 없이 고립된 사람들에게는 죽으라는 소리나 다를 게 없었다.

2

사건 발생 후 2일 차…….

동경의 거리엔 부서진 차량과 바리케이드, 그리고 시체들이 아무렇게나 쌓여 있었다. 경찰력도, 그 경찰력을 대신해 투입된 자위대도 통제 능력을 상실했고 미지의 바이러스와 몬주 증식로의 폭발로 인해 미합중국이나 여타 동맹국들의 지원조차 기대할 수가 없었다.

무엇보다도…….

공항과 도로의 파괴는 심각했다. 가뜩이나 도시 규모에 비해 활주로의 '용량'이 부족하던 동경……. 그곳을 연결하는 도시와 철도가 파괴된 지금 이곳은 해안에 밀려와 썩어가는 거대한 고래의 사체처럼 보였다. 한때 번화했을 거리의 건물 벽에 캔 스프레이로 그린 낙서가 즐비하고 여기저기 불탄 흔적이 도시를 감싸고 있었다.

얄궂게도 날씨는 너무 좋았다.

전력도, 수도도 끊긴 거리에서 크로우바(Crowbar:빠루)를 손에 든 젊은 청년 둘이 길거리에 방치되어 있는 자판기를 후려치면서 부수려 하고 있었다. 하지만 자판기는 생각보다 훨씬 단단하게 만들어져서 크로우바만으로는 자판기를 부수기가 쉽지 않았다.

"어, 어서 해, 우스이!"

"으, 젠장… 힘들어."

두 청년은 낑낑거리며 자판기를 부수려 하고 있었다. 그런데 그때 그들의 뒤로 못 보던 두 명의 청년이 걸어왔다. 일본도와 어디서 가져온 쇠파이프로 장창을 만든 그들이 크로우바로 자판기 해체 작업을 하고 있는 청년들의 뒤에 다가오자 자판기를 부수고 있던 청년들이 혀를 찼다.

"아… 제… 젠장."

"뭐 한 거야, 신지로! 망을 잘 봤어야지! 씨발, 저거 어떻게 해. 완전무장인데?"

"외, 외국인인 것 같은데 덩치 크네……. 무기가 없어도 무섭겠다."

두 청년은 새롭게 나타난 이들을 보고 기가 질려 있었다. 한

명은 회색 머리칼의 청년, 다른 한 명은 녹색으로 머리를 물들인 청년인데 둘 다 그들보다 머리 한 개씩은 더 크고 이런 상황에서 전혀 동요하지 않고 있었다. 마치 산책이라도 나온 것 같다.

하지만 저들이 일본도와 장창을 들고 있는 것은 사실. 저런 무기를 들고 이런 좀비 아포칼립스의 세계에서 멀쩡히 돌아다니는 건 저들이 사이코패스 살인마라는 증거이기도 했다.

"…저… 저기. 우리를 보내주면 이 자판기는 너희가 마음대로 하라고… 응? 우린 싸우기 싫어."

우스이와 신지로, 두 청년은 덜덜 떨리는 손으로 크로우바를 들고 그렇게 말했다. 그러자 두 청년이 서로의 얼굴을 쳐다보았다.

"네가 인상이 나쁘니까 애들이 겁먹잖아."

"…왜 내 잘못이냐? 전범, 네 인상은 뭐 비단결인 것처럼 말한다?"

"온 세상 뱀파이어를 썰어버리겠다는 강박관념에 시달리는 작자보다야 비단결이지. 아, 저 친구들에게 물어볼까? 우리 둘 중 누가 더 인상이 좋은지 물어보는 거야. 객관적인 평가를 얻을 수 있겠지."

"그런 게 가혹 행위야. 하지 마. 겁을 잔뜩 먹고 있는데."

둘은 자기들끼리 한국어로 말하며 투닥거리기 시작했다. 한국인들인가? 우스이와 신지로가 그리 생각하는 사이 회색 머리칼의 청년이 성큼성큼 걸어와 자판기 앞에 서더니 자판기를 손으로 잡고… 가볍게 열었다.

'응? 저거 원래 열려 있었나?'

'아깝… 우리가 거의 부숴놔서 그런가 봐. 젠장. 다 땄는데 엄한 놈들 잔치시켜 주네.'

그들이 애석해할 때 두 청년이 자판기에서 음료 캔 몇 개를, 정말 몇 개만 골라서 집어넣고 나머지는 내버려 두는 게 아닌가?

"너희 먹어."

흠잡을 데 없는 일본어로 말을 걸어온다. 보통 한국인들은 탁음, 병음에 약하거나 애니메이션으로 일어를 배워서 애니메이션 말투를 쓰게 마련인데 그런 거 없다. 하긴 이런 체구의 청년들이 애니메이션에서 쓰는 아가씨 말투를 쓰면 그건 파멸적으로 웃길 것이다.

웃었다가 저들이 들고 있는 도검이 그들의 몸통을 쑤셔 버린다면 확실히 여러 가지 의미에서 파멸이겠지. 그런데 지금 저들이 뭐라고 했지?

"응?"

우스이와 신지로는 그 말을 듣고 놀랐다. 지금 이 순간 동경 안은 완전히 헬게이트로 변해 있었다. 미군에서 지원을 거부했다는 이야기가 나오고, 전력선이 완전히 끊기고, 북쪽에서 방사능 먼지가 날아온다고 알려진 지금 젊은이 중 상당수가 폭도로 돌변해 버렸다.

이 상황이 바로 해결될 거라고 믿는 사람들은 고가의 귀금속이나 현찰을 훔쳐 갔고, 이 상황이 장기화될 거라고 염려한 사람들은 식량을 노렸다. 이미 치안력은 붕괴하고 전력과 수도, 하수처리 시설도 고장 난 지금 도시는 빠르게 문명의 총아에서

야만의 정글로 변해가고 있었다.

이런 상황에서 캔 음료는 장기간 보관할 수 있는 물이자 칼로리 보급원이다. 그런 것에 큰 욕심을 보이지 않다니 어찌 된 걸까?

"공산주의의 유령이 대기를 배회하고 있는가."

서현은 쓸데없는 소리를 하고 무전기를 귀에서 떼었다. 블루투스 수신기처럼 보이는 인 이어 방식의 리시버였는데 전원을 끄고 있음에도 불구하고 대기 중의 망령들이 떠드는 소리를 캐치해서 사람들의 신음 소리, 저주하는 소리 등이 들려온다.

서현과 한세건은 현재 전기가 끊긴 도시에서 고립되어 있었다. 동경의 전기가 끊기고 구울들의 공격으로 사람들이 버리고 간 차량들이 길목을 막으면서 그들도 동경을 탈출하지 못하고 있었다. 걸어서 탈출하긴 해야 하는데… 실베스테르가 어찌 되었을지 모르고, 어떤 루트로 탈출해야 할지도 모르겠다.

"배를 타고 이동해야 하나. 이러는 도중에 싱가포르에 미사일 꽂으면 그건 어떻게 해야 하나? 정말 내가 고생이다, 고생이야."

서현은 물을 마시고 휴대용 충전기를 꺼내 돌리기 시작했다. 통신은 두절되었지만 GPS를 쓸 수 있고 지도를 미리 다운로드해 저장했기 때문에 휴대폰은 반드시 필요했다.

서현이 그렇게 불만을 말하며 휴대폰을 충전시키고 있자 한세건이 물어보았다.

"나 때문에 아르곤과 함께 행동하지 못해서 유감이냐?"

한세건도 자신의 강박관념이 전략, 전술적으로 옳은 행동이 아니라는 걸 알고 있었다. 만약 아르곤과 협력해서 이 상황을 해결할 방법이 있다면 뱀파이어와 협력할 수 없는 한세건을 버리고 서현이 독자적으로 아르곤과 협력해서 일을 해야 했다.

하지만…….

'고지식한 자식, 그래서 서린이 널 부탁했다고 말하면… 화내겠지?'

서현은 표정 관리를 하면서 말했다.

"뭐, 뱀파이어는 나도 부담스러워. 아르곤 쪽을 따라가 봤자 뾰족한 수가 있었을 것 같지는 않군."

"아르곤은 그 보트로 태평양을 건너서 왔다던데. 그런 게 있으면 현해탄을 건너는 건 그리 어렵지 않겠지. 그 녀석들은 벌써 이탈했을지도 모르겠군."

한세건은 그렇게 말하고 쓴웃음을 지었다. 아르곤이 없는 곳에서는… 그들의 능력이나 가치를 인정해 줄 수 있었다. 그러나 아르곤을 눈앞에 대하면…….

"요트나 선박을 가지고 있는 이들은 벌써 탈주했겠지. 그나저나 저 친구들 계속 쫓아오는데."

서현이 뒤를 가리키니 그곳에는 방금 전 자판기를 뜯고 있던 두 청년이 둘의 뒤를 졸졸 따라오고 있었다. 서현과 한세건이 뜯어준 자판기에서 캔들을 빼서 자루에 담고, 담배 역시 잔뜩 담은 채 카트에 넣어서 끌고 오고 있는데 그 모습이 굉장히 힘겨워 보인다.

"어쩔까?"

한세건은 갈등했다. 어쨌거나 저들은 뱀파이어가 아닌 인간이다. 아웃레이지에 중독된 것 같지도 않고 자판기를 부수는 꼬락서니를 보면 그전엔 육체노동이나 무예의 소양을 가지고 있었던 것 같지도 않다.

하지만 누군가를 보호하기 시작하면 그들의 운신의 폭이 좁아진다. 서현과 한세건뿐이라면 진짜 카약 한 대만 구해도 그걸로 현해탄을 건너 한국으로 귀환할 수 있을 거다. 하지만 저들과 함께 움직이는 건 이야기가 달라진다.

그런데…….

"꺄아아악!"

"사, 살려주세요!"

여자의 찢어질 듯한 비명이 들려왔다.

"아, 이거 참."

"선택지를 안 주네."

서현과 한세건은 소리가 들린 쪽으로 향했다. 그러자 그들의 뒤에서 카트를 끌고 오던 두 청년이 열심히 달려서 쫓아온다.

가전제품 양판점의 안은 어두컴컴했다. 이미 한차례 약탈을 겪은 곳인지 여기저기 제품들이 비어 있었는데 그곳 안에 양초를 밝히고 있는 이들이 있었다.

약 10명 정도 되어 보이는 청소년 그룹이다. 그들 사이에는 젊은 여성들과 장년 여성, 모녀로 보이는 여자 세 명이 있었다. 청소년 그룹이 그녀들에게 폭행을 가했는지 이미 그녀들의 얼굴에 타박상이 보였다.

"하하하. 자, 도와달라고 해봐! 아무도 안 온다니까."

그들은 시시덕거리며 여자들의 위에 올라탔다. 보아하니 정말 야만의 시대로 돌아간 느낌이었다. 문명이 마비된 지 얼마나 되었다고 법치국가의 시민이었던 자들이 강간과 약탈, 방화를 벌인단 말인가?

'뭐, 평소에도 질이 나빠 보이긴 하다만.'

한세건은 그리 생각하고 칼집에 꽂힌 일본도를 들어서 칼집 채로 냉장고 문을 탕탕 두들겼다.

그러자 그들이 돌아보았다.

"응? 뭐야? 너희는?"

"뭐긴 뭐야. 네놈들의 궁둥짝을 차줄 분들이지. 좋게 말하겠는데, 살고 싶으면 지금 당장 그 여자들을 놓아줘."

서현이 그렇게 말하자 청소년들이 서로를 바라보았다. 한세건과 서현이 들고 있는 무장에 당황한 모양이었다. 그러나 그때 청소년 그룹 사이에서 한 명이 총을 겨누었다.

"지금 들고 있는 걸 믿고 깝치나 본데 이건 어때?"

새카만 총구가 겨누어지자 아이들은 박장대소를 터뜨렸다.

"하, 하하하하."

"깔깔깔. 잘됐네. 너희도 맞으러 왔어?"

아이들은 서현과 한세건이 손에 쥐고 있는 도검류를 믿고 왔다고 생각하는 모양이었다. 그러자 서현이 한세건을 돌아보았다.

"어쩔까? 죽일까?"

"…적당히 버릇을 고쳐주는 정도로?"

"뱀파이어에 비해서 인간 대접이 너무 좋네. 뱀파이어는 착한 짓 해도 죽이고 저런 애들은 살려두고?"

"살려둔다기보다는……"

서현과 한세건은 총을 겨누고 있어도 별로 신경 쓰지 않고 있었다. 그러자 총을 든 소년의 미간이 찌푸려졌다. 죽은 자위대원에게서 총을 훔쳐 온 그는 순식간에 이 그룹의 우두머리가 되었고 지금까지 그의 총 앞에서 설설 기지 않은 인물은 없었다. 그런데 저들 둘은 머리가 이상하기라도 한 건지 총을 보고도 전혀 위축되지 않는다.

'한 발 쏴서 맛을 보여줘?'

하지만 총탄이 얼마 없다. 총은 있지만 총탄은 얼마 없는 상황에서 적극적으로 적대 활동을 개시하지 않은 저 얼간이들을 상대로 총알을 쓰는 건 아깝다는 생각이 들었다.

그런데…….

쉭!

갑자기 바람이 불더니 불이 꺼졌다. 창문이 개방되지 않은 전자 제품 양판점 안에 실낱같은 빛 몇 줄기만 남게 되자 모두들 눈이 어둠에 적응하지 못하고 허덕였다.

"큭!"

그다음 순간… 휴대폰 불빛이 들어왔다.

"자, 모두 동작 그만. 이게 뭘까요?"

서현은 자신의 손에 들려 있는 총을 보여주면서 이죽거렸다.

창을 휘둘러서 단번에 불을 꺼버리고 그사이에 잽싸게 소년의 손에 들려 있던 총을 회수한 것이다. 소년은 그걸 보고 의아해했다. 왜냐면 불이 꺼지는 순간 그는 반사적으로 방아쇠를 당겼는데…….

…라고 생각했더니 어째 손이 아프다.

"어?"

"어이… 료타로. 너… 손이…….."

그제야 소년은 자신의 손목이 깨끗하게 잘려 있다는 걸 깨달았다.

"아앗!"

잘린 팔뚝의 단면에서 현실감 없이 피가 일정한 박자에 맞춰서 쭉쭉 뿜어져 나왔다. 그게 심장 박동의 리듬이라는 걸 깨닫는 데는 좀 많은 시간이 필요했다.

"흠, 세 발 남아 있었네. 이런 걸 뭐 좋다고."

서현은 탄창을 뽑아서 확인하고 탄창만 챙긴 뒤 총은 버렸다. 다른 아이들이 그 모습을 보고 야구 배트를 집어 들었지만 차마 선제공격을 할 수가 없었다. 총을 가지고 있는 료타로조차 간단히 제압당한 판이다. 그때 한세건이 앞서서 배트를 들고 있는 아이들에게 휙 발차기를 날렸다.

딱!

야구 배트들이 부러진다. 가라테 선수들이 종종 야구 배트를 부수는 시범을 보이지만 그건 어디까지나 비압축 야구 배트, 생목(生木)들이지 압축 야구 배트가 아니다. 게다가…….

"이… 이거 알루미늄 배트인데……."

알루미늄 배트를 쥐고 있던 녀석의 손이 찢어지고 알루미늄 금속 파이프는 휘어 있다. 상식적으로 말이 안 되는 킥의 위력이다.

"으아아악!"

손목 잘린 소년과 그 패거리가 좌절했다. 그리고 그들의 뒤로… 두 청년이 카트를 끌고 들어왔다.

"오, 맙소사."

"세상에."

그들은 서현과 한세건이 너무나도 쉽게 아이들을 제압하는 걸 보고 기겁했다. 문명사회에서라면 그리 무섭지 않은 아이들이었지만 그렇다고 해도 저런 아이들이 편의점 앞에서 진을 치고 있으면 다 큰 어른도 함부로 말을 걸지 못할 것이었다. 게다가 총을 빼앗는 첫 공격이라든가 배트를 들고 나오는 이들을 칼도 안 뽑고 일격에 제압하는 장면은 뭐 말할 것도 없다.

"일단 살려달라니까 구하긴 했는데… 어쩌지? 이 여자들은 놔줘봐야 도로 잡힐 거야. 젊은 아가씨들은 그 몸만으로도 이상한 놈들에게 노려져서 위험하지. 게다가 아이들도 문제야. 살려 둬 봤자 앙심만 품을 텐데 어쩌지? 이 녀석들 다 죽일까?"

서현은 일부러 일본어로 한세건에게 물어보았다. 다 들으라고 말하는 것이다. 약간만 머리를 쓸 수 있는 놈이 있으면 죽일 거면 진작 죽였지 굳이 이렇게 말로 위협할 리 없다는 걸 알겠지만… 상황이 상황이다 보니 다들 겁을 먹고 있었다.

"내가 일본 만화를 많이 봐서 아는데… 이런 녀석들 살려둬 봤자 앙심만 품겠지."

"아, 그래? 그러면 너희들 사형 결정……."

서현이 창을 잡자 모두들 기겁했다. 하지만 한세건이 그를 말렸다.

"그만둬. 지금 이 좀비 아포칼립스 상황이 계속되면 어차피 살아 있는 게 더 곤욕스럽지 않을까? 전자 제품 양판점에 진 치고 있는 걸 보면 이 애들도 결국 낙오자일 거야. 진짜는 보통… 식료품이 많은 마트나 백화점 식품관을 차지하는 법이지."

"하긴. 마트와 백화점 식품관의 식량이 훨씬 많지. 이런 가전제품 양판점은 좀… 아니, 네놈들 왜 이런 곳을 아지트로 정했냐?"

말렸다고 해야 할지 더 잔혹하게 죽게 내버려 두자고 하는 건지…….

서현은 한숨을 내쉬고 케이블 타이를 꺼내서 손목 잘린 녀석의 팔을 지혈시켰다.

"어휴, 바닥에 피 좀 봐라. 음… 맛있겠는데. 육즙 가득한 스테이크 같……."

"하지 마, 이 새끼야."

한세건은 서현을 말렸다. 기껏 이상한 방향으로라도 안심시킨 놈들을 자극하는 것도 문제고 이 녀석이 사람을 먹는 데 다시 맛들이면 그것도 문제다.

"그보다 보트나 구해보자. 휘발유하고… 바이크도 있으면 좋고."

"뱀파이어 놈들이 주유소를 폭발시켰던데……. 그게 아니더라도 전기가 끊긴 상황에서 소매점용 주유기가 제대로 작동하려나 모르겠어. 이런 상황에서 사람들이 도로에 차를 버리고 도망쳐 놨으니 길도 막혀 있을 테고. 차라리 자전거가 낫지 않을까?"

서현과 한세건은 그리 말하고 사람들에게 흥미를 잃었다. 성폭행의 위협에 처해 있던 여성들도 구출하긴 했지만 그녀들의 목숨을 온전히 책임져 줄 만한 상황이 아니다. 아니, 정말 그들을 구하려면 오히려 피해야 할 판이다.

지금 이 순간도 과연…….

지지지직…….

전원이 꺼져 있는 TV에 갑자기 불이 들어오고 영상이 재생되기 시작했다. 악령들의 영상이다. 그것뿐만이 아니다. 냉장고와 천장, 벽마다 손바닥 자국이 찍힌다.

"아, 시작이군."

그 끔찍한 모습을 보면서 한세건은 심드렁하게 중얼거리고 일본도를 뽑아 들었다. 하몬(はもん:일본도의 물결무늬)이니 뭐 그런 일본도의 미적인 요소 따위는 다 갖다 버린, 오직 실용성만을 추구한 밋밋한 칼날이 번뜩인다.

"어이, 거기 카트 끌고 있는 친구들!"

"응?!"

"저, 저희요?"

"이 아줌마랑 아가씨들 데리고 피신해. 그리고 여기 강간범 친구들은……."

"아, 아직 안 했는데."

소년들의 항변이 들어왔다. 전원도 연결 안 된 TV가 켜지고 온갖 악령이 휘몰아치는데 저런 실없는 소리를 할 수 있는 신경줄이 놀랍다.

"…강간 워너비들은… 아니, 내가 지금 너희들 심기 맞춰줘야 할 군번이냐?"

서현은 자신에게 항변하는 애들에게 으름장을 놓았다. 그래도 그는 이들을 죽이지 않으려 했다.

"에이, 모두 다 뒤로 물러나 있어. 시작한다!"

그 순간 TV 화면으로부터 엑토플라즘으로 이뤄진 손발이 튀어나왔다. 표적은 주로 한세건. 하지만 한세건은 빙글 몸을 날려 냉장고 위에 올라서서며 일본도를 휘둘러 엑토플라즘의 손발을 잘라냈다.

그리고 지상에 남아 있는 서현이 창을 휘두르기 시작했다. 긴 공사장 지방 설치용 쇠파이프에 나사와 클립으로 칼날을 연결한 창은 어설퍼 보이지만 위력만은 어디에도 빠지지 않았다.

악령들은 주로 한세건을 노리고 덤벼들기에 서현에게 아무렇지도 않게 등과 옆구리를 내준다. 한세건이 미끼가 되고 서현이 한세건을 노리는 악령들을 썰어버리는데 둘의 호흡이 절묘하다.

하지만 이들 둘만 있는 게 아니라는 게 문제다.

끼기긱…….

천장의 석고보드가 차례로 부서지며 쏟아져 내리고 시스템 에어컨이 뒤틀리더니 떨어진다. 천장에 피 묻은 손바닥 자국이 순차적으로 찍히며 그때마다 파괴적인 힘이 천장의 설비를 우그러뜨린다. 그리고 그 손바닥 자국의 진로에 불량소년들이 있었다.

"으… 아아악!"

서현에게 손이 잘려 있던 소년이 비명을 지르는 순간…….

퍼퍼퍽!

소년의 몸이 산산조각 났다. 인간의 몸이 마치 유리창처럼 깨져 나가다니 놀라운 일이다.

악령의 손길이 그들을 강타한 것이다.

"아, 젠장. 피하라고 했지?"

서현이 그리 중얼거리고 창대를 수평으로 휘둘러 테이블 위에 진열된 아이팟 도킹스테이션형 스피커들을 후려갈겼다. 스피커들에서 계속 저주의 목소리가 흘러나오고 있었기 때문이었다.

"으억… 사, 살려주세요!"

방금 전까지 야구 배트를 들고 덤벼들던 아이들이 비명을 지른다. 그들이 있는 위치에서 밖으로 나가는 문은 냉장고가 쓰러져서 막혀 있었다. 아마도 이 아이들이 스스로 바리케이드를 치기 위해 막은 것 같은데 덕분에 아이들은 서현과 악령이 신나게 치고받고 있는(정확히는 서현이 일방적으로 악령들을 학대하고 있는) 공간 사이사이로 빠져나가야 했다.

인디아나 존스처럼 칼날 함정 사이를 빠져나가는 게 차라리 더 쉬울 것이다.

그런 그들을 향해 바닥에 손바닥 자국이 찍히기 시작했다. 방금 전 료타로란 소년을 해체한 악령의 손길이 그들을 향해 다가 가고 있는 것이다.

그러나.

한세건이 손가락을 튕겼다. 가느다란 철사가 한세건에게서 쏘아져 나가 그와 악령들 사이에 가교를 연결하고 그 순간 한세 건의 혼팅이 악령들에게 퍼부어졌다. 악령들이 혼팅에게 잡아 먹히면서 검은 연기로 변해 버렸다.

"묘하게… 인간에겐 서비스가 좋다니까."

그 모습을 본 서현이 투덜거렸다. 아무리 위기의 순간이라지 만 무리를 지어서 남을 강간하려 했던 녀석들을 살려주다니.

"인간을 좋아해서 서비스하는 게 아니야. 인간과 뱀파이어에 게 공평하게 엿같이 굴면 차별을 할 수가 없잖아?"

한세건은 그렇게 답했다. 어쨌거나 악령들은 이제 다 정리된 것 같다.

그런데 그때 냉장고가 덜커덕거리기 시작했다. 문을 가로막 고 있는 냉장고가 들썩거리고 있는 것이다. 정확히는 그 냉장고 로 가로막은 문 쪽이 열리고 있다.

"오, 맙소사."

아이들 사이에서 비명이 흘러나왔고 쇼핑 카트를 가져온 청 년들도 질려 버렸다. 그들은 저 아이들에게 두들겨 맞아서 부상 을 입은 여성을 카트에 싣고 대신 카트에 실어두었던 담배와 캔 음료들을 버렸다.

'저 녀석들은 좀 사람답군.'

서현은 음식과 음료보다 사람을 구하는 걸 우선시하는 두 청년을 눈여겨보고는 창을 역수로 잡고 들썩거리는 냉장고를 향해 던졌다.

투확!

냉장고를 밀치고 문을 부수며 호쾌하게 등장한 것은 사람 여덟 명을 한데 뭉쳐서 만든 것 같은 거대한 변형 구울이었다. 엑토플라즘 갑옷을 두르고 인간의 신체를 짓이겨서 만들어진 팔로 양판점의 문을 뚫고 돌격해 들어온 것이었다.

하지만 들어오자마자 서현이 던진 창에 꽂혀서 뒤로 엉덩방아를 찧으면서 굴렀다.

"아우, 대낮부터 이런 게 날뛰네. 어쩌지?"

서현이 물어보자 한세건이 대답했다.

"저 친구 둘이랑 여자들을 우선 살리지. 그 정도는 할 수 있지?"

한세건도 저 두 사람이 여자를 구하기 위해 식량까지 버린 걸 눈여겨본 모양이었다.

"우리랑 붙어 있는 게 더 큰 문제 같지만, 뭐 좋아."

서현은 냉장고를 들고 앞으로 걸어 나갔다. 거대한 변형 구울이 몸을 일으키면서 그의 몸에 꽂힌 창대가 휘어져 버렸지만 그 순간 그 변형 구울의 면상에 냉장고가 날아가 꽂혔다.

"어딜 잘했다고 대가리를 쳐들어?"

변형 구울이 다시 바닥을 구르며 얼굴로 아스팔트를 갈고 있었다. 구울의 이빨이나 뼈 등이 아스팔트에 긴 하얀 흔적을 남겼다.

"그게 너의~ 흔적이야~"

서현은 노래를 부르면서 팔을 붕붕 휘두르고 구울에게 다가 간다. 그걸 본 아이들은 아주 새하얗게 질려 있었다.

"우리가… 미쳤지."

저런 괴물에게 야구 배트 하나, 총 한 정 달랑 들고 덤볐다 니……. 그걸 보면 저들은 어째 그들을 살려두려는 것 같다.

"너희들."

그때 한세건이 말을 걸어왔다.

"예?"

"저들이 내려둔 음식들 들고 따라와."

"…아……."

"도망가려면 도망가고. 지금이 기회다만?"

한세건이 그렇게 말했지만 도망가는 이는 아무도 없었다. 너 무나 무서워서 다들 다리가 풀린 것도 있고, 여기 말고 다른 어 디를 가더라도 그들이 오래 살아남을 수 없다는 것을 본능적으 로 알고 있기도 했고, 무엇보다도 이런 혼란 상황에서 누군가가 자신들에게 할 것을 지시해 주는 게 참을 수 없이 편했다.

원래 이런 대재앙으로 문명이 마비되면 아무리 뛰어난 사람 이라도 결정 장애에 시달리게 되는 법. 그 와중에 이런 상황에 완벽히 적응한 초인들이 있으니 따르고 싶어지는 건 어쩔 수 없 을 것이다.

"…저 모, 모터사이클을 구한다고 하셨지요?"

아이들 중 누가 먼저였는지 그렇게 새로운 알파메일(Alpha—male:

무리의 우두머리 수컷)에게 충성심을 보이는 이가 나타났다.

3

타츠미 트라이브.

그것은 구시대적인 폭주족에서 벗어나 '트라이브'를 형성하려 하는 젊은이들의 집합이었다. 이들은 폭주족으로 패션 디자인을 하며 언더그라운드 공연장을 차지한 거대 세력이었다.

"그 트라이브에서 바이크를 죄다 쓸어 갔을 거예요."

"아… 그래서 없었군."

왠지 거리에 모터사이클이 보일 법한데 없다 했더니만 그런 조직이 있었나? 한세건은 쓴웃음을 지었다.

"타츠미 트라이브라니, 뭐 하는 놈들인데?"

"의상과 액세서리를 디자인하고 언더그라운드 공연장을 선매해서 공연 부킹을 잡는, 소위 말하는 멋지고 쿨한 집단이지요."

아이들이 그렇게 말하고 몇몇은 목걸이나 귀걸이, 반지나 벨트 버클들을 보여주었다. 주석 공예로 만든 고딕메탈풍의 액세서리들이다.

문신은 '헬즈 엔젤' 같은 미국식 폭주족들이 즐겨 새기는 죽음의 천사 문양이나 십자가가 있는 걸로 봐서 미국산 폭주족들이 일본의 폭주족과 결합한 것 같다.

"그리고 폭주족이고?"

"네."

"폭력도 휘두르고 아마 두목은 전혀 안 그러겠지만 말단에선 마약도 팔고 매춘도 하고 있겠군."

"…어, 어떻게?"

아이들은 한세건이 보지도 않고 타츠미 트라이브의 상황을 설명하자 당혹스러워했다. 이자들은 퇴마사, 그도 아니면 예언자인가?

"만화를 많이 봤대."

서현이 한마디 해주었다.

"…그렇다기보다는 헬즈 엔젤들도 그렇지. 마약을 팔아대면서 자기들 딴에는 아동 성범죄자들을 혼내준다거나, 스스로 도취되어 있는 놈들의 뻔한 패턴이야."

"…라고 스스로 도취되어 있는 자가 말했습니다."

"……."

서현의 이죽거림에 한세건은 할 말이 없었다. 그 자신은 물론 절대로 굽힐 수 없는 신념을 가지고 있었지만 관계없는 다른 사람들이 보기엔 한세건이 가지고 있는 신념 역시 '자아도취'에 불과해 보일 것이다.

"어쨌거나 구세대와 다른 문화적 배경을 가진 신폭주족이라 이거지? 그래봐야 폭주족이지."

한세건은 바이크 라이더로서 자부심이 강했기에 외려 폭주족을 끔찍하게 싫어했다.

레저 스포츠로서 각종 트릭을 연마하고, 그에 따른 신체도 단

련하고, 값비싼 장비를 들여야 하는 고급스러운 스포츠 트라이얼 바이크와 여기저기 칼치기를 해서 다른 운전자를 위협하며 돌아다니다 종국에는 스스로의 목숨까지 위험하게 만드는 폭주족들. 이들을 다르게 취급해 주면 좋겠지만 한국에서는 쌍방 모두 폭주족이 되어버린다.

"뭐 일본의 폭주족은 요새 점점 급감하는 추세라더니만… 의외로 꽤 있나 보네."

"트라이브는 포, 폭주족이랑은 좀 다른데요."

몇몇 놈은 타츠미 트라이브라는 놈들을 동경하는지 대놓고 옹호에 나섰다. 한세건과 서현은 그들을 한심하다는 듯 바라보았다.

"아, 네네. 다르겠지요. 하긴 유료 스킨 구입했는데 같은 취급하면 얼마나 빡치겠어? 근사하다고 해줄게."

서현과 한세건의 말을 타츠미 트라이브의 멤버가 들었다면 타이어에 등유를 붓고 목에 감아서 불 질러 사형시킬 수도 있었을 것이다.

아이들은 타츠미 트라이브에 대해서 보지도 않고 폭언을 일삼는 이 두 인물을 보고 기겁하고 있었다.

"바이크를 회수하러 그런 놈들을 상대할까, 무시하고 지나갈까?"

"아마 이 일대를 장악하고 있을 테니… 한번 이야기는 해볼까? 앙리 유이 세력이 일본에 남아서 뭔가를 꾸미고 있다면 눈이나 귀가 많이 필요해. 그리고……."

한세건은 입을 잠깐 다물더니만 한국어로 조용히 말했다.

"아무래도 지금 상황에선 내가 바로 태풍의 중심지 같은 데……. 나를 만나는 게 그 트라이브라는 애들의 인격 함양에 도움이 되겠지."

"퍽이나 그러겠다."

하지만 서현은 빙글 몸을 돌려서 아이들을 돌아보았다.

"타츠미 트라이브라는 놈들의 영역을 알려줘."

4

타츠미 트라이브는 주유소와 슈퍼마켓, 그리고 그들이 액세서리와 장신구, 의복을 생산하던 수공제 공장과 그에 필요한 발전기를 확보하고 있었다.

구성원이 많은 집단이었고 그 구성원 대부분이 폭력적인 면에서 우위를 점하고 있었던 만큼 이런 위기 상황에서의 장악력이 뛰어났다.

그러한 조직 타츠미 트라이브의 리더 타츠미 효고는 기골이 장대한 혼혈아였다.

주일 미군과 현지인 어머니 사이에서 태어난 그는 사생아로서 험한 어린 시절을 보냈지만 아버지에게 물려받은 커다란 체구가 그를 그 험한 세월을 무사히 극복할 수 있게 해주었다.

어두운 갈색 피부와 노랗게 물들인 머리, 남들보다 머리 하나는 더 큰 거구에 침울한 표정의 처진 입꼬리는 인간들 사이에 스며든 고릴라 같아 보였다. 그 모습이 만들어주는 위압감과 위압감에 걸맞은 폭력과 카리스마 덕분에 그는 트라이브의 수장이 되었고… 그가 차지하고 있는 영역 안에서의 생태계를 완전히 장악했으며 평화롭게 유지하고 있었다.

적어도 효고는 그렇게 생각하고 있었다.

그런 믿음을 가지고 있는 그에게 지금 이 상황은 통제해야 마땅했다. 그들은 즉시 인원을 풀어 인근 모터사이클숍의 모터사이클은 물론 중간에 버려져 있는 것들 역시 다 주워 모았다.

주유소에 화재가 나는 것을 막고 디젤 발전기, 휘발유 발전기들을 모아서 전력도 쓸 수 있었다. 슈퍼마켓과 백화점을 점거해서 식량을 확보하는 건 물론이고 일부나마 냉장고를 돌려서 식량을 보존할 수 있었다.

자위대원들의 무기도 손에 넣은 지금, 적어도 동경도 서쪽 세타가야 구에서는 그들의 아성을 위협할 만한 존재는 없었다.

"약자, 특히 여자를 보호해야 해."

효고는 그리 말하고 부하들에게 길거리를 돌아다니며 여자나 노약자를 구해서 마켓 주차장에 만들어둔 임시 숙소로 데리고 오라고 명했다. 그런 걸 효고의 부관이자 의형제인 아마다 슈우지는 매우 반겼다.

평소에는 아버지에게 물려받은 건물의 세를 받으면서 그 지하의 클럽하우스에서 공연을 중계하고 지내던 이 청년은 효고보다 약간 작을 뿐 절대 적지 않은 덩치에 근육질 체구를 가지고 있었다. 이종격투기 프로의 제안도 종종 들어온다고 하는 그가 효고와 나란히 서면 그 모습은 장관이었다.

마치 고대의 거신상들이 마주하고 있는 듯하다.

그 고대의 거신상, 아마다 슈우지가 말했다.

"남자라면 일국 일성의 성주가 되어야지. 그 기회가 지금 온 것 같은데?"

"쓸데없는 소리 하지 마. 난 단지 치안을 지키고 싶을 뿐이다. 우리는 좀비에 대항해야 해."

타츠미 효고는 의형제의 말을 농담으로 치부했다.

'일국일성의 주인', 전국시대를 겪은 일본에서는 관용구처럼 흔히 쓰이는 말이지만 그런 것이 근대 문명사회에서 통용될 리 없다는 것 역시 누구나 다 알고 있다.

타츠미 효고는 트라이브를 유지할 정도로 상궤를 벗어난 인물이지만 그렇다고 상식까지 없진 않았다.

물론 좀비들이 들끓는 지금의 세상에 기존의 상식이 어느 정도의 가치가 있는지는 의문이지만.

뱀파이어에 의해 살해당한 이들 중 뱀파이어의 피가 남아서 이상 변이한 자들, 그것을 본래는 구울이라 부른다. 하지만 현재 그 구울을 목격한 사람들은 그것을 좀비라고 불렀다.

효고는 사람들을 모아서 그 좀비에 대해서 일치단결해 대항하려 하고 있었다. 그리고 그것은 혼혈아이자 사생아로서 이 사회에 받아들여지지 못했던 그의 어린 시절의 상처를 치유하는 일이었다.

'결속감', 그는 이 사회에서 그것을 요구했었고 그래서 그의 트라이브를 만들고 유지시켜 왔다. 오늘 이 순간 그는 자신의 트라이브가 그동안 존재해 왔던 진정한 가치를 시험받는다고 생각하고 있었다.

"그렇다면… 좀비에 대항하지 않고 도망치는 놈들은 어떻게 하지?"

"경미한 경고를 줘야겠지."

"역시… 내 의형제답다니까."

슈우지는 킬킬 웃었다. 효고야 경미한 경고를 줘서 이기심에 찌들지 마라, 모두 함께 헌신해서 이 위기를 넘기자, 이런 의향에서 하는 것이겠지만 그걸 행사하는 이들은 다르게 여길 것이다. 결국 이 지역 근처에 있는 젊은 여성과 인력들을 마음껏 착취하고 소모시킬 수 있는 명분이 생기는 것이다.

그들은 석유를 쥐고 있고, 전력을 쥐고 있고, 물과 식량을 가지고 있다. 군대까지 있다.

만약 일본 정부가 이 상황을 극복하고 치안을 회복한 뒤 이날 있었던 일을 징벌하려 한다 해도 타츠미 트라이브의 리더는 타츠미 효고지 그가 아니다.

"역시 의형제란 참 좋은 거야. 안 그래?"

아마다 슈우지의 눈꼬리가 치켜 올라갔다. 기묘한 붉은빛이 그의 눈에 감돌고 있었다.

그런데 그때였다.

우우우웅…….

전선에 바람이 충돌하면서 귀신들의 흐느낌 같은 소리가 황량해진 도시 사이를 휘감고 있었다.

그리고 그 바람 소리에 맞추어 실제로 흐느끼는 것들이 있었다.

구울들이 흐느낀다.

엄청난 수의 구울이 타츠미 트라이브가 차지한 쇼핑센터 슈퍼마켓을 둘러싸고 있었다.

"이… 이런!"

타츠미 효고는 그 모습을 보고 무전기를 집어 들었다.

지지지지직!

상용 주파수 채널의 어느 곳에도 노이즈가 끼어서 통화가 제대로 되지 않는다. 아니, 통화가 제대로 되지 않는 정도가 아니다.

―히익… 히히히히히히히.

―우리처럼 되자.

―모두 죽을 거야. 모두… 모두 다!

―이제 세상은 끝난다!

잡음 사이에서 아무리 봐도 제정신이 아닌 기괴한 목소리가 들려왔다.

좀비가 들끓고 무전 수신을 통해서는 악령들이 들끓는 이런 끔찍한 상황에 미쳐서 자살한 이도 넘쳐날 지경이었다.

특히 아마추어 무선에서 주로 쓰는 AM무전기의 경우 그 피해가 심각했는데, 대낮의 FM 무전기는 좀 사정이 나았었다. 그런데 타츠미가 들고 있는 FM 무전기가 이런 상황이 되다니?

"안 되겠군. 어이! 전원 방어 태세에 들어가라!"

타츠미는 쇼핑센터의 유선 마이크에 대고 말했다. 식량 보존을 위해 쇼핑센터의 냉장고를 미츠비시 중공의 LNG 발전기와 연결해서 돌리고 있었던지라 스피커가 작동해 주었다.

쇼핑센터 곳곳에 진을 치고 있던 이들은 즉시 주차장으로 달려가서 거기에 주차되어 있던 차량들을 이용해 바리케이드를 쳤다.

그들이 바리케이드를 완성하는 것과 거의 동시에… 구울들의 파도가 밀려들었다.

한세건과 서현이 사람들과 함께 도착했을 때는 이미 구울들의 공세가 한창이었다. 적어도 수천은 되어 보이는 구울 무리가 쇼핑센터에 몰려들어서 우글거리는 모습은 정말 좀비 영화의 한 장면 같아 보였다.

"워~ 전쟁 났네. 여기서 워~ 는 감탄사도 되지만 전쟁의 WAR도 되지. 어때, 이 중의적인 표현이?"

서현은 소감을 말하고 그와 함께 온 이들을 돌아보았다.

"…중2적인 표현이겠지. 죽여 버리고 싶다."

한세건이 솔직한 소감을 말했다.

"역시 파괴 충동에 시달리는 불쌍한 청춘이로군. 골방에서 단백질 보충제만 먹으면서 운동하고 공부밖에 안 하니까 그런 거 아냐?"

"아니, 나뿐만이 아니라 모두가 공감할 것이다만?"

하지만 둘은 현재 한국어를 쓰고 있었다. 그들을 따라온 일반인들은 당연히 공감 못 하고 있었다. 일반인들은 구울들이 몰려들어 쇼핑센터를 공격하는 모습을 보고 완전히 겁에 질려 있었다.

타츠미 트라이브라는 녀석들은 이런 위기 상황에 쇼핑센터를 차지했을 만큼 강력한 조직력을 가지고 있었다. 그들은 쇼핑센터 주차장 쪽으로 구울들을 유도하면서 상품 운반용 포크리프트를 이용해 포크리프트의 포크를 좌우로 접었다 폈다 하면서 좁은 입구로 뛰어드는 구울들을 아작 내고 있었다. 그렇게 포크로 구울을 으깨 버리면 옆에 있던 이들이 무슨 밤 따는 장대 같은 커다란 갈고리로 구울들의 시신을 끌어내 치운다.

한곳에 시체가 잔뜩 쌓이지 못하도록 작업을 하고 있었다.

"으… 우리 다른 곳으로 가지요."

타츠미 트라이브가 쿨하고 멋지다고 생각하고 있던 녀석들이 그렇게 말했다. 평상시는 동경하지만 위험에 처한 꼴을 보니 가장 먼저 버리자는 모습이 더할 나위 없이 인간적이라 서현의 실소를 자아내었다.

"오토바이 구하려고 구울 수천을 상대하는 건 좀 바보 같은 짓이긴 하지. 그런데 그거 알아?"

"네?"

"정말 똑똑한 새끼라면 애초에 뱀파이어나 구울들 상대로 인간 주제에 개기지 않는 법이야."

"…쓸데없는 잔말이 많군, 네놈은. 나불거린 만큼 몸으로 활약 좀 하시지?"

한세건은 그리 중얼거리고 얼마 남지 않은 드럼탄창을 샷건에 끼웠다.

"역시 멍청이답다니까. 말해두지만 트라이브니 뭐니 하고 노는 놈들 태반이 멍청하고 꼴통 마초라서 취향에 안 맞을 거야. 구울들 떼로 쓸어버리고 구출해도 별로 보람 없는 녀석들이라는 거지. 그거는 알고 있지?"

"길거리에 그냥 구울이 깔려 있어도 쓸어버렸을 거야. 그 과정에서 트라이브니 뭐니 이상한 애들이 구조받는다 해도 상관없는 일이지."

한세건은 서현의 말에 그렇게 대답했다. 그러자 서현이 씨익 웃고 먼저 걸어 나갔다.

"좋아. 그럼… 나불거린 만큼 활약을 해볼까?"

서현은 휙 몸을 날려 가로등 위로 척척 기어 올라가더니… 그 위에서 앞으로 도약해 쏜살처럼 날아갔다. 한세건이 미처 말리기도 전에 그는 구울들 사이로 휙 착지했다.

적 한복판이다.

"아… 미쳐……."

한세건은 손을 들어서 얼굴을 가렸다. 다들 서현의 무모한 행동에 당황했다고 생각했다. 하지만 한세건은 서현이 다칠 거라고는 상상도 하지 않았다. 고작해야 힘을 많이 쓰는 것 정도나 걱정할까?

정확히는 힘을 많이 써서 카타볼릭 상태의 기근이 심해져 인육을 섭취하고 싶어 하게 되는 것, 그것을 걱정할 뿐이다.

"그러니까… 줄담배 피운 셈 칠 거냐?"

한세건의 말이 끝나기가 무섭게… 서현을 중심으로 구울들이 일제히 산산조각 나서 날아갔다.

구울의 무리 일각이 깔끔하게 무너져 내리고… 그 한복판에 서현이 서서 흥성으로 이글이글 타오르는 오른쪽 눈을 빛내고 있었다.

"역시. 왜 사람들이 금연에 실패하는지 알겠어."

서현은 그렇게 중얼거리며 한 걸음 내디뎠다. 그가 한 걸음 내딛자 구울들이 일제히 뒤로 훌쩍 뛰어서 물러났다.

"크르르르르."

구울들이 그를 경계하지만 서현은 아랑곳하지 않았다.

"자, 그럼 어디 타츠미인지 다다미인지 하는 놈을 만나볼까?"

서현은 구울들을 무시하고 당당히 쇼핑센터를 향해 걸어갔다. 그러자 한세건도 사람들에게 따라가라고 시늉했다.

"내가 뒤에 서지. 따라서 걸어가."

"네?"

"…그, 그게."

"가장 가장자리에는 너희 강간범들이 서고, 여자는 카트에 태워서 끌고 간다."

"엑? 저희요?"

"어째 우리만 대접이 박한 것 같은데요?"

소년범들은 한세건의 명령에 그런 반응을 보였다. 그들이 가장 외곽에 서서 몸으로 안의 사람들을 보호하는 방식이었기 때문이었다. 그러자 한세건이 투덜거렸다.

"안 죽이는 걸 다행으로 여겨, 이 자식들아! 너희가 폭행하고 강간하려 했던 사람들에게 최소한의 사죄를 위해서 보호하는 것 정도도 못 하냐?"

"아니, 그치만 강간 정도가 뭐 죽을죄도 아니고."

"그러게. 게다가 우린 아직 소년법 적용 대상인데."

"여자만 보호하고 남자는 죽어도 된다니 우린 한류 드라마의 남자가 아니라고!"

"그러고 보니까 아까 전에 한국어로 말하던데 저것들 한국인 아냐?"

소년들은 억울해했다.

일본 법률상 강간죄는 3년 이상의 징역, 집단 강간의 경우는 4년 이상의 유기징역이다.

강간 정도로는 절대로 사형이 나오지 않는다. 아니, 요새는 사형을 집행하지 않는 게 선진국의 일반적인 추세. 강간 중 사람을 죽이는 강간살해라 해도 사형을 선고받지는 않으리라.

그런데 한세건은 그들에게 가장 죽기 좋은 자리를 배정해 준 것이었다. 그래서 그들은 한세건의 처사가 불공평하다고 한세건에게 따지고 들었다.

대체 얼마나 개념이 없으면…….

한세건은 어이없어서 껄껄 웃었다.

"너희는 법을 어겨놓고 남은 법을 지키길 바라는 거냐?"

"어, 엄밀히 말해서 법을 어긴 건 아니지요."

"그, 그래요. 소년원 가면 되잖아?"

"……."

한세건은 그 순간 이성의 끈이 툭 끊어지는 걸 느꼈다. 하지만 그때 예상치 못한 곳에서 반응이 나왔다.

"저, 저거……."

"저 녹색 머리!"

"가쿠슈인의 학살자다!"

타츠미 트라이브는 자신들에게 접근하는 이들을 경계하면서 쌍안경으로 이들을 자세히 관찰하고 있었다. 그런데 그들 중 일부가 한세건을 정확히 알아본 것이다.

"가, 가쿠슈인의 학살자?!"

"히익?!"

강간 모의를 하던 소년들뿐만 아니라 두 청년, 심지어 서현과 한세건에게 구조받은 여성들조차 한세건을 보고 경악했다. 아그녀가 저지른 일이지만 어째서인지 한세건의 행동으로 설정되어 있다. 물론 그 후 한국에서 한세건이 종로경찰서장을 납치하는 일을 벌여서 가쿠슈인 학살 사건은 한세건의 소행이 아니라는 걸 밝혔지만 일본 언론들은 믿지 않는 분위기, 아니, 믿고 싶지 않은 분위기였다.

가쿠슈인은 일본 천황가와 연관된 이들이 수학하기 위해 만든 학원이고 이것에 한국계가 테러를 감행해 미성년자들까지 남김없이 학살했다는 건 일본 내의 극우파들에게 너무나 감미로운 미끼였기 때문이다.

즉 그들은 가쿠슈인의 학살자가 한세건이길 강하게 원하고 있었다. 그러니 언론사들은 계속해서 한세건이 가쿠슈인 학살 사건의 주범이라는 주장을 반복해서 틀어주고 있다. 수사기관에서는 한세건 범인설이 일축되었지만 대중들은 언론사의 말에 혹할 수밖에 없어서 다들 오해하는 게 당연했다.

'어째서인지는 무슨! 테트라 아낙스 소행이잖아!'

아니, 하지만 그 결과 불량소년들이 군말 없이 쇼핑 카트를 몸으로 호위하면서 구울에 대항해서 여자를 지킨다. 법치국가의 개념을 이해하지 못하는 머저리 불량 청소년들도 가쿠슈인의 학살자에게 반항하는 것이 어떤 결과를 초래할지 정도는 이해할 수 있었다.

이건… 이것대로 좋은 거려나?

'좋을 리가!'

한세건과 서현을 포함한 일단의 생존자 무리가 타츠미 트라이브의 입구, 즉 쇼핑센터의 주차장 옥상에 들어섰을 때 그들은 따뜻한 기관총으로 맞이해 주었다.

"일본 인심 각박하군. 기관총이 뭐야, 기관총이."

서현이 투덜거렸다.

"그러게."

"날 상대할 거라면 적어도 120㎜ 라인메탈 활강포 정도는 준비해야지."

"……"

아, 이 새낀 이런 새끼였지. 한세건은 한숨을 내쉬었다.

"이봐. 총질할 거 아니면 우선 이야기부터 하지."

한세건이 그렇게 말하자 소위 특공복이라 말하는, 교복을 변형시켜서 길게 기장을 늘인 옷을 입은 청년이 나서서 악을 썼다.

"우, 웃기지 마! 가쿠슈인의 학살자 따위를 살려둘 것 같으냐?"

"…쏴보든가?"

한세건이 그렇게 반문하자 기관총 사수들이 찔끔 놀랐다.

쏴보라고? 제정신인가?

하지만 가만히 생각해 보면 지금 방아쇠를 당기는 것도 문제다. 애초에 한세건 외에 다른 인간들이 있는데 여기서 기관총을 써서 한세건만 제거할 수 있을 리 없다. 다른 사람들도 필연적으로 다친다.

게다가 한세건도 무장하고 있고, 서현이 이곳으로 들어오면서 구울들을 쓸어버리는 솜씨는 비인간적이었다.

가쿠슈인의 학살자, 그건 분명히 일본인들에게 있어서 매우 끔찍한 타이틀이다. 일본인이라면 설령 범죄자라 하더라도 싫어할 만한 타이틀, 게다가 그 타이틀의 소유자가 한국인이라면 더 말할 것도 없다.

하지만 타츠미 트라이브의 교전 권한은 그 리더인 타츠미 효고에게 있었다. 방아쇠를 당길지 말지 결정하는 건 총에 손가락을 걸고 있는 놈들이 아니라 그 리더. 특히 총알이 부족한 시기엔 더더욱 그러할 것이다.

그러니 여기서 이놈들을 도발하면 리더가 나온다.

"…웃기는 놈이로군."

쇼핑센터의 문이 열리고 타츠미 효고가 모습을 드러내었다.

위압감을 보이게 하기 위해서인지 같은 가죽 재킷 차림의 체구가 큰 청년들을 우르르 병풍처럼 데리고 나타나는 모습이 어째 어설퍼 보여서 한세건은 미소를 지어 보였다.

"기관총 앞에서 허세를 부리는 모습이 애석하기까지 하군. 대체 네놈들은 뭐냐?"

거구의 혼혈아가 그렇게 말을 걸어오자 한세건이 미소를 지으며 대답했다.

"너희의 얼굴에 조금이라도 미소를 짓게 했다니 그건 기쁜 일이로군."

"무슨 뜻이지?"

타츠미 효고가 그렇게 물어보자 한세건 대신 서현이 대답했다.

"못생긴 놈이 인상이라도 웃는 낯짝이 아니면 꼴 보기 사납다 이 소리지, 뭐."

아니거든! 왜 사사건건 시비야? 미친놈아!

이렇게 외치고 싶지만 여기서 동료끼리 갈라서는 건 좀 이상한 것 같고, 서현은 한세건보다 훨씬… 폭력적인 놈들에 익숙해져 있었다. 이 경우 녀석에게 맡기는 게 나을까?

아니, 그럴 리가. 그랬다가는 여기 생존자가 모조리 다 죽을 거다. 서현에게 있어서 사람의 목숨에 대한 관리 기준은 그야말로 내전 중인 제3세계 이상도 이하도 아니다.

"네가 정말 가쿠슈인의 학살자, 한세건인가?"

"…우선 그것에 대해서는 내가 이야기하고 싶군."

서현이 한세건이 말릴 틈도 없이 나섰다.

"우리는 이것들을 처리하는 전문가다. 가쿠슈인 살인범의 누명을 썼지만 그건 우리의 사명을 방해하려는 적들의 공작이고 그들이 바로 이 상황을 만들었지."

서현은 손을 들어서 아웃레이지로 지옥이 된 쇼핑센터 아래 펼쳐진 도시를 가리켰다.

"너희도 보지 않았나? 그간의 합리가 무너져 내리는 걸! 너희가 알고 있던 것이 전부다 진실은 아니었음을 이제 와 모를 리 없는데 왜 가쿠슈인 살인 사건에 대해서 다른 의문을 품지 않는 거지? 이 상황에서 그 살인자가 너희들의 앞에 나타나 있다면 아, 사이코패스 살인자들이 너희의 앞에 자연히 나타났구나, 라고 생각할 건가?"

"그렇다면 너희들은……."

"우린 무죄다!"

서현이 그렇게 말하자 타츠미 트라이브의 조직원들이 웅성거리기 시작했다.

진짜 무죄인지 목숨 구걸인지, 죄책감 없는 사이코패스여서인지는 모르겠지만 모두 다 서현 자신이 무죄임을 강하게 믿고 있다는 사실은 확실히 알 수 있었다.

서현이 보이는 존재감은 장난이 아니었다. 그가 보이는 모습은 진실이든 거짓이든 적어도 이 남자를 무시해선 안 된다는 걸 강렬하게 호소하고 있었다.

역시 무리의 우두머리라고 할까?

"그 증거는?"

"증거 따윈 행동으로 보여주지."

"……"

어째 기분이 이상한데? 한세건은 서현이 잘 이야기하고 있다가 삼천포로 빠질 것 같아서 걱정되기 시작했다.

아니나 다를까.

"지금 당장 너희들을 초살할 수 있음에도 죽이지 않는 것으로 하자."

"…아, 이……."

이 새끼가 진짜!

"……"

다들 서현이 무슨 소리를 하는지 이해하지 못했다. 일단 말만 들어보면 굉장히 오만방자한 소리로 들렸지만 그런 걸 이런 상황에서 진심으로 지껄이는 놈이 있지는 않겠지?

물론 서현의 동료인 한세건 역시 서현이 무슨 생각으로 이런 소리를 하는지 이해하지 못했다.

그렇게 다들 서현의 당돌함에, 오만함에 당황해하고 있을 때 먼저 움직인 것은 서현이었다.

"거기 너, 그리고 저놈, 저놈."

"응?"

"뭐?"

서현에게 지목당한 자들이 움찔했다. 그들 중에는 타츠미 효고의 의형제인 아마다 슈우지도 끼어 있었다.

"너희들 아웃레이지 중독자야. 그렇지?"

"어."

한세건은 그제야 서현이 정말 개또라이 사이코라서 아무 생각도 없이 애들에게 도발을 건 게 아니라는 걸 깨달았다.

타츠미 트라이브라는 놈들은 변형된 폭주족 집단으로 마약과 공연장, 언더그라운드 패션업계를 지배하는 무력과 폭력의 집단이다.

이들 사이에 아웃레이지 중독자가 있어도 이상할 게 없다. 그날 밤 발작을 일으키진 않았지만 악령들이 대기 중에 휘몰아치고 있는 지금은 언제 발작을 일으켜도 이상하지 않다.

그리고 만약 앙리 유이가 정말로 이 모든 상황을 통제하고 있다면 앙리 유이의 필요에 의해서 잠들어 있던 이들도 발작을 일으키게 할 수 있겠지. 어느 쪽이든 간에 타츠미 트라이브 내에 잠재적으로 위험한 것들이 섞여 있음은 분명하다.

하지만 가쿠슈인 살육 사건의 피의자인 한세건이 그들을 지목한다면?

이런 놈들은 당연히 자신의 세력을 감싸고 한세건에게 반감을 가질 것이다. 그러니 오히려 그걸 지목하려면 처음부터, 아직 관계가 제대로 성립되지 않은 초면에 지적할 수밖에 없다.

마녀사냥이 횡행할 때 가장 쉽게 신뢰를 얻는 방법은 이단 심문관이 되는 것이다. 서현이 아웃레이지 중독자들을 지명한 것은 바로 그런 맥락에서 훌륭하고 빠른 대처였다.

"병신 같은 짓인 줄 알았는데, 예상보다는 덜 병신이로군."

"평가가 신랄해서 감사합니다… 라고 할 줄 알았냐?"

서현이 한세건의 반응에 짜증을 냈다.

"어떻게 안 거지?"

"냄새가 풀풀 나."

"역시 개코로군."

"기왕이면 늑대 코로 해줬으면 한다만?"

서현과 한세건이 한국어로 이야기를 나누고 있을 때 타츠미 효고가 지목당한 동료들을 돌아보았다. 그들의 표정이 일그러지는 게 확실히 뭔가 있음에 분명하다. 그러나 초면의 녀석에게 트라이브의 간부들이 지목당했다고 그들을 의심해서야 두목의 권위가 서지 않는다.

"무슨 근거로 그러는지 모르겠지만 함부로 이빨을 턴 이상 각오는 되어 있……."

"나야말로 너희에게 묻고 싶은데? 아, 뭐. 그런데 대충 보니까 알겠어."

서현이 그리 말하고 한세건을 뒤로하고 한 걸음 나오더니 모두의 앞에서 스트레칭을 시작했다.

"왜 꼭 일본 만화에 보면 무술 안 하고도 자기가 세다고 생각하는 등신 새끼들이 있나 했더니만 너희들 진짜 신체 규격 스펙트럼이 넓다. 한국 같으면 평균이 175면 대충 평균 중심으로 표준 분포곡선을 그리는데 너희들은 그냥 일직선이야."

"어……."

"그 안에서 덩치 큰 놈들이 덩치빨로 먹어주니까 자기가 행여 싸움을 잘한다고 생각하는가 본데. 예를 들어서 너희 같은 등신들."

"……."

한세건은 한숨을 내쉬었다. 아무래도 서현이 그들을 지목했던 건 그냥 보이니까 지목한 거고 정말 다 시비를 걸어서 아작을 내고 싶은 것 같았다.

"모르겠다. 맘대로 해라."

한세건은 한 걸음 뒤로 빠졌다. 그러자 자판기를 털던 2인조, 우스이와 신지로가 물어보았다.

"괘, 괜찮겠습니까?"

"친구분이 지금 저 트라이브 전체에 시비를 걸고 있는 것 같은데요."

"친구 아냐."

"…아, 네."

"그리고 지금 이 경우 걱정해야 되는 건……."

그다음 순간 타츠미 트라이브의 구성원들이 하늘로 날아올랐다.

"저놈들이라고."

타츠미 효고는 눈앞에서 벌어진 일을 의심했다. 약간 모욕적으로 나오는 이 남자, 가쿠슈인 학살자의 패거리로 보이는 남자에게 쇠파이프를 든 조직원들이 다가섰다. 그들 전부가 저 남자가 지적한 약물중독자였지만…….

기선 제압을 위해서도 타츠미 효고는 그들의 폭력 행사를 묵인해 주었다. 하지만 그다음 순간 뭔가 번쩍하더니만 쇠파이프를 든 녀석들이 앞으로 고꾸라지고 자기들끼리 후려 갈겨서 붕 떠오르는 게 아닌가?

겉보기는 흡사 슬랩스틱 코미디의 한 장면 같았지만 그 결과는 절대 웃을 만한 일이 아니었다. 아래턱이 몸에서 찢겨 나가서 자기 턱으로 자기 목을 찢어버리는 진풍경이 펼쳐졌기 때문이었다.

"주……."

"죽었어!"

바닥에 쓰러진 동료들을 확인하려 한 이들은 깜짝 놀랐다. 목이 찢어진 이들이 피 분수를 뿜으며 쓰러졌는데 정작 그들을 죽인 장본인 서현은 자신의 손을 킁킁 냄새 맡으며 인상을 구겼다.

"아웃레이지라… 더러운 냄새로군. 혼팅도 기분 나쁘다고 생각했는데 오히려 혼팅 쪽이 깔끔해."

"뭐… 뭐야, 이 자식들. 싸우자는 거야?"

타츠미 효고가 당혹스러워했다. 하지만 그다음 순간… 이변이 일어났다.

서현의 일격을 맞고 죽어 엎어진 놈들의 몸이 일어난다.

"헉!"

"조, 좀비다!"

"젠장! 울타리 안에서!"

모두 당혹스러워할 때 총성이 울려 퍼졌다.

아마다 슈우지가 미니미를 잡고 그 좀비들을 쏴버린 것이다. 일어나려던 좀비들은 비처럼 쏟아지는 총탄에 쓰러졌다. 여기까진 좋았는데…….

아마다 슈우지의 총구가 서현을 겨누었다.

"이 자식, 지금 무슨 짓이냐?"

"아아, 찔리니까 바로 제거하려고 하는군, 중독자."

서현은 총구를 겨누든 말든 신경 쓰지 않는 듯 귀를 파고 있었다. 그걸 본 한세건이 걸어 나왔다.

"잠깐, 너희들이 아직 뭔가 모르는 모양인데."

"응?"

"한번 해도 되지?"

한세건이 서현에게 물어보았다. 서현은 고개를 절레절레 저었지만…….

한세건이 권총을 꺼내서 서현의 관자놀이에 갖다 대었다.

"무슨……."

타츠미 효고와 그 부하들이 놀라는 사이…….

탕!

세건의 권총이 불을 뿜었다.

"어……."

모두들 눈앞에서 벌어진 일에 깜짝 놀랐다. 눈앞에서 동료끼리 총을 쏘다니?! 저 정도 근접 사격이면 설령 공포탄이라고 해도 심각한 부상을 입을 거다! 더구나 그게 머리! 방탄복도 헬멧도 없는 완전 맨몸에 대고 저런 퍼포먼스를 저지르다니?

하지만 더 놀라운 건 그다음의 일이었다.

서현은 피 한 방울 흘리지 않았다.

"아야야……."

약간 과장된 엄살과 함께…….

또그르르…….

권총 탄피와 탄환이 주차장 바닥 위를 굴렀다.

"……."

"……."

모두들 말문이 막혔다. 지금 저 머리를 쏜 총알이… 사람 머리를 못 뚫고 바닥을 굴렀다고? 농담이겠지? 하지만 무슨 마술이나 속임수 같지도 않았다.

"…너 강체 능력도 쓸 수 있었냐?"

심지어 총을 쏜 당사자인 한세건조차 놀랐다.

"그냥 맞고 재생하는 쪽이 더 임팩트 있었을까?"

서현은 태연하게 답했다. 둘의 반응을 보아하니 과연 이놈들에겐 총알 따윈 별 의미가 없는 것 같았다.

"뭐… 뭐야, 이게?"

"괴, 괴물인가?"

타츠미 드라이브의 구성원들이 경악했고…….

미니미를 잡고 있는 아마다 슈우지도 당혹스러워했다.

이 녀석들을 막아야 한다. 한세건이 들고 있는 글록은 9㎜ 파라블럼이나 45ACP탄을 쓰는데 그 어떤 것도 FN 미니미가 쓰는 5.56㎜ 나토탄에 비하면 애들 장난에 불과한 운동에너지를 가지고 있었다.

권총은 멀쩡히 튕겨낸 상대라 해도 이거라면 다른 결과가 도출될지도 모른다. 그러나 만약 이것도 버텨낸다면 그때는 답이 없다.

어쩌지? 권총탄을 버텨내고 일격에 사람을 찢어 죽이는 괴물을 상대로 소총탄엔 약해서 죽어주길 바라고 도박을 해야 하나? 아니면 타츠미 효고와의 친분에 기대어야 하나?

슈우지가 망설이고 있을 때였다.

"…슈우지?"

"효고, 이 자식들 말은 듣지 마! 이 자식들은 동료들을 죽였다고!"

"아니, 너 눈이……."

"뭐?"

아마다 슈우지는 깜짝 놀라서 휴대폰을 꺼내 그 케이스에 붙여둔 거울로 자신의 눈을 살펴보았다. 핏발이 너무 서 있어서 눈이 터지지 않을까 걱정될 정도였다.

그걸 본 아마다 슈우지는 얼른 품을 뒤져서 알약을 커터기에 끼워 자르고 으적으적 과자처럼 씹어서 먹어치웠다.

그 모습을 본 효고는 더 이상 할 말을 잃었다.

일이 이렇게 되면 물어볼 필요도 없지 않은가?

아마다 슈우지는 원래 여러 가지 계획을 가지고 있었다. 이런 위기의 순간에 타츠미 트라이브의 튼튼한 조직력, 효고의 좋은 인품을 이용해 자신의 나라를 세운다는 그런 망상에 가까운 계획을, 마약중독자가 세울 법한 딱 좋은 망상을 가지고 있었다.

하지만 애석하게도 그는 아포칼립스물의 등장인물이 아니었다. 그보다는 호러물의 가련한 인간 군상 중 하나였지.

아니, 그게 차라리 나을지도 모르겠다. 가련한 인간 군상이라면 적어도 동정할 여지라도 있겠지. 지금 그의 눈앞에 있는 이는 전혀 그에게 관심이 없다. 동정하려면 적어도 어느 정도 감정적인 동조를 해야 하는데… 이 녀석에겐 그런 게 없다.

"너희들은 그냥 약을 팔았다 이거지?"

서현은 냉정한 표정으로 아마다 슈우지에게 물어보았다.

그러자 아마다 슈우지는 킥 하고 웃음을 터뜨렸다.

"그래. 물건을 팔려면 당연히 그 품질을 알아야 할 거 아냐? 나도 그걸 즐기지 않으면 좋은 물건인지 아닌지 알 수가 있어야지."

"그런……."

쇼핑센터의 지하, 주차장 옆 서비스실에 감금된 아마다 슈우지는 키득키득 웃으며 효고를 바라보았다. 서현과 함께 심문에 나선 효고는 아마다 슈우지가 마약을 팔았다는 사실에 놀라고 있었다.

"저능아냐, 너는? 당연한 일 아냐?"

서현은 오히려 효고에게 놀라고 있었다. 당연히 이런 그룹이 모이면 마약 판매 같은 걸 하게 마련이다. 라이브 하우스처럼 마약 팔기 좋은 곳이 어디 있겠는가? 그런데 효고는 진심으로 자신의 의형제에게 실망한 것 같았다.

"아니, 나는 그 마약 같은 걸 퍼뜨릴 생각이 아니었어! 어떻게 날 속이고 그런 짓을 할 수가 있어? 우리는 마약 같은 게 퍼지는 걸 절대 막기로 했잖아?!"

"아니, 뭐, 우리가 안 팔아도 어차피 소비자가 원하고 있으니까. 어쩔 수 없었다고, 조직을 꾸리기 위해서는. 솔직히 너희들이 얼마나 처먹어댔는 줄 알아?"

"아니, 그건… 공연장과 의상, 액세서리 판매로 충당했잖아."

효고는 그렇게 말하고 고개를 갸웃거렸다. 그러자 슈우지가 기막혀했다.

"뭐? 너 그걸 말이라고 하냐? 당장 눈깔 돌려서 일반적인 세상 사람들을 봐. 놀지도 못하고 하고 싶은 일도 아닌데 책상에 머리를 처박고 살지? 대학 나온 사람들도 편의점에서 일한다고. 반면 우리는 어땠는데? 놀고 싶은 거 다 놀고 시간 날 때 쓱쓱 일하면서 뭔가 예술가라도 된 것 같고 내가 내 청춘을 정말 충실하게 보내는 것 같았잖아? 다른 놈들이 바보고 우리가 뭐 천재라서 그런 줄 알아? 정말 우리 쪽에 있는 디자이너들이 천재면 이런 곳에 끼여 있지도 않아."

"…무슨 소리야?"

"내가 조직을 운영했어! 라이브 티켓이랑 의상, 액세서리를 강매하게 하고 말 안 듣는 새끼는 폭력으로 담가 버리고 네 손 안 더럽히게 내가 조직을 운영했다고! 그러니까 그렇게 얻은 조직력으로 이런 때에 뭔가 형태로 남기고 싶었어! 그게 그렇게도 잘못이야?! 응? 꿈나라에서 사는 내 의형제야?!"

아마다 슈우지가 그렇게 말하자 서현이 피식 웃었다.

"의형제의 손을 더럽히지 않고 조직을 운영하기 위해 자신이 애썼다. 뭐 그런 소리를 하고 싶은 것 같은데 말이야."

"그렇다."

"하지만 애초에 한 마디 상의도 안 하고 네 멋대로 조직을 굴리다가 이제 와서 걸리니까 딴소리하는 건 좀 번지수를 많이 지나친 것 같다? 그리고 넌 덩치도 커다란 놈이 뭐 그렇게 소심해서 몇 마디 말하면 아주 자살하게 생겼냐?"

서현은 아마다 슈우지가 하는 말에 공감 안 할 만반의 준비를 하고 있었다. 아마 지금 아마다 슈우지가 사실은 슈바이처 박사와 마더 테레사를 합친 것만큼 많은 자선을 베풀었다고 해도 주저 없이 그의 머리통을 쪼갤 수 있을 것이다.

"그렇지만……."

"뭐, 한 가지는 알겠네. 네 아이큐가 절대 세 자리수는 안 될 거라는 거. 내가 잠깐 뭔가 보여줄게. 자, 이건 스마트폰이야. 반짝반짝 빛나고 어이쿠, 너 좋아하는 소리도 나네. 그렇지?"

"……."

타츠미 효고를 완전 바보 취급 하는 서현이었다.

"아, 됐어! 너희의 백스토리, 너희의 장래 따위엔 요만큼도 관심 없으니까 너희끼리 막장 드라마라도 하나 만들 거면 저기 구석 가서 해라. 그보다 중요한 건 네가 그 아웃레이지에 오염된 약을 어디서 얻었고 그 후 얼마나 접촉이 있었냐는 거지! 여기는 동경 서쪽이고 동경에서 탈출하려는 자들에게 있어서 관문 중 하나니까!"

서현은 효고를 홱 밀어제치고 슈우지를 심문했다.

"뭘 물어보고 싶은 건데? 내 머릿속에서 뭔가 귀신 같은 게 속삭여서 나도 저런 좀비 같은 것이 되지 않냐고 묻고 싶은 거냐?"

반응을 보아하니 약은 그냥 흘러들어 온 걸 판 것 같다. 이런 약물의 경우 기존 상품에서 약간만 가격을 인하해서 팔아도 새로운 유통망을 구축하기 쉬운 편이라 이 녀석들에게 뭔가 들을 건 없을 것 같다.

"아니… 솔직히 너 같은 잔챙이가 뭘 알겠냐마는……."

"잔챙이?! 야, 이 새끼……."

"진정해. 릴렉스. 여기서 갑자기 변신해 버리면 뭐 어렵진 않은데 귀중한 샘플을 잃는 게 아쉽군. 야, 눈가리개 하고 귀 막아. 헤드폰 같은 걸로 클래식이나 들려주라고."

서현은 타츠미 트라이브의 멤버에게 대놓고 명령을 했다. 그들이 과연 서현의 명령을 들어야 하나 하고 망설이자 서현은 그들의 리더인 타츠미 효고를 불렀다.

"내 말을 안 들으려는 것 같은데 이 상황을 어떻게 해결해야 할까?"

"……."

명백한 무리의 우두머리에 대한 도전이다. 그러나 타츠미 효고는 서현에게 꼬리를 내릴 수밖에 없었다.

"뭐 해, 가져와."

"아, 예."

잠시 후 그들은 쇼핑센터에 있던 헤드폰과 수면용 눈가리개로 아마다 슈우지의 눈과 귀를 막아주었다.

"야, 인마! 의형제라고 해놓고서 어떻게 나에게 이럴 수가!"

"…아니, 뭐… 그게 좀. 이게 다 널 위한 일인 것 같아서."

"뭐? 야!"

아마다 슈우지가 몸부림을 치며 저항하려 했지만 쇼핑센터에서 구한 등산 장비로 묶어둔 몸은 옴짝달싹하기도 힘들었다.

임팩트 있는 첫 만남, 그리고 완벽한 기선 제압으로 서현은 손쉽게 타츠미 트라이브의 조직력을 제어할 수 있게 되었다. 그들은 쇼핑센터 내의 감시 카메라를 한눈에 볼 수 있는 보안실로 와서 이야기를 나누었다.

"세타가야 구 밖에 나가는 사람들은 어떻게 되지?"

서현은 그렇게 물어보고 있었다. 타츠미 효고는 갑자기 등장한 이 두 녀석, 가쿠슈인의 학살자 콤비에게 완전히 주눅이 들었다. 정확히는 자신의 의형제, 아마다 슈우지의 비난에 위축된 것이지만 아마다 슈우지가 사라지고 나니 확실히 조직 경영을 한다는 게 쉬운 일이 아니었다. 그러다 보니 명확한 방향을 가지고 있는 서현이나 한세건에게 끌려다닐 수밖에……

효고는 자신이 알고 있는 걸 말하기 시작했다.

"현재 동경도 외곽에 바이오해저드 방벽이 설치되고 있어. 그래서 그 너머로 못 가게 사람이 접근해도 다 되돌려 보내고 있지. 타마 강으로 뛰어들어서 헤엄쳐서 방벽을 건너려 하는 사람들도 통과 못 하고 계속해서 시체가 쓸려 나오고 있어."

역시. 이게 기본이긴 하다. 질병에 감염된 자들이 마음껏 탈출해서 돌아다니게 하면 재앙이 크게 확산될 뿐이니까. 그렇다는 건 서현과 한세건 역시 현재 동경도에 갇히게 되었다는 것이다.

'분명히 앙리 유이 측에는 텔레포트 능력자들이 붙어 있었지? 이거 완전 당했군.'

한세건은 자신들이 동경에 묶여 있는 동안 앙리 유이와 그 부하들은 자유롭게 돌아다닐 걸 생각하고 혀를 찼다. 완전 상대 페이스에 놀아나는 꼴이 아닌가?

"그래? 라디오에선 뭐래? 우리는 사정상 라디오를 못 듣거든?"

서현은 그렇게 물어보았다. 한세건 덕분에 라디오를 켜면 온통 악령의 잡소리가 쏟아져 나온다. 다른 사람들이라면 뭔가 듣지 않았을까?

"라디오는 모르겠고 세타가야 구 외곽 방벽에서 들은 바로는… 표본을 넘겨주면 자기들이 이 사태를 해결하고, 그러고 나서 우리를 도와주겠다고 하고 있어. 웃기는 일이지! 지금 당장 울타리 안에서 사람들이 죽어가고 있는데 아무도 나오지 못하게 방벽을 치고 격리시켜 둔 주제에!"

타츠미 효고는 그렇게 말했지만 그들이 방벽 안의 사람들의 생존을 위해서 넣어주는 식량과 음료, 그리고 연료는 타츠미 트라이브가 죄다 차지해서 그들의 아지트인 쇼핑센터에 적재하고 있었다.

말하자면 군벌들이 통치하는 아프리카 분쟁 지역과 비슷한 꼴이다. 구호물자를 전부 흡수한 그들이 다른 이들을 지배하는데 그 물자를 사용함으로써 결과적으로 외부에서 들어온 구호물자가 내부의 권력 구조를 더욱더 공고하게 만들어주었다.

그런 주제에 남 탓만 일방적으로 하다니 대체 어떻게 된 신경인가?

하긴 그러니까 트라이브인지 뭔지 하는 부끄러운 짓거리를 할 수 있는 거지.

"라이칸스로프 갱단이라는 놈하고 비슷하네."

서현의 생각을 읽기라도 한 듯 한세건이 빈정거렸다.

"아니거든? 그야 용병 시절엔 그랬을지도 모르지만……."

일단 부정했지만 생각해 보면 서현이 알고 있는 한 지금 볼코프 일당은 송유관이나 희토류 광산 등에서 일부러 치안 불안을 일으키며 지역 주민과 개발 회사, 양쪽 모두에서 돈을 받으며 전쟁을 팔아먹고 있을 것이다.

전쟁을 팔아먹는 용병 집단이나 분쟁 지역에서 물자를 빼앗아 가는 군벌들이나 그놈이 그놈이긴 하다. 게다가 그런 점에 있어서 서현은 입이 천 개라도 할 말이 없다.

"요새는 그래도 선량한 무역상……."

"도난 차량 이력을 세탁하고 마피아 물건들을 사고파는 걸 선량한 장사라고 한다면 선량하지 않은 새끼가 없겠군. 그리고 손 씻으면 끝이냐? 참 저렴한 죄책감이구나."

한세건이 지적하자 서현의 말수가 줄어들었다. 정말 찔리긴 찔리나 보다.

"아, 좀… 지금 심심한 건 알겠는데 넌 좀 가만히 있어. 가쿠슈인의 학살자 씨가 말하면 이야기가 꼬이니까."

"그런데 왜 갱이냐? 사자 무리는 프라이드(Pride) 늑대 무리면 팩(Pack) 아니냐?"

"그러니까 갱(Gang)이지. 종족을 초월해서 모여 있으니까. 자, 스톱. 여기까지! 심심하면 저기 가서 모바일 게임이라도 해."

"……."

될 리가 있나. 통신이 끊겼는데. 하지만 서현은 한세건을 무시하고 다시 타츠미에게 물어보았다.

"그래, 저 방벽 너머의 주최 집단은? 주도권은 누구에게 있는 것 같아?"

"주일 미군과 태평양 함대, 그리고 CDC(Centers of Disease Control and prevention:미국 질병통제예방센터)라는데? 이거 봐봐."

타츠미 효고는 생수병을 들어 보였다. 커다란 배불뚝이 생수병에 CDC 로고가 붙어 있었다.

"대체 이 나라의 주권은 어떻게 된 거야? 미국에게 모든 걸 다 넘겨 버리다니? 흑선 내항과 HQ 시절의 재래인가?! 주일 미군이야 원래 규약상 들어와 있다 쳐도 CDC는 미국 내부의 기관이잖아? 어째서 그런 놈들이 주권국가인 일본에 와서 난리 치는 거람? 자국 내 영토처럼 말이야!"

맥아더의 통치를 받았던 일본인으로서는 감회가 새롭겠지만 그런 걸 외국인에게 공감해 달라고 하는 건 무리다.

'아무리 봐도 지금 너희가 그 CDC 물자 받아서 빼돌리고 있으면서 뭘 화를 내고 지랄이람? 웃긴 새끼들이다.'

평소 같으면 그냥 취미로 잘근잘근 밟아주고 싶다만 위기 시니까 참자. 그나마 이 타츠미 효고라는 애는 말도 잘 듣는 편이니까. 서현은 그리 생각하고 온화한 어조로 말했다.

"너 같은 헬즈 엔젤 짝퉁이 우익 지사 같은 열등감 폭발 쇼를 보여줘도 말이지, 난 모르겠는데?"

"……."

방금 그게 온화한 거 맞다.

5

코다마 쥬조가 새로 일본 정부를 맡긴 이는 오사카 도지사 시라하마 타로였다.

민주당 출신의 올해 45세의 비교적 젊은 도지사인 그는 젊고 개방적인 성격, 참신한 이미지를 무기로 평화 시에는 넷(Net)상의 인기를 등에 업고 활동하던 인물이었다.

그런 그가 지금 이 순간 일본 총리 대행으로서 매우 과격한 결정을 내려야 했다.

미국 질병통제센터의 개입을 허가하며 연구&격리를 허용하는 것. 이 상황이 자신들의 통제를 벗어남을 인정하고 타국의 협조를 적극적으로 구하는 것에 날인하는 것이다. 별거 아닌 것 같은 일이지만 이것을 총리 대행으로서 날인하게 되면 그자의 목숨은 풍전등화가 된다.

운 좋게 이번 사건이 CDC의 개입으로 깔끔하게 끝난다면 위기 시에 빛나는 결단력이라고 칭송을 받겠지만 아직 현장에 대해 아무것도 알지 못하고 이 질병이 물로 전염되는지 공기로 전염되는지, 바이러스인지 박테리아인지 프라이온인지 알지도 못하는 상황에서 빠르게 해결될 리가 없다.

즉 상황이 수렁으로 빠질 건 명약관화한데 여기에 서명하는 건 자신의 정치적 생명을 스스로 절단 내는 일이라는 것이다.

"이걸 제가 일본 총리로서 날인해야 한단 말입니까?"

일본 내각의 수반 자리가 45세의 젊은 도지사 손에 떨어진 것은 총리와 천황, 그리고 자민당 당사가 있는 곳이 전부 사건의 폭심지였기 때문이었다. 일본 정부를 움직일 수 있는 세력의 상당수가 연락이 두절된 지금⋯ 그는 다 죽어가는 일본을 이끌고 역사에 길이 남을지도 모르는 굴욕적인 짓을 해야 했다. 그래서일까? 시라하마 타로는 초췌해진 얼굴로 코다마 쥬조를 바라보고 있었다.

"자네가 해야 하네."

코다마 쥬조는 그렇게 말했다. 가마쿠라 인근의 요정에서 일본식 정원을 바라보면서 두 사람은 긴 한숨을 내쉬었다.

"이거는⋯ 정말⋯ 통촉하여 주시옵소서⋯ 라고 말해야 할지."

"해야 하네. 누군가 하지 않으면⋯ 어찌하겠나?"

코다마 쥬조는 열정적으로 시라하마 타로를 설득해 그가 이

크나큰 책임을 지도록 했다.

시라하마 타로가 물러난 이후 코다마 쥬조는 홀로 남아서 정원을 보며 장탄식을 했다.

왜냐면 그는 지금, 자신의 뒷자리에 나타난 괴물들을 느끼고 있었기 때문이었다. 앙리 유이와 아담, 그리고 아그니라는 이 뱀파이어들은 그의 뒤에 나타나서 시라하마 타로를 맞이하기 위해 마련한 술상을 멋대로 점거하고 있었다.

아그니가 술병째로 입에 가져가 마시면서 몸으로 열기를 뿜어내었다.

"여기까지 해서… CDC를 격파하나?"

아그니는 앙리 유이가 왜 이 사태를 일으켰는지 그제야 큰 그림을 이해했다. 일본이라는 세계 경제의 큰 축을 담당하는 문명 국가를 농락하고, CDC를 불러들인다. 일본은 미국의 동북아시아 전략의 전진기지, 팽창하는 중국과 러시아를 견제하기 위해서도 이곳은 안정되어야 했다. 당연히 동경 한복판에 미지의 질병이 일어나면 CDC가 진출할 테고…….

그것을 파괴한다면?

범국가적인 질병통제시스템이 붕괴하고 이 질병의 실체를 파악하지 못하는 자들의 공포가 확산된다. 그리고 공포가 전 세계적으로 퍼져 나가면 사법사인 앙리 유이의 힘은 극대화된다. 세계가 튜브라면 지금 앙리 유이는 공포라는 힘으로 튜브를 쥐어짜 마력을 끌어내고 있는 것이다.

'신에게 열등감을 느끼는 신의 제자가 자신의 열등감을 극복하기 위해 저지르는 짓이라……. 이런, 짜증 나지만… 멋지군.'

아그니는 지극히 개인적인 이유로 세계를 때려 부수는 앙리 유이의 모습에 감탄하고 있었다.

"그런데 아르곤을 상대하는 건 어찌 되었지?"

그 앙리 유이가 아그니에게 물어보았다.

"그게……."

아르곤에게 깨진 아그니 입장에선 입이 열 개라도 할 말이 없다.

"예전부터 아그니, 그대가 아르곤을 좋아해서 졸졸 따라다닌다는 이야기는 들었는데."

앙리 유이는 아그니가 마치 아르곤을 너무 좋아해서 차마 해치우지 못했다는 듯 말하고 있었다.

"아니, 잠깐. 뭔가 큰 오해가 있는 것 같은데. 내가……."

그렇다고 패배를 자인하기엔 아그니의 자존심이 아프다.

"녀석이 얼음, 내가 불, 같이 다니면 재미있을 것 같아. 녀석도 세력을 크게 불리지 않고 자유롭게 돌아다니는 것 같으니까."

"하지만 그는 테트라 아낙스의 히트맨이지. 그리고 반드시 우리의 CDC 공략에 나타날 거다. 머리도 안 나쁘거든."

"그 미친 보트를 타고 동경만을 돌아서 사가미 만 쪽으로, 현재 바이오해저드 라인을 돌파했다고 하더군요."

아담이 그렇게 말했다. 역시 아르곤은 앙리 유이와 그 세력의 노림수를 간파하고 먼저 빠져나간 것일까?

"으음!"

그 이야기를 듣고 있던 코다마 쥬조는 침통해했다. 시라하마 타로는 자신의 정치적 생명이 끝나는 걸 각오하고 미국에 굴욕적인 조약을 맺으러 떠났다. 그렇게 하지 않으면 바이오해저드 장벽 안, 지금도 고립되어 있을 동경도의 주민들에게 미안해서, 면목이 서지 않아서 스스로의 목숨을 끊는 선택을 한 것이다.

그런데 이들은 그런 마음을 짓밟고 오히려 더욱더 큰 사태를 일으키려고 하고 있었다.

어떻게든 이들의 심기를 거스르지 않고 일본의 피해를 최소화하겠다고 마음먹었던 코다마 쥬조이지만 그것이 바로 자기 보신을 위한 기만이라는 걸 깨닫는 데는 꽤 오래 걸렸다.

이 녀석들은 인류를 멸살시키려 하는 인류의 적이다. 일본이든 미국이든 어느 나라나 민족만이 이들에게서 무사할 수 있을 리 없다.

인간인 이상 싸워야 하는 적.

그걸 상대로 자기 국가와 민족의 안위만 얻을 수 있으면 족하다고 생각했다니. 코다마 쥬조는 한숨을 내쉬었다.

"아무래도… 난 너무 오래 살았던 것 같군."

코다마 쥬조가 앉아 있는 이 요정의 일본식 정원에는 대량의 폭약이 매설되어 있었다. 활석 자갈을 깔아서 덮는 이 정원은 포크레인으로 땅을 파고 대량의 폭약을 매설해도 활석 자갈만 덮으면 되니까 멀쩡해 보인다.

이 폭약을 터뜨려서 이것들을…….

"흠. 졌군."

아그니는 그 말을 듣고 아무 말 없이 자신의 팔에 주사기를 꽂고 피를 약 5cc 정도 뽑아서 아담에게 건네주었다.

"대부분의 권력자는 자기 보신이라면 무슨 짓이라도 하던데… 역시 진짜 돈도 권력도 있는 놈은 명예까지 탐하게 마련인가?"

"그렇다기보다는 그 정도 살아오면서 자기 합리화가 점점 쌓여서 인격 형성에 영향을 끼친 거지요. 스스로의 거짓말도 계속하다 보면 믿게 되는 거랄까요."

"하지만 설마 자폭할 근성이 있을 줄은 몰랐는데."

아그니는 키득키득 웃었다. 그 말을 듣던 코다마 쥬조는 전신의 털이 곤두서는 느낌을 받았다.

이 자식들은 이미 코다마 쥬조가 이렇게 나올 것을 알고 있었다.

말하는 걸 보니 그걸로 내기까지 건 모양이다.

"세상에. 이 피는 거의 맹물이군요. 얼마나 주기 싫었으면… 내기인데."

아담은 호들갑을 떨었다. 아그니는 내기에 져서 피를 뽑으면서 구속력을 이용해 최대한 물만 빼서 준 모양이다. 구속력을 적용해서 상처가 나도 피를 아예 안 흘리는 것은 쉬운 일이다. 그러나 피에서 일정 성분만을 잡아두고 물만을 빼내는 것은 보통 힘든 일이 아니다. 아그니의 능력 컨트롤이 점점 더 높은 단계로 진화하고 있음을 이로써 알 수 있었다.

어찌 되었든 지금 이들은 일본 막후의 거물, 코다마 쥬조를 희롱하고 가지고 놀고 있는 것이다.

"……."

코다마 쥬조는 화도 나지 않았다. 이 녀석들은 어차피 인간의 형상을 하고 있지만 인간이 아닌 괴물이다. 코다마 쥬조가 아무리 권력자라고 해도 이들에게는 인간의 법률이 통하지 않으니까.

"애초에 저 CDC를 불러들이고 일본 총리 대행을 설득하는 시점에서 네 역할은 끝났다, 노인네. 우리가 일본에서 노후를 보내려는 것도 아니고 널 살려둘 이유가 없잖아?"

아그니는 그리 말하고 코다마 쥬조를 경멸하듯 바라보았다.

"그래도… 막판의 막판에 와서라지만 저항할 마음을 먹다니 다시 봤다."

"에이, 몸이 젊어지면서 혈기가 올라왔을 뿐이라니까요."

아담이 아그니의 평가를 수정해 주었다.

"자, 그럼 죽여볼까? 당겨봐! 그걸론 자살도 힘들 테니까……."

코다마 쥬조는 도발에 응해서 기폭 스위치를 잡았다. 하지만 그다음 순간 그의 팔과 다리, 목에 오렌지빛 광륜이 나타나더니…….

치이익!

단번에 지방이 끓어오르며 몸에 불길이 치솟아 올랐다.

"아아아악!"

코다마 쥬조의 몸이 고통으로 몸부림치고 있었다. 아그니는 그걸 보고 혀를 찼다.

"저 정도 수준이면 통각 차단쯤은 기본으로 해야 하는데 역시 갑자기 약물의 힘으로 강해져 봤자 저게 한계인가? 그럼 슬슬 아르곤을 다시 만나러 가야지."

아그니가 그리 말하자 앙리 유이가 피식 웃었다.

"먹지 않나?"

"저걸 먹어서 나도 당신의 노예가 되고 싶지는 않은데."

"괜찮을걸."

"보통 괜찮을 거야 하고 음식에 장난치던 애들이 은팔찌를 차더라고."

아그니는 그리 대답했다. 그러자 앙리 유이가 손뼉을 쳤다.

"츠구미, 에두아르도!"

앙리 유이의 부름에 두 뱀파이어가 모습을 드러냈다. 츠구미는 용감하게도 아그니나 앙리 유이 앞에서도 자신의 신세 한탄을 했다.

"우리 신세가 공짜 택시로 전락한 것 같은데……."

"음……."

에두아르도도 동감이긴 하지만 앙리 유이나 아그니나 수틀리면 그들의 목숨을 아주 손쉽게 지워 버릴 수 있는 놈들이라 함부로 뭐라 하기 힘들었다. 츠구미야 뒷생각이 없으니까 마음껏 말할 수 있지만 그들의 VT인자 표본이 앙리 유이 손에 넘어간 지금 앙리 유이가 원한다면 얼마든지 새로운 택시를 만들 수 있을 것이다.

공짜 택시든 뭐든 간에 적어도 쓸모가 있다면 그들은 죽지 않는다. 그리고 그들은 적어도 앙리 유이의 세력이 존속하는 동안은 쓸모없어질 일은 없을 것이다. 텔레포트 능력이라는 건 그만큼 희귀하니까.

"자, 그럼 자폭을 하든 뭘 하든 해보라고. 자폭을 안 해도 곧
날아갈걸?"

앙리 유이와 아그니는 텔레포트 능력자들과 함께 고급 요정
을 뒤로하고 사라졌다.

떠나기 전에 아그니는 그의 발화 능력을 이용해 요정 정원에
묻힌 폭약에 시한 점화 능력을 걸고 사라졌지만……

코다마 쥬조는 요정에서 빠져나올 수 없었다.

"역시 폭발은 등지고 담배를 빨아야 맛이지."

아그니는 요정의 폭발을 등지고 담배를 입에 물었다. 폭약을
얼마나 매설해 두었는지 약 500미터 거리에서도 충격이 느껴질
정도였다. 목조건물이 많은 구시가에 위치한 고풍스러운 요정
이 통째로 폭발하면서 인근 건물들에도 악영향을 끼쳤지만 다
행히 불은 크게 일지 않았다.

"하지만 할리우드 영화에서의 폭발은 대개 휘발유를 태우는
거니까. TNT를 매설하고 터뜨리면 멋이 안 난단 말이야. 폭발을
등지며 뭔가 멋있는 장면을 연출하려면 역시 폭약으로는 안 돼."

아그니는 폭발의 여운이 빠르게도 사라지고 어디 불도 안 나
는 걸 보며 흥이 식었는지 고개를 절레절레 저었다. 그렇긴 하
지만 배니싱 블러드의 수령이던 자신이 전성기에 한 번에 약
500미터 정도를 이동했을 텐데 이 에두아르도와 츠구미, 두 사
람은 그보다 더 많은 동행자를 이끌고도 아무런 부담 없이 이동

하고 있었다.

아웃레이지, 유사 VT인자로 인해서 능력을 증폭시킨 그들은 분명히 원래의 흡혈귀로서의 능력보다 훨씬 더 강력한 힘을 발휘한다. 지금 이 순간 아웃레이지에 감염된 많은 뱀파이어, 하다못해 방금 그들이 처리한 코다마 쥬조 같은 인물도 이들과 마찬가지로 강력한 잠재력을 가지고 있을 것이다.

지금은 그들이 자신의 능력을 컨트롤하지 못하니 쉽게 당하지만 만약 그 능력을 개화한다면, 자신의 잠재력을 컨트롤할 수 있게 된다면 어떻게 될까?

"……"

그것은 아그니로서도 짜증 나는 일이었다. 그가 힘을 늘리기 위해서 얼마나 무모한 짓을 감행해 왔던가? 동족인 흡혈귀를 잡아먹기도 하고, 진마들 사이에서도 탐욕스러운 존재로 경멸당하면서 악착같이 사람들을 먹어치운 그보다 저 아웃레이지라는 변형된 VT인자에 의존하는 놈들이 훨씬 쉽고 빠르게 힘을 늘려 간다니?

"…살기가 짙어지고 있군."

츠구미를 노려보는 아그니에게서 살기가 뻗쳐 나오자 앙리 유이가 한마디 했다.

"아마도 아웃레이지에 중독된 이들의 능력 발전이 너무 빨라서 초조해지는 거겠지. 너도 중독되면 될 것을……."

"잠꼬대는 자면서 하는 거야. 자, 이제 어쩔 거지?"

"CDC 연구 조사반에는 당연히 플렉스 메디칼 관계자들, 그러니까 테트라 아낙스의 개가 합류한다. 그들을 격파하고 주일 미군, 태평양 함대를 공격하면 이제 아웃레이지는 통제 불가의 질병으로 여겨지겠지. 일단 사람들이 이것을 질병이라 생각하면 할수록 일은 쉬워진다. 한곳에 집중하는 사람이… 마술에 잘 걸리듯이."

앙리 유이는 그렇게 말하고 아그니를 바라보았다.

"CDC 조사반을 몰살시키자. 문제는 거기에 아르곤이 올 거라는 거지. 불과 얼음, 지금까지의 전적은 얼음이 압도적으로 우세한가?"

"…그런 식으로 도발하지 말라고. 난 단독으로는 아르곤과 싸우지 않을 거야. 네 무거운 엉덩이를 이때 좀 움찔거려 보는 건 어때?"

"슬프게도 이번 반테트라 아낙스 연합의 수장인 나로서는 좀 무게를 잡을 필요가 있지. 안심해. 아그니 당신을 그렇게 쉽게 잃을 수는 없지. 이쪽에서 마침 그 진마사냥꾼을 상대하던 친구가 합류할 거야."

"누구지? 내게 말해줄 필요는 있잖아?"

"헥토르."

앙리 유이가 워낙 빠르게 대답해서 아그니는 처음에 자신이 헛소리를 들었나 의심했었다. 하지만 곧 아그니의 표정이 구겨졌다.

"…아, 그, 아니, 잠깐? 헥토르라고?"

"그래."

"아니, 그놈 완전히 미친놈이잖아? 적요와 마찬가지로… 그런 놈이 제어가 되나?"

"내가 워낙 인망이 뛰어나서 말이지."

"……."

아그니는 더 말하지 않았다.

6

한세건과 서현은 생존자들을 타츠미 트라이브에 맡기고 대신 타츠미 트라이브가 보유하고 있던 바이크를 받아서 동경도 외곽, 격리 방벽으로 향했다.

폭주족, 마약을 팔던 녀석들에게 사람을 맡긴다는 건 제정신 박힌 일이 아니다. 사내놈들이야 그렇다 쳐도 여자들은? 생존을 담보로 어떤 성적 약취와 폭행의 대상이 될지도 모르는데?

그러나 그게 싫다면 한세건과 서현은 이곳에서 타츠미 효고를 대신해 사람들을 지키고 그들의 질서를 확립해야 했다.

물론 어렵진 않을 것이다.

그들에겐 폭력의 절대 우위가 있었고 실무 능력도 절대 뒤떨어지지 않을 테니까.

솔직히 말해서 쿠데타도 계획한 특급 전범인 서현 입장에서는 저런 폭주족 따위와 자신을 비교하는 것 자체가 모욕이었다. 물론 특급 테러범인 한세건 역시 마찬가지이리라.

'아니, 난 그런 나쁜 짓 순위 가지고 열폭하는 바보짓은 안 해. 뭐 그런 걸로 우월 의식을 가지냐? 병신같이?'

한세건은 그렇게 답하겠지만 어쨌거나 그들의 능력이 타츠미 트라이브의 자리를 대신하지 못할 것도 없다.

그러나…….

동경의 생존자, 그것도 세타가야 구 일부 마을의 생존자들을 위해서 이들이 여기에 정착해 버리면 진짜 문제는 해결하지 못한다.

"몬주는 폭발하고, 동경도는 격리되고, 방사능과 아웃레이지, 악령들이 들끓는다라… 젠장, 더 이상 테트라 아낙스의 편을 든다 뭐 그런 건 생각지 않겠어. 뱀파이어 놈이 멋대로 설치고 다니는 꼴은 볼 수 없어. 남의 나라긴 하지만 뱀파이어 놈들에게 농락당해서 망가지는 꼴은 도통 못 봐주겠군."

한세건은 앙리 유이의 만행을 이 이상 참아 넘기지 않겠다는 각오를 다졌다.

第15夜

라디오액티브

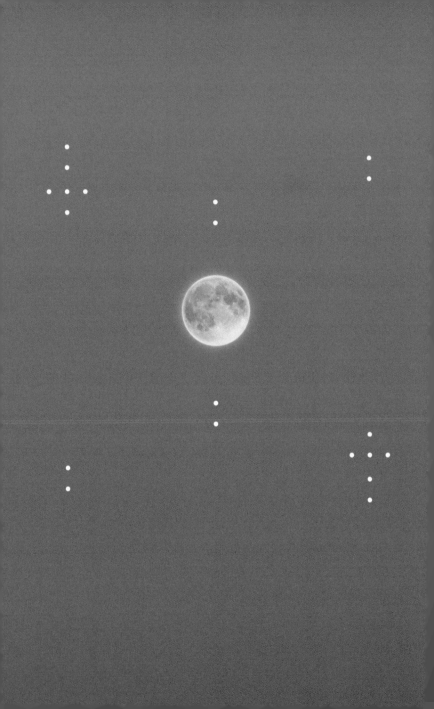

1

동경의 이상 질병 증식으로 인한 마비, 그리고 몬주 증식로 폭발. 일본은 지금 사상 초유의 대재앙에 직면해 있었다.

동경 아웃브레이크의 폐해로 대부분의 정무(政務) 기능이 오사카 도로 옮겨진 가운데 이번에는 오사카에 인접한 후쿠이 현 몬주에서 고속증식로가 폭발, 일본 혼슈의 서부, 관서 지역에 방사능 오염이 시작된 것이다.

이런 상황에서 미국은 매우 난감한 상황에 빠져 있었다.

일본은 미국 입장에서는 절대 안정해야 할 곳이다. 냉전은 끝났지만 러시아와 중국을 견제하기 위해서는 일본과 한국, 두 나라의 안정은 절대적으로 필요한 상황이며 미국 채권의 대부분을 일본이 보유하고 있는 처지였다. 즉 일본이 불안정해지면 미국의 동북아시아 패권 지도를 다시 그려야 하며 그걸 막기 위해 일본의 구원투수로 등장하기엔 미국이 잃을 게 너무 많다.

그렇다고 구원투수 등판을 거부한다면 이번에는 일본이 쥐고 있는 미국의 채권이 터져 나올 것이다. 이러니저러니 해도 미국과 일본은 운명공동체가 되어버린 것이다.

오사카 도지사 시라하마 타로가 일본의 위기 상황을 선언하고 전 세계에 대한 무제한의 지원을 요청했지만 몬주 증식로 하나만 해도 국가 예산 거덜 내기 딱 좋은 스케일의 재앙이다.

게다가 둘 다 현재진행형인 게 문제였다. 지금 투입되는 사람들의 목숨과 건강을 보장할 수 없는 성격의 재앙이라는 게 문제다.

비가 내리고 있었다.

아웃레이지로 격리된 동경도 격리 방벽의 위에는 확성기가 설치되어 일어, 영어, 북경어, 한국어, 말레이어, 광동어, 포르투갈어의 순으로 안내 방송이 나오고 있었다.

'현재는 질병의 원인을 분석하는 단계 중이라 폐쇄되어 있지만 곧 구조 작업에 들어갈 테니 기다려 달라.'

'동경도 서쪽 지역은 세타가야 구에 식량과 식수, 의약품과 생필품을 제공하고 있으니 그쪽으로 피난하길 바란다.'

'연구에 협력해 줄 사람들은 언제든지 환영한다.'

타츠미 트라이브가 말하던 내용과 달리 연구에 협력할 감염자를 찾고 있는 걸 보면 드디어 일본 정부에서 국제질병통제관리국에 자국민에 대한 연구를 공개한 모양이었다.

"일본 정부의 CDC도 따로 있지 않나? 그들은……."

한세건이 투덜거리며 빗물을 피해 인근 맨션 쪽으로 바이크를 끌며 걸어갔다.

"그들도 동경에 있었지. 기관 주요 인물들이 죽었을 거야."

서현이 그의 뒤를 따르고 있었다. 그들은 맨션 주차장 쪽에 바이크를 세워두고 주위를 둘러보았다. 황량한 거리다. 인기척이 없다.

서현은 전자 제품 매장에서 구해 온 가이거 계수계를 들어 빗물이 흐르고 있는 땅에 대보았다.

"1밀리시버트라… 고장 난 거 아니겠지?"

디지털식 가이거 계수계에 1밀리시버트라는 수치가 나오는데 이게 정확한 수치라면 상당히 위험한 방사선량이다. 대부분 국가의 연간 피폭 허용량이 3밀리시버트 이하로 규정되어 있는데 이 빗물에 네 시간 있는 것만으로 연간 피폭 허용량을 달성해 버리는 것이다.

게다가 빗물에서 나오는 게 문제였다. 빗물에서 방사선이 계측될 정도면 공기 중에 이미 상당량의 방사능 물질이 섞여 있다는 뜻이고 이 물을 마시면 이제 몸 안에 방사선 물질이 쌓여서 지속적으로 피폭될 것이다.

"몬주가 굉장히 거리가 멀 텐데… 이 정도 수치는 상당해. 일본 혼슈는 완전히 끝장났군."

서현은 가이거 계수계를 케이스에 집어넣으며 혀를 내둘렀다. 몬주에서 동경도 세타가야 구는 까마득한 거리다. 수백 킬로미터 떨어진 지역의 비에 섞여서 내리는 방사선 물질이 이 정도라면 혼슈는 완전히 끝장났다고 봐야 한다.

문제는 혼슈 지방에 일본 인구와 경제의 대부분이 집결되어 있다는 점이다. 이만큼의 경제 규모가 통째로 증발된다면 그건 세계적으로 큰 문제가 될 것이다.

"그런 걸 가져왔냐?"

한세건은 서현이 가이거 계수계를 가져온 것에 놀라워했다.

"아니, 일반 전자 제품 양판점에 있더라니까. 전자상가처럼 좀 전문적인 걸 파는 곳 같은 데 있는 게 아니라서 깜짝 놀라서 가져와 봤지."

서현이 그렇게 말하며 우비에 묻은 빗물을 털어냈다. 아무리 라이칸스로프라고 해도 이 정도 농도의 방사능 물질이 섞인 비는 역시 꺼려 하는 것 같다.

라이칸스로프인 서현이 그러니 한세건 역시 신경 쓰인다.

한세건은 비를 피하기 위해 건물 안에 들어가면서 라이트로 건물 안을 비추었다 작은 원룸형 아파트가 연달아 붙어 있는 맨션인데 입구 유리문은 깨져서 산산조각 나 있고 그 안에 구울들이 득시글거렸다. 그러나 그 구울들 대부분이 사실상 방전되어서 느릿느릿 움직일 뿐이었다.

뱀파이어의 피가 그 효력을 잃어가고 있는 중일까?

몇몇 구울이 한세건이 비춘 라이트에 반응해서 흐물흐물 걸어오고 있었지만 한세건에게는 아무것도 아니었다.

"…쳇."

한세건은 느리게 자신에게 덤벼드는 구울의 멱살을 잡고 번쩍 집어 들어 건물 밖으로 던져 버렸다. 건물 앞에 주차되어 있던 작은 승합차에 충돌하면서 차량이 들썩거린다. 한세건은 다른 구울들도 잡아서 확확 집어 던지고 길을 열었다. 한세건에게 내던져진 구울들이 비실거리며 일어나려고 했지만 제 몸 하나 가누기 힘든 상황이었다.

"일단 여기서 비를 피하지."

"시체 썩는 냄새가 지독한데?"

서현은 그렇게 투덜거렸다. 실제로 한세건이 안의 구울들을 밖으로 집어 던지고 나니 그 구울들이 뜯어 먹고 있던 시체가 드러났다. 이미 뼈만 남을 정도로 뭐 남은 것도 없다 싶지만 그럼에도 불구하고 끔찍한 악취가 풍겨 나오고 있었다.

"지금은 어딜 가도 마찬가지잖아. 방향제라도 뿌리거나."

한세건은 그리 말하며 건물 계단을 올라선 뒤 현관문들을 두들겨 보았다. 반응이 없자 문을 잡고 비틀어 부숴 버리고 연다. 안에는 어디서 금고라도 털었는지 엄청난 수의 돈다발을 끌어안은 시체 하나가 방바닥을 나뒹굴고 있었다.

"…악령에게 죽었나."

세건은 돈을 끌어안고 죽은 이의 얼굴에 남아 있는 엑토플라즘을 확인하고 쓴웃음을 지었다. 대부분의 악령은 그다지 효과적인 물리력을 행사할 수 없었지만 지금 이곳은 다르다.

여기는 인세의 지옥, 폐쇄된 동경도 안은 그야말로 악마들의 세상이나 다름없었다. 이 안에서 악령들은 실체와 물리력을 가지고 고립된 사람을 살해하며 시체나 구울, 커럽티드의 육신에 깃들어 돌아다닌다.

한세건이 길을 걷다가 슬쩍 고개를 돌려서 뒤를 확인해 보면 방금 전까지 전신주에 쓰러져 있던 시체가 어느 틈에 5미터 더 가까운 차량에 기대어 쓰러져 있거나 한다.

한세건과 서현 입장에서도 그건 소름 돋는 일이다. 그런데 보통 사람들은 어떨까?

"……."

한세건이 생각에 잠겨 있을 때였다.

치익…….

갑자기 뭔가 새는 듯한 소리가 들렸다. 깜짝 놀란 한세건이 뒤돌아보니 서현이 방에 있던 방향제를 정말 들어서 뿌리고 있었다.

"뿌리란다고 진짜 뿌리냐?"

"아니, 바로 코앞에 있었어."

서현은 그리 말하고 다른 맨션 건물로 향했다. 방문을 두들겨 보고 안의 인기척을 살펴보았지만 살아 있는 사람은 없다. 다 죽어 있다. 그들은 그렇게 최상층까지 모든 맨션을 수색하고 이곳에서 비가 그칠 때까지 휴식을 취하기로 했다.

"아무리 그래도 방사능 비가 내리는 데 나돌아 다니는 건 위험하지."

한세건은 그렇게 말했다. 그의 육신은 이미 인간의 범주를 벗어나 있지만 그럼에도 불구하고 방사능은 어딘지 모르게 사람을 꺼리게 했다.

"방사선은 DNA와 RNA를 파괴해서 단백질 형성을 망치니까. 단순히 재생력만 빠른 자는 암세포로 변해서 커럽티드화를 빠르게 촉진시킬 거야. 구속력이 강한 뱀파이어라면 괜찮겠지만 아웃레이지의 뱀파이어들은 불안정하니까 이 빗속에서 아주 난리가 나지 않을까?"

서현은 그리 말하고 테라스 창문을 열었다.

"전망 좋은 집이군. 작기는 하지만⋯⋯."

한세건은 그렇게 중얼거리며 테라스 너머 펼쳐진 전경을 바라보았다. 테라스 너머 타마 강이 보이는데 강물에 온통 시체가 가득했다.

"전망은 좋지만 경관이 좋다고는 할 수 없겠군."

한세건은 창문틀을 후려치고 주위를 둘러보았다. 아직도 방향제를 뿌리던 서현은 이제 집 안을 뒤져서 어디선가 초코바나 인스턴트 라면을 구해 왔다.

"비를 피한다 치고 비가 내리고 나면 온 도시에 방사능 물질이 잔뜩 쌓일 텐데 그건 어쩌지?"

"어쩌긴, 빨리 일 치르고 떠나야지. 이제 여긴 사람이 못 살아. 체르노빌보다 더 심한 상태야."

서현은 그렇게 말하고 다시 가이거 계수계를 들었다. 집 안에서는 조용하지만 테라스 쪽으로 접근해 빗물받이 통에 가져다 대자 가이거 계수계가 특유의 틱틱거리는 소음을 내기 시작한다. 이는 빗물에 방사능 낙진이 섞여 있다는 뜻이다.

"⋯얼른 여길 떠나야겠군. 앙리 유이를 잡는 것도 좋지만 방사능 물질이 넘쳐나는 곳에서 뱀파이어와 싸우는 건 어리석은 짓인 것 같아."

"매번 끌려다니기만 하는군. 앙리 유이라는 놈 좋을 대로 일이 너무 잘 풀리는 거 아냐?"

한세건은 투덜거리며 인스턴트 라면을 잡았다.

쿠드드드드득!

그런데 그때였다. 수로 위에 설치된 작은 교량에 거대한 살덩이가 치솟아 오르기 시작했다.

그것뿐만이 아니다. 수로에 가득 차 있던 시체들, 강물 위를 떠다니던 시체들 사이에서 커럽티드 반응이 일어나기 시작했다. 거대한 살덩어리들이 교각에 매달려 교량으로 기어오르고 독기에 가득 찬 안개를 뿜어내기 시작했다.

그 모습은 진짜 무슨 특수촬영 영화의 괴수가 강물에서 튀어나온 듯했다. 그뿐만이 아니다. 강 곳곳에서, 건물 곳곳에서 커럽티드들이 증식되고 속삭이는 소리가 사방팔방, 하늘로부터 들리기 시작했다.

방사선이 DNA와 RNA를 파괴해 단백질 형성 맵을 바꿔 변형된 조직, 즉 암세포를 만든다는 건 바꿔 말하면 방사선이 뱀파이어의 커럽티드화를 촉진할 수도 있다는 뜻이다. 그렇지만 저 시체에서 커럽티드가 출몰하다니?

"이미 죽은 놈들이라도 상관없는 성격의 저주인가."

비가 추적추적 내리는 회색의 하늘 아래 비현실적인 괴물이 춤춘다. 그와 동시에 공기가 농밀한 습기로 가득 차기 시작했다. 날이 춥지만 흡사 무슨 사우나에 들어선 기분이었다.

"…아, 젠장."

한세건은 급한 대로 생라면을 으적으적 씹어 먹고 배낭에서 축성된 묵주를 꺼내 바닥에 둘렀다. 한세건이 그걸 준비하는 사이 맨션 안에 있던 LCD TV가 저절로 켜지면서 안에서 지직거리는 악령들의 소리가 들리기 시작했다.

"또 한바탕 푸닥거리를 해야 하나?"

서현이 투덜거리며 일본도를 들었다. 한세건을 노리고 시시각각 출몰하는 악령들. 하지만 서현은 그에 대해서 불평 한마디 없었다. 그런 서현의 행동이 부담스러워서였을까? 한세건은 서현을 제지했다.

"기척을 죽여. 싸우지 말고 넘어가 보자."

한세건은 바닥에 묵주를 펼치고 그 위에 올라섰다. 그러자 LCD TV가 빛을 발하다 꺼지기 시작했다. 타마 강 인근에는 여전히 커럽티드가 독기를 뿜어내고 있었지만 이 맨션 주위로 집중되던 영기가 사라져 갔다.

악령들이 한세건의 위치를 찾지 못하고 있는 것이다.

"좋아. 성공적이군. 문제는……."

"우리가 마도구가 별로 없다는 거지. 본래대로라면 와서 실베스테르와 합류해서 물자도 보급받고 그럴 생각이었는데 오자마자 일이 터졌으니까."

"……."

한세건은 말없이 묵주를 바라보았다. 다다미 위에 놓은 묵주가 타들어가면서 다다미 역시 새카맣게 타들어가고 있었다. 불이 날 정도는 아니지만… 묵주에 걸려 있는 마력이 묵주 자체를 손상시키고 있었다.

한 번 쓰면 그걸로 끝이다.

"본래 이렇게 잘 타는 도구가 아닌데."

"워낙 악령들이 강력하니까. 보통 이런 건 어지간한 심령 스 폿이라도 일어나지 않는 일이지. 음……?"

서현은 눈살을 찌푸렸다. 악령들은 사라져 있지만 여전히 TV 가 지직거리며 뭔가 기이한 소리를 내고 있기 때문이었다.

서현에게는 선명한 노이즈였지만 한세건에게는 들리지 않는 듯했다.

"왜 인상을 구기는데?"

"아니… 아, 그렇군. 인간의 가청주파수 영역이 아닌가?"

서현은 자신에게 들리는 소리가 보통 인간의 가청주파수 영 역보다 훨씬 높은 영역에서 나는 것임을 깨닫고 기왕 빼 든 칼 로 바닥에 모스부호를 긋기 시작했다.

"한국어 모스부호로군. 세건, 개자식."

"뭐?"

"아니, 끝까지 들어."

서현이 들은 모스부호는 다음과 같았다.

─세건, 개자식. 나는 도메이 고속도로를 이용해 동쪽으로 탈출 중. 적, 새로운 진마, 수 다수, 합류 요망.

"…이 경우 저 모스부호의 '개자식'이 나로군. 젠장, 언제까지 멍멍거리게 할 거야?"

"아니, 멍멍거리게… 라니."

한세건은 그렇게 중얼거렸지만 입을 다물었다. 이건 아마도 실베스테르의 마법일 것이다. 그가 한세건과 서현, 특히 서현만이 알아들을 수 있는 채널로 정보를 전달하고 있는 것이다.

"도메이 고속도로라… 세타가야를 지나 신주쿠로 들어가는 고속도로인가. 젠장, 기껏 동경 공항에서 서쪽으로 왔는데 다시 왔던 길을 돌아가야겠군."

서현은 스마트폰에 경로를 기록했다.

그러는 와중에 또다시 방벽에서 방송 소리가 들리기 시작했다.

아직은 방벽 너머에서 방송을 하고 있지만 곧 저들은 동경 동쪽으로 탈출하라고 방송을 바꿀 것이다. 피난민들 입장에서는 기껏 여기까지 저 지옥 같은 동경을 뚫고 왔는데 다시 돌아가라는 소리니 환장할 노릇이겠지만 빗물에서 1밀리시버트가 나올 정도면 사태가 심각하다. 당연히 동경 서쪽, 오사카나 나고야 인근도 다 사람들이 피신하느라 난리일 것이다.

"그런데 새로운 진마라니?"

한세건이 생라면을 우걱우걱 뜯어 먹고 겨우겨우 삼킨 뒤 물어보았다.

"그건 나도 모르지. 앙리 유이에게 가담한 또 다른 또라이 새끼가 있나 보지."

서현은 그렇게 말했다.

2

실베스테르는 도메이 고속도로를 따라 동쪽으로, 동경을 향해 이동하고 있었다. 원래 그는 스포츠카를, 특히 무시무시한 엔진의 힘으로 직선 주행 속도가 빠른 미국식 스포츠카를 선호했었다. 그렇다고 마냥 고배기량에 무식하게 엔진만 묵직한 머슬카 선호자인 건 아니고 뉘른부르크링 랩타임, 즉 코너링과 가속력 위주로 차량을 고른다고 볼 수 있었다.

하지만 지금 실베스테르는 할리 데이비슨 XL1200X 스포스터를 타고 있었다. 고속도로 곳곳에 아웃레이지로 인해 죽은 사람들의 차가 버려져 있어서 길목이 막혀 있었다. 아무리 곡예 운전이 가능한 그라고 해도 바이크를 쓰는 게 훨씬 유용한 상황이었다.

동경도 안쪽이 아웃레이지의 발생으로 인해서 폐쇄되어 있지만 그 외의 지역 역시 성하지 못했다. 동경에 가까운 쪽은 연일 대형 사고가 터지고 있었고 그 외곽, 심지어는 혼슈 지방이 아닌 홋카이도나 규슈, 시고쿠 지역에도 아웃레이지 중독자들이 발현하고 있는 중이었다.

아웃레이지라는 마약, 사이키델릭 문의 변종쯤으로 여겨지면서 유통된 그 마약을 사용한 이가 한둘이 아니라는 뜻이었다. 일본은 야쿠자들이 전국 방방곡곡에 깔려 있으니 일단 약이 들어가면 그들을 통해서 쉽게 약이 사방팔방 뿌려지게 마련이다.

아예 합법적인 제약 회사 설비를 이용해서 비약을 제조했다면 그 물동량은 전 일본 약쟁이를 다 중독시키고도 남을 것이다.

"…오고 있군."

실베스테르는 헬멧도 없이 바이크에 매달린 채 사이드미러를 바라보았다. 뒤에서부터 번쩍이는 섬광이 추격하고 있는 게 보였다.

놀랍게도 그 섬광은 한 대의 스포츠카였다. 실베스테르가 타고 있는 할리 스포스터는 도메이 고속도로에서는 누구도 따라올 수 없는 동력 성능을 가진 차량이었다. 하지만 뒤쫓아 오는 차량은 테슬라 로드스터, 전기차다. 스포츠카에 가까운 동력 성능을 지닌 전기차이지만 중거리 주행을 하기 불편하고 차량치고는 작은 차체를 가지고 있어서 거리 곳곳에 방치되어 있는 차량과 시체들이 걸려서 그때마다 속력이 늦어지고 있었다.

그런데도 따돌릴 수가 없다.

그 안에 타고 있는 자가 진마 헥토르였기에 저 로드스터는 믿을 수 없는 동력 성능을 자랑하고 있었다.

대부분의 뱀파이어는 적극적으로 밤을 향유하며 자신의 생명을 연장시키기 위한 인간의 피를 찾아다닌다. 하지만 헥토르는 그보다는 좀 더 고전적인, 사람들이 생각하는 흡혈귀에 가까운 존재였다.

동면하는 흡혈귀.

그가 성역에서 잠들면 적어도 한 세기간은 깨어나지 않는다.

그동안 그의 추종자들은 성역의 입구에 산 제물을 바쳐왔다. 만약 산 제물이 부족해서 그가 잠에서 깨어나게 되면 이 뱀파이어는 언제나 대량 학살을 하고 막대한 피를 섭취한 뒤 시체의 산을 쌓아두고 새로운 추종자들을 만든 후 잠든다.

이런 타입의 뱀파이어는 뱀파이어 중에서도 가장 오래된 원시적인 형태라 할 수 있었다. 테트라 아낙스 출몰 이전, 대부분의 뱀파이어는 이런 방식으로 살아왔었다.

하지만 현재 그런 뱀파이어 중 남아 있는 것은 극히 소수. 대부분의 뱀파이어는 그 와중에 헌터에게 살해당하곤 했다.

그러나 헥토르는 달랐다.

이날까지 살아남은 몇 안 되는 동면형 뱀파이어로서 테트라 아낙스보다도 오래된 뱀파이어인 그였다. 그가 앙리 유이의 편에 들었을 뿐 아니라 적극적으로 협력하고, 남는 거 없는 위험한 임무에 스스로 투신할 줄은 아무도 몰랐을 것이다.

물론 헥토르 입장에서는 말도 안 되는 착각이다.

동면형 뱀파이어의 경우는 매번 깨어났을 때마다 사회 적응이 큰일이다. 누군가 조력자가 필요한데 하급 뱀파이어나 추종마를 만드는 것은 보통 힘든 일이 아니다. 헥토르의 하부 뱀파이어들 역시 동면형 뱀파이어가 되어버려서 쓸모가 없는 데다가 추종마를 만드는 것은 굉장한 고위 마법이다.

뱀파이어들이 마법에 뛰어난 소양을 가지고 있다지만 추종마나 대대로 이어지는 세뇌 같은 걸 걸 수 있을 정도면 뛰어난 소양 정도로는 부족하다.

그러다 보니 대마법사인 앙리 유이가 그의 조력자로 나서게 되면 기쁘게 받아들일 수밖에······. 다른 뱀파이어나 마법사들은 동면하는 올드 타입 뱀파이어들을 신비한 고대종, 왠지 근엄하고 신비한 이미지로 대하고 있지만 그들도 그들 나름대로 고충이 많았던 것이다.

"그래서 저게 세피아를 죽인 놈이란 말이지."

헥토르는 그리 중얼거리며 손에 들고 있는 스마트폰을 살펴보았다.

안에는 PDF로 만들어진 능력 사용 설명서가 있었다.

그전까지 헥토르의 능력은 막연하게 번개라고 알려져 있었지만 헥토르가 잠들기 전과 지금은 전자기학에 있어서 많은 발전이 있었다. 전하를 조절하는 능력을 가지고 있는 헥토르의 능력을 어떻게 쓰면 어떤 효과가 일어나는지, 능력을 사용하는 설명서가 붙어 있는 것이었다.

'정말 앙리 유이는 똑똑하단 말이지.'

헥토르는 그 설명서를 보면서 그대로 혈인 능력을 일으켰다.

그러자 테슬라 로드스터가 무서운 속도로 가속하면서 할리 데이비슨 스포스터를 쫓는다. 하지만 실베스테르가 탄 할리 데이비슨은 은색 잔영을 남기며 요리조리 장애물을 피하며 직선거리에서 전하를 받은 테슬라 로드스터를 따돌린다.

'음… 너무 능력을 과용하면 녹아버리지…….'

헥토르는 모터가 녹아들기 전에 전하 주입을 멈추었다. 그러자 다시 거리가 확 벌어진다.

'대신 이건 어떠냐?'

헥토르는 전방의 장애물들에 자신의 능력을 투사했다.

바지지직!

전기불꽃이 극초음속으로 날아가 꽂히고 전자기력을 발생시켜 길거리에 방치된 차량을 움직인다. 브레이크가 걸려 있지 않은 차량이 전자기력에 이끌려 아스팔트 위를 구르고 몇몇 전자제어 차량은 시동이 걸리면서 앞으로 튀어나오기까지 한다. 실베스테르가 그걸 피하기 위해 핸들링하면서 속도를 감속하면 그만큼 쫓아가는 식이었다.

탕!

하지만 실베스테르는 속도를 감속하는 것과 동시에 후방을 향해 총을 쏘았다. 시속 200킬로미터가량의 바이크에서 핸들에서 손을 떼고 뒤로 총을 쏘는 건 몽골 궁기병이 달리며 뒤로 활을 쏘는 것과 비슷한, 아니, 그 이상의 기예라 할 수 있었다. 게다가 저런 상황에서 쏜 총탄이 놀랍도록 정확하게 헥토르의 머리를 향해 날아들었다.

하지만 헥토르의 주위에는 이미 강력한 전자기장이 형성되어서 헥토르를 총화기로 제대로 맞힌다는 건 불가능하다. 실베스테르의 조준은 정확했지만 총탄은 한참 멀리 빗나가 하늘로 올라갈 뿐이다.

"헛짓하는군!"

헥토르가 이미 녹아 없어진 테슬라 로드스터의 전면창을 통해서 전격을 방출했다. 문제는 이 전격은 가장 가까운 도체에 끌린다는 점. 당연히 제대로 명중하지 않는다. 하지만 보통 사람이라면 기절하고도 남을 굉음과 열기, 섬광이 동반되었다.

물론 실베스테르는 그걸 무시하고 앞으로 달려 나갔다. 괜히 성질내서 방전 한 번 한 덕분에 거리가 쭉 벌어지는데 역시 아무리 전기 능력자라고 해도 차량으로 오토바이 쫓기가 쉽지 않다.

"그래, 도망가라. 하지만 세피아의 혈채는 내손으로 받아내고 말겠다."

헥토르는 실베스테르가 앞질러 가는 걸 보면서 코웃음 쳤다. 어차피 이 도메이 고속도로의 끝은 동경. 그곳으로 들어가 봤자 독 안에 든 쥐가 아닌가?

3

비가 그쳤다. 여기저기 가이거 계수계를 자극하는 방사선이 넘쳐나고 있었지만 이대로 가만히 있을 수도 없었다. 서현과 한세건은 인근 병원에서 얻어 온 방사선 차단 납 조끼와 방독면을 가져와 썼다.

"정말 병신 같군."

"뭐, 참으라고."

서현과 한세건은 그렇게 방사능 대책을 세우고 바이크를 끌고 움직이기 시작했다. 실베스테르의 연락이 사실이라면 왔던 길을 돌아가야 한다.

서현과 한세건은 바이크를 끌고 오다가 교량 앞에서 멈췄다. 타마 강을 가로지르는 작은 다리에 커다란 살덩이가 마치 점액

라디오액티브 **343**

처럼 달라붙어 있었다.

"이건 못 건너겠군."

"제거할까?"

서현이 그렇게 물어보자 한세건은 고개를 가로저었다.

"아니… 피하지."

커럽티드에 접근하면 접근할수록 악령들의 힘이 강해진다. 한세건이 테트라 아낙스인 서린의 도움을 받아 안정화를 이룬 이후 혼팅은 한세건과 거의 동화를 이루었다. 그러나 이 새로운 악령들은 혼팅과는 약간 계통이 달라서 그런지 한세건을 안정화 이전의 유령 들리기 쉬운 먹거리쯤으로 보고 덤벼들었다.

"격리 방벽이군."

서현은 강 건너편, 설치된 방벽을 보고 그렇게 말했다. 저 방벽은 병원균에 감염된 자들이 함부로 도시를 벗어나 여기저기 병원균을 퍼뜨리는 것을 막기 위해 설치된 것으로 플라스틱 재질의 거대한 블록이었다. 중장비로 우선 폴을 세우고 그 폴에 끼워서 벽을 만들고 지지대를 세우면 끝나는 간단한 작업이지만 저걸로 동경 주요 지역 길목을 다 막으려면 천문학적인 돈과 인력, 시간이 들어갔으리라.

하지만 서현과 한세건 입장에선 저걸 뚫는 건 너무나도 쉬운 일이다. 2층 건물 정도 높이로 된 방벽이지만 넘는 건 어렵지 않다.

"넘으면 안 돼. 도메이 고속도로 쪽으로 가자."

"젠장. 왔던 길을 돌아가는 게 너무 곤욕스러워."

"나도 마찬가지야. 이건 뭐 장군의 연속이군. 체크메이트 트랩에 걸려서 계속 질질 끌려다니고 있는 기분인걸?"

서현은 지금 상황을 그렇게 평했다.

이 상황을 장기나 체스로 비유하자면 앙리 유이는 집요하게 공세에 공세를 계속 거듭하고 있었다. 한 가지 공격은 그다음 공격으로 이어지고, 그걸 피하더라도 그게 다른 공격의 포문이 되어 다시금 상황 전체를 이끌게 된다. 앙리 유이의 일을 막고자 하는 자들은 질질 끌려다닐 수밖에 없다.

그리고 생각해 보면 이것이 당연한 일이다. 진실을 감추고 인류를 기만해야 하는 테트라 아낙스 쪽이 훨씬 힘든 싸움을 하고 있는 것이다. 테트라 아낙스가 유지하는 월야의 질서, 그 질서를 파괴하기 위한 앙리 유이 입장은 말하자면 방화범과도 같다.

방화범은 아무 데나 불을 붙이면 그만이지만 그런 방화범 하나를 막기 위해서는 경찰과 소방관, 국가 공권력과 서비스의 상당수가 긴밀하게 협조하지 않으면 안 되는 것처럼 본래 질서를 만들고 지키고 유지하는 쪽이 훨씬 더 많은 자원을 소모해야 하는 법이다.

"재주도 좋군, 앙리 유이. 이러면 그놈이 나보다 한 수 위가 되나?"

서현은 쑥대밭이 된 교량을 건너며 강과 수로에 가득한 시체들을 보고 한마디 했다.

"그동안 보아왔는데 묘하게 신난 것 같은데?"

한세건은 서현의 그런 점이 불만이었다. 이 녀석은 아웃레이지 사태, 그러니까 구울과 뱀파이어가 대량으로 폭주해 현대 문명을 파괴하고 사회질서를 파탄 낸 이 상황에 빠르게 적응했다.

그건 당연한 일이겠지. 폭력의 화신인 라이칸스로프니까.

그러나 그 이면에는 왠지 지금 상황을 반기는 모습이 있었다. 그게 한세건 입장에서는 마음에 들지 않았다. 보험 사기꾼이 자기 집 불나는 거 좋아하는 걸 보고 있는 기분이 든다고 할까?

"뭐, 솔직히 말해서 싫진 않지. 이런 상황이."

서현은 그런 한세건의 의심을 부정하지 않았다.

"무슨 의미냐?"

한세건이 그리 물으며 멈춰 섰다.

서현이 답했다.

"나는 문명이야말로 인류가, 아니, 굳이 인간만이 아닌 인간과 유사 인간들 모두가 쌓아 올려야 할 거대한 프로젝트라는 데에는 공감해. 뭐, 한때는 내 손으로 끝장내려고도 했었지만 적어도 원론적으로는 그래."

"그럼 개인적으로는 어떤데?"

"당신은 원론적으로 뱀파이어와의 타협을 하지 않지. 그건 왜 그렇지?"

"…왜 내 질문에 역질문으로 대답하지?"

"아니, 이 기회에 이야기해 보라고. 매 순간순간… 어떤 때는 뱀파이어가 옳고, 또 어떨 때는 뱀파이어와 타협하지 않으면 살아남을 수 없다는 걸 모르진 않았을 텐데 왜 그러지 않았냐는 거지."

서현이 그렇게 말하자 한세건은 심호흡을 했다.

"내가 월야의 주민이 되기 전, 학생이던 때부터 난 알고 있었어."

방독면을 쓴 채로 두 사람은 앞으로 걸었다.

"매 순간순간 합리적이라고 생각되는 길로 가버리면 결코 내가 원하는 목적지에는 도착할 수 없어. 처음에 정한 방향, 그 방향으로 가기 위해서 당장의 불합리조차 감수하지 않으면 내 진짜 소원은 이룰 수 없지."

한세건은 입김이 서려서 흐려지는 시야 너머로, 그의 목적지를 향해 똑바로 걸어가고 있었다. 그가 끌고 가는 바이크에 뭔가 물컹한 것, 아마도 시체가 걸렸겠지만 그는 그것을 무시했다.

"그건 월야의 뱀파이어 헌터로서가 아니라 우리 모두의 인생 전체를 관통하는 진리야. 매 순간순간 합리적인 선택을 하면 결국 자신의 진짜 목적에서 멀어질 뿐이라는 거, 때로는 이게 말도 안 되는 짓이라는 걸 알더라도… 난 내가 정한 길로 간다. 그뿐이야."

"……."

"그래서. 내 대답이 너의 대답에 도움이 되나?"

한세건은 서현의 대답에 나름 진지하게 대답했다. 그러니 서현 역시 한세건의 질문에 답해야 할 것이다.

"난 원하는 게 없어."

모닥불을 앞에 두고 보드카를 물처럼 마시면서 방황하던 시절의 공허한 눈빛으로 서현은 말했다.

"남이 누르면 반발하지만 그 전에는 아무것도 스스로 할 수 없는 게 나야. 날 재활시키겠다고 서린이나 마스터가 애써주긴 했지만 여전히 난 모르겠어. 테트라 아낙스에게 분노하고 세상 모든 것에 엿을 먹이겠다는 심정으로 질주할 때는 이런 고민을 할 필요가 없었는데, 거대한 적의 존재가 사라지고 나니까 그 적의 그림자에 가려져 있던 현실적인 문제가 날 짓누르더군."

"누가 전 공산국가 출신 아니랄까 봐 냉전 이후의 아노미를 혼자 겪고 자빠져 있냐?"

한세건은 그런 서현의 말을 듣고 실소했지만 비웃을 일이 아니라는 건 잘 알고 있었다. 이건 결코 쉽게 비웃을 만한 문제가 아니다.

동기, 모티베이션이라고 간단히 말하지만…….

경제도, 철학도, 역사도…….

그 모든 것은 바로 저 인간의 동기에 의해서 움직여 왔다.

어린 시절부터 운명에 이끌려 제대로 된 삶을 파괴당한 서현이 이런 정서적 문제를 겪는 건 당연한 일이다.

"그래서 그 '냉전 이후의 아노미' 가 너에게 이 상황을 즐겁다고 여기게 하나? 문명의 파괴를 반길 정도로?"

"그렇다기보다는… 음, 일단 적이 강대하면 그것만으로도 나에게 동기를 스스로 만들어주지. 그리고 난 역시 이런 혼란이 좋아. 안정적인 세상에서 문명의 단물을 받아먹으며 재밌게 사는 것도 즐겁지만 그걸 순진무구하게 즐기기엔 나 자신이 안정적인 세상의 주민이 아닌걸."

"그거 참 가련한 놈이로군. 스스로 자신을 세우는 게 아니라 남과의 관계, 그것도 증오 관계에서만 자신을 정립할 수 있다니."

"…라고 뱀파이어 증오 전문가께서 말씀하셨습니다. 뻔뻔스럽긴."

"……"

한세건도 이건 변명할 여지가 없다. 역시 이러니저러니 해도 한세건과 서현은 좀 닮은 구석이 있다. 서린과는 닮은 구석이 없었는데……. 그런 걸 보면 역시 이 쌍둥이는 달라도 너무 다르다.

"그래서 이 끔찍한 참사를, 남들이 고통받는 것을 기뻐하나?"

"아니. 나는 이들과 이해관계가 없어. 이들의 고통을 기뻐한 다기보다는 동정하는 쪽이지."

"기뻐한다며?"

"그건 자연인으로서의 나의 본질을 드러낼 수 있는 지금 상황에 대한 거지. 이봐, 좀비 영화나 게임, 소위 말하는 좀비 아포칼립스물이 왜 인기가 있다고 생각해? 그걸 좋아하는 사람들이 정말 인간들이 미지의 질병으로 좀비가 되고 고통받기를 원한다고 생각해?"

"아니. 그래, 넌 꽉 짜인 통제된 문명보다는 도끼로 목 따버리고 배틀 크라이를 외치는 바바리안의 세계가 더 성에 맞겠지."

한세건은 알고 있었다. 알면서 물은 것이었으니 서현이 반박하는 것은 이상할 게 없다.

"나 참. 성격 나쁘군. 알면서 물었네?"

그걸 서현은 잽싸게 캐치해 냈다.

"자, 그래서 말인데, 이제 어쩔까?"

"앙리 유이와 그 세력은 CDC를 공격할 거야. 원래는 이곳 세타가야에서 동경 서쪽 출구로 이어질 거라 생각했지만 몬주의 방사능 유출이 멜트다운 이상의 최악의 상태로 번진 것 같군."

"설마 연료 자체의 폭발은 아니겠지?"

"연료 자체의 폭발?"

"몬주 증식로는 우라늄을 플루토늄으로 바꾸는 장치고 우라늄보다 플루토늄의 임계질량이 더 낮아. 즉 일반 우라늄이라면 멜트다운으로 끝날 연료봉 유출 상태라도… 플루토늄이나 캘리포늄이라면 펑!"

"핵폭발이 직접 일어난단 말인가?"

"아니, 뭐 그런 것치고는 그렇게 수치가 높지 않은데. 냉매가 폭발해서 안의 방사능 물질을 뿌려대는 게 일반적인 사고인데, 만약 핵폭발이 일어났다면……."

서현이 가이거 계수계를 들어 보이자 사방팔방에서 꽤 높은 수치가 나온다. 1밀리시버트처럼 극단적인 수치는 아니지만 어딜 가나 시간당 50마이크로시버트가 넘게 나온다.

"이것보다 훨씬 높은 수치가 나와야지. 핵폭발이라면 중금속들도 사방 천지에 뿌려대야 하니까. 아, 그래도 저 물에 빠지는 건 권하고 싶지 않군."

서현은 강물을 가리켰다.

시체들이 떠 있는 강물 사이로 뭔가 거대한 검은 그림자가, 일반적인 도시형 수로에서는 볼 수 없는 크기의 거대한 그림자가 스쳐 지나갔다.

"…젠장. 이거 뱀파이어 코빼기도 못 보고… 응?"

서현과 한세건의 앞 저 멀리에서 뭔가 싸우는 소리가 들리고 있었다.

"사, 사람 살려!"

일본인들의 목소리다.

"민간인일까?"

"가보지."

서현과 한세건은 바이크에 올라타고 시동을 걸었다. 온갖 잡동사니가 즐비한 도로를 가로지르며 그들은 앞으로 튀어 나갔다.

타츠미 트라이브는 타츠미의 이름을 걸고 만들어졌지만 사실상 아마다 슈우지에 의해서 운영되는 조직이었다. 아마다 슈우지가 자신의 손을 더럽히며 조직을 키웠다는 것은 아예 빈말이 아니었다.

그런 아마다 슈우지가 감금된 지금 타츠미 트라이브는 혼란에 빠져 있었다. 이런 혼란을 다독이기 위해서 타츠미 효고는 더 이상 외부의 자원을 끌어들이는 걸 포기하고 쇼핑센터를 지키며 구조를 기다리기로 했다.

그리되자 곧 문제가 발생했다.

쇼핑센터의 냉장고를 돌리기 위한 LNG 발전기의 연료, LNG가 다 떨어진 것이다.

"역시 아마다 형님이 없으면 안 굴러간다니까."

아마다 슈우지가 감금되어 있는 전원 넣지 않은 야채 창고 안쪽에는 아마다 슈우지를 추종하는 타츠미 트라이브의 대원들이 몰려 있었다. 당장 돌격해서 아마다 슈우지를 구출할 생각은 아니지만 LNG 발전기를 대신하기 위해 가솔린을 쓰자고 한 시점에서 폭주족 상당수의 마음이 타츠미 효고를 떠났다.

"디젤이나 LNG는 괜찮아. 하지만 가솔린은 좀 아니지."

"아마다 형님이라면 이런 일이 일어나지 않게 해줬을 텐데."

그럴 리가 없다는 걸 생각해 보면 누구라도 알게 될 것이다. 타츠미 트라이브의 문제는 트라이브 자신들만이 아니라 너무 많은 인간을 받아들였다는 것이다. 더 많은 식량을 필요로 하고 그렇다면 육류, 생선, 채소의 신선도를 유지하기 위한 냉장고가 필수였다.

냉장고를 돌리기 위해서 발전을 하니 연료가 빠르게 소모되었고 그 결과가 LNG 고갈이었다. 이런 일련의 과정은 아마다 슈우지라고 해도 사실 뾰족한 수가 없었다. 아니, 아마다 슈우지라면 트라이브가 아닌 사람들을 버리고 신분제 사회를 만드는 것으로 이 사태를 돌파할 수도 있었겠지만 그렇게 되면 뱀파이어와 구울들을 상대로 과연 트라이브의 일원이 아닌 다른 사람들이 순순히 협력할지 의문이다.

그러나 그런 상황을 자세히 이해했다면 이들이 폭주족을 하고 있겠는가?

"음… 어쩌지. 아마다 슈우지 형님을 복권시켜 달라고 할까?"

"그냥 구출하지?"

"아니, 그건 또."

이러니저러니 해도 타츠미 효고는 여전히 우두머리였다. 그에게 직접 반항하는 위험 부담을 지고 싶지 않다. 총대를 다른 누가 메주면 좋겠는데 누구도 총대 멜 생각은 안 하고 눈치만 보고 있었다.

그런데 그때였다.

쿠직.

두꺼운 냉장고 문이 일그러지기 시작했다. 그리고 잠시 후 냉장고의 문이 뜯어지고 아마다 슈우지가 모습을 드러내었다.

"이 미친 자식들. 아예 닫아버리면 공기가 안 들어오잖아! 죽일 셈이냐?"

"형님!"

타츠미 트라이브의 조직원들은 아마다 슈우지가 구속을 파괴하고 나온 것에 기뻐했다. 하지만 잠시 후 자신들이 뭔가 까먹은 것을 깨달았다.

저 냉장고가 사람의 힘으로 부서지는 물건이던가? 녹슬지 않도록 아연도금강판으로 만들어진 업소용 냉장고의 문은 사람의 힘으로 부서질 게 아니다. 아무리 아마다 슈우지가 동년배의 누구보다 머리 하나 더 큰 체구의 장사라고 해도 저걸 부쉈다면…….

"정말 병신 같은……."

아마다 슈우지는 짜증을 내며 자신을 경계하는 타츠미 트라이브의 폭주족들에게 뛰어들었다. 너무나도 쉽게, 마치 개미 떼 한복판으로 뛰어드는 것처럼 쉽게 그들을 뛰어넘어 중심에 설 수 있었다.

퍼억!

그리고 이어지는 안주먹… 어린 시절부터 강유류 공수를 익힌 아마다 슈우지는 주먹질에 이어서 깔끔한 옆차기로 신장 165㎝ 정도의 젊은 남자의 몸통을 찍어 찼다. 발차기가 상대의 흉곽을 부수고 척추를 부러뜨리는 모습은 공수도를 배워 폭주족들 사이에서 써먹던 아마다 슈우지로서도 처음 겪는 일이었다.

살육의 충격보다 타격의 호쾌한 손맛이 더 마음에 들었다. 애초에 아마다 슈우지는 살인 따위를 꺼려 하는 인물이 아니었다. 놀란 폭주족 대원들이 맨손으로 그를 저지하는 걸 포기하고 무기를 빼 들었지만 그들 역시 아마다 슈우지의 상대가 될 수는 없었다.

"후후……."

아마다 슈우지는 자신이 몸 안에서 들끓는 힘에 감탄하고 있었다. 원래부터 거구에 남들보다 월등한 피지컬을 가지고 있던 그였지만 지금은 그런 것과는 차원이 다르다.

"으으… 자, 잠깐."

89식 소총을 든 타츠미 트라이브의 대원이 이마에서 피를 흘리며 아마다 슈우지와 대치하고 있었다. 1층 식품용 냉장고와 슈퍼마켓을 연결하는 직원용 통로를 가로막은 그는 겁에 질려서 아마다 슈우지에게 말했다.

"자, 잠깐 진정해요! 아마다 씨! 우린 아마다 씨를 해칠 생각은……."

"이미 늦었어. 내가 너희들을 해칠 마음으로 가득 차 있거든?!"

아마다 슈우지는 그리 말하고 돌격했다. 총구에서 불이 뿜어져 나왔지만 아마다 슈우지는 총격에 아랑곳하지 않고 돌격해 그의 목덜미를 손날로 후려갈겼다.

춉으로 단번에 사람 목이 떨어져 나간다. 도끼로 쳐도 이렇게 쉽게 자를 수는 없을 텐데, 몸에 힘이 넘쳐서 주체하지 못할 지경이다.

"크!"

아마다 슈우지는 흥분을 감추지 못하고 머리가 잘린 몸통을 들어 한입 물어뜯었다. 달콤한 육즙이 거침없이 입안으로 흘러들었다.

"크하하하하."

심장이 쿵쾅거린다. 복권이라도 맞아서 너무 흥분해서 팔짝팔짝 뛰어다니는 사람처럼 흥분한 감정이 좀처럼 가라앉지 않는다.

너무 기쁘고 신난다. 심장이 맥동할 때마다 행복감이 전신을 치달린다. 아마다 슈우지는 그동안 자신이 하던 약이 어디서 기인한 것인지 단번에 깨달았다.

그래, 이 약은 바로 이 흡혈귀들에게서 온 것이었구나!

아마다 슈우지는 그리 생각하고 1층 문으로 향했다. 슈퍼마켓의 입구에는 커다란 버스를 세워놓고 바퀴를 빼버려서 구울들의 진입을 막고 있었다. 하지만 아마다 슈우지는 지금의 자신이라면 저걸 치워 버릴 수도 있다고 생각했다.

과연, 그가 바닥에 쓰러진 버스를 밀자… 버스가 밀린다. 바퀴로 지탱하는 것도 아니고 몸체를 바닥에 깔고 있는 버스가 밀리면서 길이 열린다.

그와 동시에 구울들이 잠깐 열어둔 틈으로 우르르 몰려들었다. 놀랍게도 이 구울들은 아마다 슈우지를 피해서 마치 모세가 홍해 가르듯 갈라져 쇼핑센터 안으로 뛰어들고 있었다.

아마다 슈우지는 구울들이 진입하기 쉽게 장애물을 치워 버렸다. 그러자 입구에서 대기 중이던 다른 뱀파이어들도 들어왔다. 아마다 슈우지보다 덩치가 작은 뱀파이어들이었다.

"음, 우리 힘으로는 도저히 치울 수 없었는데."

"애초에 덩치가 크니까."

뱀파이어들도 바퀴를 제거한 버스는 처치 곤란이었던 것 같다. 그 말을 들은 아마다 슈우지는 괜히 어깨가 으쓱해졌다. 보아하니 뱀파이어가 되어도 기본적인 신체 골격의 영향을 크게 받는 것 같다. 그렇다면 일반인들보다 월등한 피지컬을 가지고 있던 아마다 슈우지가 이들보다 더 강할 수밖에.

"내가 가질 수 없으면 다 부숴 버리겠어!"

아마다 슈우지는 뱀파이어들에게 길을 열어주고 그렇게 중얼거렸다.

쇼핑센터의 사람들은 일방적으로 학살당하진 않았다. 구울들, 그들이 좀비라 부르는 것들은 지성이 결여되어 있고 신체 능력도 그렇게까지 뛰어나진 않았다. 특히 그들의 육신에 남아 있는 뱀파이어의 피가 점점 고갈되어 가면서 구울들의 움직임과 숫자 또한 눈에 띄게 둔해져 가고 있었다.

하지만 문제는 악령, 그리고 그 악령으로 인해서 빠르게 뱀파이어로 변한 그들 안의 독이었다.

아웃레이지 중독을 지명당해 격리 수용되고 있던 이들의 절반은 뱀파이어로, 다른 절반은 커럽티드로 변하면서 쇼핑센터 안은 지옥으로 변해 버렸다. 거대한 비탈로 된 카트용 에스컬레이터에 끈적한 엑토플라즘으로 뒤덮인 살점이 나무뿌리처럼 깔려 있었고⋯ 그 살점을 향해 악령들이 날아들어 스며들면 명백한 살의를 가진 거대한 살덩이 촉수가 발현된다.

그것은 박쥐의 날개 속에 숨겨진 발톱처럼 짧지만 강건한, 각질 형상의 톱니로 변모했다. 그 톱니를 이용해 그것은 다가오는 모든 것, 심지어 그들의 편으로 여겨지는 구울조차 베어버리고 자신의 본체인 살점으로 가져갔다.

엑토플라즘에 구울들의 시체가 처박혀 있으니 그 모습이 흡사 거대한 젤리에 박힌 포도 씨처럼 보였다.

—모두 주차동으로 피해! 이봐! 건장한 남자들은 여자나 어린이들을 대피시키는 데 협력하도록!

타츠미 효고는 방송설비를 이용해 부하들에게 명령을 내렸다.

그러나 이미 타츠미 효고는 조직 장악에 실패했다. 조직을 실제로 운영하고 있던 것은 아마다 슈우지, 설령 그가 마약에 중독되어 있었고 언제 뱀파이어나 괴물이 될지 모르는 인물이라 해도 수상한 외부인에게 아마다 슈우지를 넘겨준 타츠미 효고를 따를 이는 남아 있지 않았다.

무엇보다도 타츠미 효고가 요구하는 일은 약자들을 위한 희생이었다.

본능적으로 혐오감과 공포를 불러일으키는 끔찍한 괴물, 형상이 제멋대로 변화하는 살덩이와 인간을 미치게 만드는 악령들 사이에서 남들을 위해 희생하라는 명령을 내리면, 조직 장악력이 부족할 경우 그것은 리더에의 반감으로 나타나게 마련이다.

"개소리하고 있네!"

"넌 안전한 곳에 있고 우리보고 뭐?!"

"아마다 씨를 버린 주제에!"

조직원들은 그렇게 투덜거리며 자신들의 바이크를 탔다. 바이크를 가지는 게 허락된 전령과 물자수집조는 제일 먼저 주차동으로 빠져나갔다. 슈퍼마켓과 쇼핑센터, 역과 이어진 터널을 통해서 구울들이 침범하고 있었으니 주차동 쪽은 상대적으로 한적했다.

그러나…….

주차동의 입구에는 이미 거대한 커럽티드가 하나 형성되어 있었다. 엑토플라즘의 젤리로 인간들과 구울들을 포획한 거대한 살의 벽이 주차동 입구를 가로막는다.

"아!"

"안 돼!"

한껏 기세 좋게 풀 스로틀로 달려 나오던 타츠미 트라이브의 바이커들이 급히 핸들을 꺾었지만…….

끼이이익!

바이크가 슬립되어서 불꽃을 튀기며 미끄러져 나가고…….

그 뒤를 따라 관성의 법칙대로 사람들 역시 미끄러지고 있었다. 거대한 살의 벽으로 변한 커럽티드는 바이크를 몸으로 집어삼키고 그 뒤에 다가오는 인간들 역시 삼키기 위해서 입을 벌렸다.

그런데 그때였다.

총성과 함께… 바이크가 폭발했다.

샷건을 든 한세건이 바이크를 멈춰 세우고 소화전에 박혀 있던 소방 호스를 휘둘러 지면을 미끄러져 가는 폭주족들의 팔다리를 휘감았다.

뿌드드득!

소방 호스에 휘감긴 팔다리가 한계 이상의 힘을 받아서 탈구되었지만… 그 덕분에 다들 저 살덩이 벽에 처박히는 일은 면했다.

끼에에에엑!

한세건을 발견한 커럽티드의 표면이 요동친다. 엑토플라즘 젤리에 박혀 있던 시체들이 허우적거리며 한세건을 향해 일제히 입을 벌리고 비명을 토해내었다.

"슈퍼스타 납시는구만. 그루피들이 아주 신났어."

서현이 투덜거리며 한세건의 뒤를 따라 바이크를 탄 채로 나타났다.

"공격 헬기도 몰 수 있다며? 그런 놈치곤 솜씨가 별로구만."

"아니… 네놈은 좀… 이상하게 빠르지. 서커스 나가도 될걸?"

구울들의 진입을 막기 위해 여기저기 바리케이드와 장애물이 펼쳐져 있는 거리에서 한세건은 당연히 서현보다 훨씬 빨리 이곳에 도착할 수 있었다. 서현이 말한 대로 정말 한세건이라면 서커스에 나오더라도 이상하지 않을 것이다.

"다, 당신들은?"

"떠난 게 아니었나?"

타츠미 트라이브의 구성원, 아니, 구성원이었던 놈들은 서현과 한세건을 바라보고 당혹스러워했다.

이들도 타츠미 효고의 방송을 들었을 터. 그렇다면 그들이 타츠미 효고의 명령대로 약자들을 구출하기보다는 자신의 안위를 위해 도망치려 했다는 것쯤은 알 수 있으리라.

과연 한세건은 흥 하고 경멸의 눈빛을 보냈지만…….

"뭐, 어차피 양아치 놈들에게 뭘 기대하겠어?"

"그러게……."

서현도 한세건도 그들에게 별 신경을 쓰지 않았다.

"이거 그런데 왜 이런 거지? 뱀파이어의 피는 빠져서 다른 곳의 구울들은 별로 힘이 없던데."

"아웃레이지 중독자들이 뱀파이어가 되었나 보지. 새로운 뱀파이어가 공급되면 새로운 구울도 공급될 테고."

"아웃레이지 중독자면 자연히 뱀파이어가 되나?"

"그렇다기보다는 방사능 물질 유출로 없던 곳에 커럽티드가 생기면서 그 커럽티드가 영적 오염을 발생시키고 그거에 아웃레이지 중독자가 영향을 받았다고 봐야겠지."

"역시 죽여놨어야 했나?"

"그게 합리적이긴 하지만 죽여놨으면 이 녀석들이 우리에게 악감정을 가졌을 테고 어쩌면 폭동이 났을 수도 있겠지."

서현은 아마다 슈우지라는 놈이 이 조직 안에서 가지는 의미를 잘 알고 있었다. 만약 아마다 슈우지를 한세건과 서현이 후환을 없애겠다고 처형했었다면 당장 타츠미 트라이브와 싸웠어야 했을 거다.

"이미 지난 과거에 가정 따위는 아무 가치가 없어. 앞으로 다가올 일이나 준비하지."

서현은 그리 말하고 주차장 벽으로 달려 올라가 건물 외벽을 마치 평지처럼 달려 옥상 위 철탑까지 올라섰다. 높은 곳에서 주위를 둘러보니 쇼핑센터의 방어 체계가 한눈에 들어왔다.

타츠미 트라이브의 방어 체계는 완전히 무너졌다. 사람들이 탈출하려 하고 있지만 공격하는 상황은 여전히 좋지 않아 보였다.

"나뉘어서 정리하지! 너무 넓어!"

"알겠어! 음… 무전기를 켜야 하나?"

서현과 한세건은 인 이어 방식의 FM 무전기를 가지고 있다. 하지만 악령들이 자주 출몰한 이후 무전기는 가급적 사용하지 않기로 했었다. 도달 거리도 짧고 악령들을 자극할 가능성이 크기 때문이었다. 하지만 뭐… 서현이 뭐라고 말하기도 전에 한세건이 무전기를 켜고 앞으로 달려 나갔다.

"뱀파이어들이 온다!"

"아, 그래! 에라 모르겠다."

서현도 무전기를 켜고 한세건이 향한 쇼핑센터 안쪽보다 바깥쪽, 쇼핑센터와 인근 전철역을 연결하는 아케이드로 몸을 날렸다. 수십여 미터를 마치 하굣길 초등학생들이 빗물 고인 웅덩이 뛰어넘듯 폴짝 뛰어넘은 서현이 공중에서 판초우의를 펼치고 마치 패러글라이딩하듯 감속해 착지하는 그 모습은 그야말로 자유자재로 날아다니는 밤의 괴물 같았다.

"왁! 이건 뭐야?"

아케이드를 통해 접근하고 있던 뱀파이어들이 그렇게 말했다. 서현이 보아하니 마약에 찌든 비리비리한 체격의 남자들이 퀭한 눈으로 서현을 노려보고 있었다.

"어이, 너! 우리 동료인가?"

역시 이들은 앙리 유이가 직접 명령을 내린 자들이라기보다는 그저 마약을 복용하다가 뱀파이어가 된 자들이었다. 뱀파이어 헌터 입장에서는 고객님이었다고 해야겠지.

'뭐, 나는 딱히 감흥이 없군.'

서현은 뱀파이어 헌터로서의 아이덴티티가 없다. 한세건이라면 자신이 뱀파이어를 잡고 팔아치운 마약들 때문에 중독자가 되었다가 앙리 유이가 유통시킨 아웃레이지에 중독된 이들을 보고 뭔가 색다른 감흥을 느낄지도 모르는데…….

"…라고 생각했더니 어느새."

서현이 정신을 차려보니 어느새 하이킥으로 뱀파이어 한 놈의 턱을 돌려 버린 뒤였다. 잠깐 생각에 골몰하는 사이에 평상시의 흉포함이 그대로 드러나 버린 것이다.

"쿽!"

서현의 킥에 머리가 돌아간 놈은 균형을 잡지 못하고 쓰러졌다. 목뼈가 뒤틀려서 고개가 뒤로 아예 돌아가 버렸을 테니 필시 목뼈가 부러졌으리라. 아웃레이지의 뱀파이어라면 진마에 가까운 신체 능력을 가지고 있을 텐데도 목뼈 부러진 정도로 정신 못 차리는 걸 보면 역시 누구에게 배우지 못해서 걸음마도 못 뗀 상태 같았다.

"뭐… 뭐야?! 이 자식, 적인가?"

"적이든 아니든 뭐, 좋아! 사내놈이잖아! 죽여!"

뱀파이어들은 갑자기 자신들을 공격한 서현에게 놀라서 반격했다. 하지만 서현은 어깨를 으쓱해 보이고 싱긋 웃었다.

"아, 미안. 이게 다 폭력적인 게임 탓입니다. 게임을 탓하세요."

"뭔 헛소리……."

퍽!

그러나 그들이 미처 뛰어들기도 전에 서현의 주먹이 뱀파이어의 머리통에 꽂혔다. 일격에 머리가 터지며 목 아래만 남은 몸통이 굴러떨어졌다. 뱀파이어들이 놀라서 서현에게 달려들었지만 애초에 이건 상대가 되지 않았다.

순식간에 뱀파이어를 쓸어버린 서현은 아케이드에서 몸을 날려 지상에 착지했다. 구울들과 함께 서서 쇼핑센터를 공략하고 쇼핑센터에서 도망치는 사람들을 생포하고 있던 뱀파이어들이 깜짝 놀랐다.

갑자기 그들 사이에 판초우의를 입은 괴한이 착지한 것이다.

"넌 뭐……."

"뭐긴 뭐야. 흉포한 게이머지!"

서현의 주먹이 뱀파이어의 얼굴로 빨려 들어갔다.

"미안. 주먹을 부르는 면상이라 무심코 그만."

주먹을 박아 넣은 정도로 끝날 일이 아니다. 무슨 대전차 로켓을 안면에 갈겨 버린 것 같은 결과가 도출되었다. 머리가 아예 수박처럼 산산조각 나고 파편이 튀어나갈 지경이다.

놀란 뱀파이어들이 움직였지만 그들로서는 서현을 막을 수가 없었다. 서현은 차량 위에 올라가서 자위대에게 **빼앗은** 89식 소총을 들고 있는 뱀파이어에게 돌진했다. 놀란 뱀파이어가 사격을 가하려 했지만 이미 접근한 서현은 그의 뒤에서 그를 붙잡고 되레 다른 뱀파이어들에게 총격을 퍼붓게 했다.

"어어어……."

총을 쏘고 있는 뱀파이어가 당혹스러워했다. 원래 마약중독자인 그는 처음에는 다른 생존자들처럼 뱀파이어와 구울들을 피해서 숨어서 지냈다.

식량을 먹고 물을 먹으면서 살아가는 건 수도가 끊긴 상태에서도 그리 어렵지 않았다.

문제는 화장실이었다.

물이 끊기고 전기가 끊기면서 수세식 화장실은 바로 못 쓰게 되었다. 배설물이 많이 쌓이게 되면 그건 자신의 위치를 상대에게 알리는 것이나 다름이 없었다. 그래서 그는 가급적 최대한 참다가… 소변은 페트병 안에 싸면서 비축했다가 구울과 뱀파이어들을 피해서 몰래 인접한 다른 곳에 버려댔다.

그런 짓을 몇 번 반복하고 나면 자신이 얼마나 비참한 존재인지 깨닫게 된다. 어차피 이렇게 혹독한 공포를 견뎌가면서까지 지킬 가치가 있는 목숨도 아니었다. 일본도 장기 불황의 여파로 대부분의 젊은이는 제대로 취직할 수 없었고 그 역시 취직을 못하고 부모님 연금이나 축내고 있었으니까.

그러다 꿈을 꾸었다.

씻지도 못하고 누군가에 들킬세라 벽장에서 쪽잠을 자는 그에게 꿈속의 존재가 말을 걸어왔다. 그것은 그가 스스로 인간성을 버리기만 하면 이 공포에서 해방시켜 주겠노라고, 빼앗기는 자가 아니라 빼앗는 자가 되어 영생불사의 힘을 누리게 해주겠노라고 유혹해 왔다.

거절할 이유가 없었다.

뱀파이어가 되면 인간으로 돌아올 수 없다는 것도 물론 알고 있었지만 언제 구울과 뱀파이어에게 살해당할지 모르면서 똥오줌도 제대로 못 싸고 쥐새끼처럼 살아가야 하는 상황의 스트레스를 견뎌가면서까지 인간성을 지켜야 한다는 자각이 없었다.

그는 선택했고 자신이 뱀파이어가 되었다는 걸 깨달았다.

그리고 그렇게 뱀파이어가 된 이는 그뿐만이 아니었다. 클럽을 다니며 쾌락을 위해 마약을 사들이던 사람들, 혹은 타츠미 트라이브의 멤버들에게 돈을 바치기 위해 강제로 마약에 중독된 자들이나 역시 강제로 판매책으로 임명된 자 등이 뱀파이어로 새롭게 태어났다.

뱀파이어가 되었을 때 구울들은 더 이상 그들의 적수가 아니었다. 그들은 누가 가르쳐 준 것도 아닌데 하나로 모여 쇼핑센터를 공략하기 시작했다. 이제 그는 겁먹고 돌아다니는 피식자가 아니라 포식자가 되었을 터였다.

그런데…….

압도적인 힘이 그를 꽉 짓누르고 그의 손가락으로 뱀파이어들에게 총격을 퍼붓고 있었다. 마치 어른의 손에 붙들린 아이가 된 기분이었다. 아니, 그 정도도 아니다. 무슨 곰에게 잡힌 기분이었다.

그는 포식자가 된 게 아니었나?

아니면 같은 뱀파이어여도 기본 신체 능력에 따라 이 정도의 차이가 난다는 건가?

그것을 끝으로 그의 의식은 완전히 끊겼다.

콰직!

서현이 양손으로 그의 몸을 잡고 접어버린 것이다. 머리를 비틀어 목뼈와 끊어내고 그 머리통을 몸통 안에 욱여넣는다. 척추가 부러지면서 몸 전체가 으깨지고 뼈가 마디마디 끊어지면 그 압력을 이용해서 폐와 간장, 내장을 뽑아내서 사방팔방 흩어버리고 사지를 절단해 이곳저곳으로 집어 던진다.

그 끔찍한 모습을 본 뱀파이어들이 입을 가렸다. 더 이상 구토할 수도, 눈물을 흘릴 수도 없는 몸이 된 그들이지만…….

서현이 과시하는 저 끔찍한 폭력은 그들의 간담을 서늘하게 했다.

양손만으로 뱀파이어의 몸통을 해체한 서현은 그 잔해를 사방으로 집어 던지며 삐딱하게 서서 그들을 노려보았다.

"미안하지만 나는 너희들에게 딱히 정신적 부채가 없어. 너희가 뱀파이어라서가 아니야. 인간이어도 기꺼이 잔혹하게 죽여 줄 수 있지. 난 인간을 진짜 끔찍하게 싫어하거든?"

"……."

"하지만 모두 동시에 산개해서 도망친다면 추격하지 못할 거야. 인간을 증오한다고 말한 주제에 여기 사람들을 살려야 하는 처지라서."

서현이 그렇게 말하자 뱀파이어들은 서로서로를 바라보았다. 단 한 번의 시선 교환만으로도 그들은 모두 뜻을 함께했다.

서현은 노골적으로 그들에게 더 덤비지 말고 도망치라고 말하고 있었다.

적이 원하는 대로 움직이지 않는 게 병법의 기본이라던가? 서현이 저렇게 말하는 걸 보면 이 자리를 고수하고 계속 공격을 감행하고 끝까지 끈질기게 따라붙는 게 그를 괴롭히는 일이 될 것이다.

하지만 그런 병법은 죽는 병사 입장이 아닐 때, 자신이 책사 입장일 때 의미가 있는 것이다. 지금의 그들은 최전선의 병사다. 싸워도 자신이 싸워야 하고 죽어도 자신들이 죽어야 한다. 그러니 이런 데서 병법의 극의를 실현하기 위해 몸을 던질 이유가 없다. 더 이상 싸워봤자 의미가 없다는 걸 깨달은 뱀파이어들이 몸을 돌려서 도망치기 시작했다.

"그래, 도망쳐라. 이쪽은 수가 적어서 다 막기 힘드니까……."

서현은 뱀파이어들이 도망치도록 내버려 두었다.

서현은 그들이 도망치는 걸 보고 주위를 둘러보았다. 쇼핑센터 안쪽의 소요도 진정되는 것 같다. 사람이 다 죽어서인지 한세건이 뱀파이어들을 도륙해서인지는 모르겠지만 솔직히 걱정된다.

한세건의 능력을 무시할 생각은 아니지만 그는 서현과 달리 총화기나 도구의 힘을 많이 필요로 한다. 만약 그가 도구의 힘을 빌리지 않고 뱀파이어들을 서걱서걱 너무 잘 죽여댄다면 그것도 골치 아프다.

"그럼 저쪽을 도우러 가볼까?"

그러나 그때… 서현이 멈칫하고 멈춰 섰다.

아마다 슈우지는 이 안의 인간들을 살려둘 생각이 없었다.

그를 무시하고 감금했기 때문에?

물론 그런 것도 있지만 원래 그는 인간을 그다지 좋아하지 않았다.

그래, 인간을 혐오했다. 그가 이 혐오스러운 것을 기만하고 지배할 수 있을 때는 괜찮았다. 이런 혐오스러운 것들을 쌓아 올려서 그것들의 왕 노릇을 한다면 저 역겹고 추잡한 꼴을 봐넘길 수 있겠지.

하지만 이것들이 자신을 버리는 것은 참을 수 없다. 그가 세상을 버릴 순 있어도 세상이 그를 버리게 하진 않겠다. 따지고 보면 치기 어린 행동이지만 아마다 슈우지는 세상이 그리 올바르게 굴러가지 않는다는 걸…….

어머니의 이혼 때부터 알고 있었다.

아마다 슈우지의 아버지는 부자였다. 그는 돈과 힘이 넘치는 남자들이 으레 그러하듯 혼외정사를 일삼았고 그로 인해 노이로제가 걸린 아내에게 더 이상 자신의 집안일을 맡길 수 없다며 내쫓았다. 아내의 친정 측에서는 이런 끔찍한 처사에 분개하였지만…….

아내를 정신병원에 감금해 버림으로써 위자료를 줄 것도 없이,

오직 그녀의 자유를 위해서 이혼 서류에 도장을 찍게 만들었다.

돈이 있는 놈이 더한 법이다. 그렇게 썩어나게 돈이 많으면서 위자료를 주지 않기 위해 기꺼이 어머니를 짓밟는 아버지를 보며 아마다 슈우지는 세상을 혐오하게 되었다.

그런 아버지의 돈에 빌붙어서 살고 있는 자신에 대한 혐오도 덩달아 얻게 되었지만……. 자기혐오를 바탕으로 도덕적이고 훌륭한 존재로 거듭날 수는 없었다.

정신을 차려보니 그는 집안의 부를 이용해 당장의 쾌락을 쫓는 염세주의자가 되어 있었다.

그리고 염세주의자와 마약은 정말 찰떡궁합이었다. 세상을 증오하고 염증하더라도 쾌락만을 바로 얻을 수 있는 도구, 마치 스위치를 올리면 자동으로 쾌락이 느껴지는 장치라고 할 수 있으리라.

그 마약이 그를 뱀파이어로 만들 줄이야.

돌이켜 보면 그의 인생은 제대로 된 게 없다.

"아, 길게 생각하니 더 짜증 나는군!"

아마다 슈우지는 눈에 보이는 인간들을 닥치는 대로 죽이고 그들의 몸을 물어뜯었다. 뱀파이어라면 피만 빠는 이미지였는데 직접 되어보니 다르다. 살점까지 물어뜯어서 단번에 대량의 피를 빠르게 흡입하고 나머지는 내다 버리고 눈앞에 살아 숨 쉬는 다른 먹잇감을 노리는 게 생산적이다.

다행스럽게도 이곳 쇼핑센터에는 인간이 많다. 아마다 슈우지가 아직 인간이던 시절에는 이곳에 모여 있는 게 합리적이라 생각했는데 뱀파이어가 되고 보니 터무니없는 미친 짓이었다.

두두두두두!

미니미 기관총이 불을 뿜는다. 쇼핑센터의 안쪽도 짐과 도요타 포크리프트로 복도를 막아두고 기관총진지를 설치해서 방어벽이 만들어져 있었다. 저들의 방어선은 분명히 두껍지만…….

아마다 슈우지는 이미 방어선의 형태까지 다 알고 있었다. 그는 쇼핑센터의 중앙에 위치한 카트용 에스컬레이터 통로를 풀쩍 뛰어넘어서 단번에 상층으로 뛰어올랐다. 상층에는 이미 타츠미 효고가 총화기와 일본도로 무장하고 대기 중이었다.

"여… 형제. 아무리 그래도 냉장고에 처박아두는 건 너무했어."

"슈우지! 네가 한 짓이냐?"

"아니, 오해하지 마. 내가 했다기보다는 그냥 나도 뱀파이어가 되었을 때 막 일이 시작되고 있었어. 뭔가 동시다발적으로 일어난 일 같은데."

몬주 증식로 폭발의 여파로 날아든 방사능 물질에 의해서 그동안 안정적이었던 아웃레이지 중독자들이 발현해 뱀파이어가 되었다. 이런 해석이 가능할 테지만 애석하게도 아마다 슈우지는 그런 결론을 도출해 내기엔 너무나도 아는 정보가 적었다.

그리고 어차피 지금 이 순간은 그게 중요한 게 아니었다. 아마다 슈우지로서는 자신이 가지지 못한 삶에의 낙관을 가지고 있는 타츠미 효고가 참을 수 없이 짜증 나면서도 그럼에도 불구하고 그에게 매료되고 있는 것도 사실이었다. 타츠미 효고가 이상적이기만 한 관념을 실현시키기 위해 타츠미 트라이브를 이끌 때 아마다 슈우지는 그를 싫어하기도 하고 또한 좋아하기도 하면서 그의 곁에서 조직을 꾸려왔다.

기묘하면서도 깊은 우정이었다.

그러나… 뱀파이어가 된 지금은 이제 돌이킬 수 없다.

"슈우지!"

"효고! 난 네가 싫었다!"

슈우지는 효고에게 뛰어들며 단번에 목을 후려치려 했다. 효고가 소총으로 맞서서 총격을 퍼부어댔지만 지금의 슈우지에게 그것은 아프지도 가렵지도 않았다. 오히려 몸이 근질근질하던 차에 시원하다고 여길 정도였다.

하지만…….

투칵!

슈우지의 몸이 뒤로 날아가 떨어졌다. 효고가 깜짝 놀라서 뒤돌아보니 그곳에서는 방독면을 쓰고 있는 한세건이 있었다.

"…뱀파이어를 상대로 감정을 낭비하고 싶진 않아. 하지만 여기서는 한마디 하지 않을 수가 없군."

한세건은 등에 메고 있는 샷건의 벨트를 줄여서 등에 찰싹 달라붙게 하고 말했다.

"제발 닥치고 죽지그래?"

"이… 개자식이!"

슈우지는 바닥을 박차고 일어나 한세건에게 덤벼들었다. 하지만 그 순간 한세건이 안으로 뛰어들었다. 강유류 공수도를 익힌 슈우지였지만 폭주족 생활을 하면서 막싸움을 많이 해서일까? 주먹의 스윙이 너무 컸다. 그 틈을 타서 한세건의 콤팩트한

라이트 크로스가 꽂혔다.

쩍!

서현에 비해서 완력이 떨어질지는 모르나… 한세건의 라이트 크로스도 사람 두개골을 깨부수기에는 충분한 위력을 가지고 있었다. 게다가 카운터니 위력은 그야말로 발군! 아마다 슈우지의 거구가 뒤로 떠오르며 안면 전체가 내려앉았다.

하지만 아마다 슈우지는 즉각 재생을 성공했다.

"이 정도로……."

한 대 맞자 정신이 번쩍 든다. 아마다 슈우지는 한세건이 만만치 않다고 생각해서 우선 거리를 벌리려 했다. 그러나…….

쩍!

로우킥이 안다리를 후려갈긴다. 농담이 아니라 정말 다리가 끊어지며 피가 튀었다.

"수복 속도가 빠르군."

급한 대로 손날로 반격하는 아마다 슈우지의 공격이 미처 시작되기도 전에 한세건의 주먹이 슈우지의 쇄골을 찍었다. 쇄골이 부러지면서… 한세건에게 공격을 가하기 위해 한껏 긴장시켰던 근육이 팽팽하게 당겨졌다가 부러진 활처럼 빠각 소리를 내며 스스로 붕괴했다.

"아니… 아니야!"

이것도 수복한다!

그러나 그다음 순간 슈우지는 자신의 눈앞에 무수한 악령이 드글거리는 게 보였다. 갑자기 시야가 사라지고 어두컴컴한 심연만이 그를 들여다보고 있었다.

"도폭선이 없는 게 아쉽군."

한세건은 투덜거리며 옆에서 놀라서 구경하고 있던 타츠미 효고의 칼을 빼앗아 단번에 휘둘렀다. 두 동강 난 슈우지의 몸이 플로어 아래로 떨어져 버렸다.

"아… 아마다 슈우지……."

"이제는 뱀파이어일 뿐이야."

"아니, 하지만 저 녀석은 내……."

"내가 없었으면 네가 저놈과 박 터지게 싸웠어야 했을 거야. 지금 너는 남이 대신 네 친구였던 놈을 치워주니까 양심이 자극되어서 그러는 모양인데, 너나 저놈의 자기 연민에 어울려 줄 시간이 없다. 한때 무리의 우두머리였다면 사람들을 살려. 지금 그게……."

한세건은 타츠미 효고의 멱살을 잡아끌었다.

"그게 너의 의무다. 방송을 통해 지휘를 해! 사람들을 피난시켜! 아케이드 쪽의 뱀파이어는 처리했으니까 그쪽으로 보내!"

"다… 당신은?"

효고는 한세건에 대해서 잘 아는 바가 없지만 그럼에도 불구하고 지금의 그보다 한세건이 훨씬 더 나은 인물이라는 걸 알 수 있었다. 사람을 살리고 싶다면 그가 지휘를 하는 게 낫지 않은가? 왜 효고에게 넘긴단 말인가?

"나는 전자 장비랑 좀 떨어져 있는 게 좋아. 악령들이 날 너무 좋아하거든?"

한세건은 그리 말하고 엘리베이터 통로를 통해 접근해 오는 뱀파이어에게 권총을 갈겼다.

엘리베이터 통로를 기어오르던 뱀파이어가 굴러떨어지자 한세건이 엘리베이터 통로로 몸을 날려 뱀파이어를 쫓아 사라졌다.

서현은 돌아섰다.

길 끝에서 무시할 수 없는 외모의 셋이 다가오고 있었다.

서현은 한세건이 듣는지 안 듣는지 확인할 수 없지만 무전기에 말했다.

"아르곤 일당과 조우. 아케이드 쪽 지상. 오버."

그렇게 말한 서현은 아르곤 일당을 돌아보았다.

"…뭐야, 그 몰골은?"

서현은 그들을 보고 쓴웃음을 지었다.

무시할 수 없는 외모, 아니, 몰골이라는 게 더 어울릴까?

거구의 흑인과 창백한 백인 남자, 그리고 백발의 청년이 걸어오고 있었다. 백발의 청년은 청바지를 몇 개나 벨트로 이어서 무슨 거적때기처럼 어깨에 두르고 있고 다른 이들도 뭔가 들고 있는 걸 보면 사람들이 없는 사이 필요한 물건을 '조달' 내지는 '약탈' 한 모양이었다.

"…몸을 많이 움직이니까 옷이 잘 해지더라고. 아… 그, 뭐냐. 결코 이때다 하고 약탈하려고 한 건 아니야. 가게에 점원이 있었으면 틀림없이 지불했을 거야."

아르곤은 그렇게 변명하며 눈을 피했다. 지불은 개뿔… 아르곤과 에스프리가 돈이 없다는 건 뱀파이어가 아닌 서현도 익히 들어서 알고 있는 사실이었다.

시선을 마주치지 못하는 걸 보니 본인도 찔리는 것 같았다.

"배를 타고 떠났다고 들었는데 어째서 이곳에?"

"…몬주 증식로가 터지는 바람에 다시 돌아왔지. 그런데 마스크를 써야 할 만큼 상태가 심각한가?"

설마 몬주 증식로에 배 타고 가려고 했던 걸까? 그 말을 들은 서현은 실소를 머금었다.

"뱃길로 대략 천오백 킬로미터는 넘길걸? 그걸 배로 갈 미친 생각을 하다니……."

"아니, 태평양도 건넜는데 못 할 것은 없지. 시간이 문제였지. 그것보다 이야기나 할까."

"무슨 이야기?"

서현은 아르곤이 이 자리에 있는 게 결코 우연이 아니라는 걸 알아챘다. 아르곤은 서현을 만나기 위해 온 것이다.

"지금 우리는 서로서로 적대할 게 아니라 협력해야 해. 하지만 비스트는 그런 건 머리론 알아도 가슴으로 납득하기는 힘들겠지. 그걸 어떻게 하겠다고 힘으로 꺾어봐야 사정도 더 나빠질 테고."

"…힘으로는 꺾을 수 있다는 것처럼 들리는데."

서현은 그 점을 불쾌하게 들었다. 아르곤의 여유로움은 마음에 든다. 그러나 저 자신의 강력함에 대한 압도적인 자신감은 어째 거슬린다.

"그런 뜻에서 한 말은 아니고. 거참, 한 잔 줄까?"

아르곤은 자신의 노획물인 청바지 중 하나를 골라서 서현에게 제시했다. 물론 서현은 대답 대신 뒤의 쇼핑센터를 가리켰다.

"이거 다 내 거임."

"오⋯⋯."

"그리고 에스프리가 가난하다는 건 나도 안다."

거지에게 적선을 받으면 삼대가 쪽팔린다. 거기까지 말할까 했지만 그렇게 되면 자존심 싸움이 될까 봐 서현은 입을 다물었다.

"그래서 한세건을 대신해서 내가 좀 저 녀석 핸들링 좀 하라 그거지?"

서현이 그렇게 묻자 창백한 백인 남자가 자신의 배낭에서 노트북을 꺼내더니 그 노트북에 끼워져 있던 마이크로 메모리카드를 뽑아서 서현에게 던져 주었다.

서현이 그걸 받자 아르곤이 물어보았다.

"본래는 테트라 아낙스와 네가 연결 고리가 있지 않냐?"

테트라 아낙스가 요청해서 한국으로 돌아와서 한세건 옆에 붙어 있는 줄로 알고 있는데 왜 테트라 아낙스랑 직접 연락을 안 하고 이렇게 정보를 전해줘야 하는지 물어보는 것이리라.

"한세건 앞에서 테트라 아낙스랑 전화 통화를 하고 있으면 싫어할 테니까. 그리고 다들 한세건만 정신 건강 관리를 해주는데 내 정신 건강도 관리받아야 해. 나도 테트라 아낙스 말을 고분고분 잘 들을 입장이 못 된다고."

서현은 그리 답하고 메모리카드를 스마트폰에 끼웠다.

"상황이 상황이니까 이건 받는다. 빨리 피해."

"그러지."

아르곤은 그리 말하고 물러났다. 어디로 가는지, 앞으로 어떻게 할 것인지 물어보고 싶었지만 뭐, 이 메모리카드 안에 있겠지 싶어서 그냥 보내주었다.

뱀파이어의 상당수가 빠르게 커럽티드로 변하고 있었다.

한세건에게 두 동강 나서 쇼핑몰 아래로 떨어진 아마다 슈우지는 신음하면서 주위를 둘러보았다. 그와 함께 들어왔던 뱀파이어 대부분이 커럽티드로 변화되고 있었다.

그리고 이 커럽티드들은 인간과 뱀파이어를 가리지 않고 공격해 온다. 점액질로 뒤덮인 사람들의 시체, 암세포가 군데군데 자라나 더 이상 사람의 형상을 유지하지 못하는 끔찍한 살덩이가 명백한 악의를 가지고 아마다 슈우지에게 접근해 오고 있었다.

"젠장."

슈우지는 양손으로 땅을 짚고 몸을 날려 그 손의 공격을 피해냈다.

하지만 상처를 재생하려는 순간… 슈우지는 시큰거리는 통증이 자신의 목을 조르는 걸 느꼈다.

"윽… 뭐… 지."

불길한 예감이 든다 싶더니만… 그의 몸 잘린 단면으로부터 기괴한 신체가 자라나기 시작했다.

절단된 곳에서 육신이 재생된다면 원래의 육신이 나와야 하는 게 아닌가? 절단 부위가 몸의 절반이라면 그 아래면 당연히

라디오액티브 377

배, 장기, 기타 등등이 나와야 할 텐데 대뜸 팔이 나왔다.

더구나 이건 그의 신체였다. 조금만 신경 쓰면 자기 손가락처럼 움직일 수 있었다. 손은 이미 두 개 다 있는데도 몸 안에서 자라나는 새로운 손들이 그의 뇌에 자신의 영역을 할당해 줄 것을 요구한다!

그것만으로도 미칠 것 같다. 뇌신경학적으로 그것은 정상적인 사람을 돌게 만들기에 충분한 충격이었다.

하지만 더더욱 충격적인 건 당연히 그 모습, 그 끔찍한 모습이었다.

자신의 몸에서 새로운 사지가 돋아나고 더러는 곤충의 팔다리 같은 것이 자라는 것을 보면 제정신일 수가 없다. 카프카의 '변신'이 남의 이야기여서 망정이지 자신의 이야기가 될 때 얼마나 끔찍한 일인지……

그때 그런 아마다 슈우지의 귀에 냉철한 젊은 남자의 목소리가 들렸다.

한국어여서 알아들을 수가 없다.

이 상황에서 한국어를 하는 놈, 그것도 저렇게 침착한 어조로 말하는 놈이라면 그놈밖에 없겠지.

"이… 이봐!"

"……"

아, 그 순간 아마다 슈우지는 한세건을 용서했다. 변이의 고통보다 더 끔찍한 것은 이 이형의 괴물들 사이에서 혼자 있다는 사실이었다. 한세건은 그런 아마다 슈우지를 위해서 굳이… 일어로 바꿔서 다시 중얼거려 주었다.

"그렇군. 방사능하에선… 아웃레이지를 가진 뱀파이어들의 목숨은 파리 목숨인가. 얄팍한 도금은 쉽게 벗겨지는군."

"……."

이것만으로도 몸을 동강낸 놈에 대한 원한이 씻은 듯이 사라졌다니 우습다.

그만큼 지금 그가 처한 환경이 너무나 격렬한 변화를 겪었다. 그건 고통이고 고독이었다.

"기쁘냐?"

한세건도 그런 아마다 슈우지의 반응을 눈치챘는지 물어보았다. 방독면을 쓴 그는 벽에 걸려 있는 소화기를 잡고 휙 집어서 다른 커럽티드에게 던졌다. 움직임과 소리에 반응한 커럽티드들이 소화기에 달려드는 순간 한세건의 권총이 불을 뿜었다.

커럽티드들 사이에서 폭발이 일어났다. 압축 용기인 소화기가 터지면서 폭발한 것이라 그리 큰 폭발이나 커다란 파괴력은 아니지만 안의 분말들이 커럽티드의 몸, 점막에 닿아서 그들을 괴롭혔다.

'방사능이 이대로 퍼진다면… 일본 쪽은 굳이 손대지 않아도 정리는 되겠군.'

뱀파이어와 구울들이 계속 늘어나 안정화를 이루면, 그래서 상시 뱀파이어를 볼 수 있고 그들의 존재를 무시할 수 없을 정도로 계속해서 문제를 일으킨다면 월야의 세계는 붕괴하고 뱀파이어의 존재가 백일하에 드러나게 될 것이다.

그러나 이 방사능 물질은 아웃레이지에 중독된 이들을 빠르게 파괴한다. 아마다 슈우지는 구속력을 컨트롤해서 통각을 차단하고, 필요한 부위를 우선 수복시킬 수 있을 정도로 뛰어난 재능을 보였으니 보통의 뱀파이어가 아니다.

그런 아마다 슈우지가 이렇게나 빨리 커럽티드가 되다니?

아마 그렇다면 다른 뱀파이어들도 얼마 남지 않을 거고 동경도 아웃레이지 발발은 싱겁게 끝날 것이다.

커럽티드는 인간에게 밝혀져도 된다. 좀비 영화 등에서 흔히 나오는 물건이니까. 뱀파이어처럼 불사성을 가진 것도 아니고.

"…난……."

"나랑 함께 다니는 놈이 늘 하는 말이 있지. 왜 그런 소리를 하나 했는데 이런 상황이 되니 절절히 이해하겠어."

한세건은 서현의 입버릇을 떠올리며 쓴웃음을 지었다. 그 녀석이 없으니 망정이지 있었다면 자기 말 그대로 따라 한다고 난리 법석을 떨었을 것이다.

"난 네 백스토리에 관심이 없어. 그러니까 그냥 쿨하게 끝내자고."

한세건은 아마다 슈우지의 과거, 현재, 그리고 미래 그 어떤 것에도 관심이 없다. 관심을 가질 생각도 없다.

뱀파이어라는 것만 알면 충분하다.

"좋아, 정말 냉정한 놈이군. 그냥 날 끝내줘."

아마다 슈우지도 끈덕지게 자신을 동정해 달라고 매달리지 않았다.

"…이해가 일치하는군."

한세건은 한숨을 내쉬고 일본도를 들어서 녹티스 코어를 주입시켰다.

녹티스 코어, 과거 릴리쓰를 봉인한 성구 안에서 만들어진 강력한 저주… 그 저주를 검에 깃들여 제어하게 만들어진 마법이 한세건의 안에서 도검으로 주입되었다.

그리고 검은 번개가 아마다 슈우지를 관통했다.

한세건이 커럽티드와 다른 뱀파이어들의 미끼 역할을 수행하는 동안 타츠미 효고는 사람들을 대피시키는 데 성공했다.

서현이 이미 대피로에 있던 구울과 뱀파이어를 모조리 정리해 준 덕분이기도 하다. 뱀파이어들의 습격에 의해서 사람이 많이 죽긴 했지만 이들 둘, 기괴한 뱀파이어 헌터들이 도와준 덕분에 인명 피해는 예상보다 그리 크지 않았다.

"친절하기도 하지."

서현은 쇼핑센터의 비상용품 보관소에서 완강기용 줄사다리를 꺼내서 쇼핑센터 아래쪽으로 던졌다. 그리고 기둥에 두르자…….

타다닥!

한세건이 줄사다리를 평지처럼 달려서… 올라섰다. 시대극 영화의 닌자가 사다리를 타고 오르는 건 봤지만 그건 고정된 사다리, 그것도 약 2미터 정도가 한계였다.

흔들거리는 줄사다리를 두 다리만으로 밟고 타고 오른다니?

말도 안 되는 순발력이다.

하긴 그러니까 뱀파이어를 죽일 수 있는 거겠지.

"아그니가 걱정되어서 탄약을 좀 줄였는데 괜한 짓 한 것 같아. 아그니는 보이지도 않는군."

한세건은 투덜거리며 착지했다. 방독면을 쓰고 있어서 잠깐 움직인 것만으로도 숨소리가 거칠어진다. 그건 서현도 마찬가지다. 정화통을 통해서 들숨이 들어가야 하니까 아무래도 숨소리가 시끄럽다.

"사람들은 피난시켰나?"

"대충은… 하지만 너무 도와줘 버렸어."

서현의 뒤에는 타츠미 효고, 그리고 자판기 깨부수던 두 청년 신지로와 우스이가 있었다. 이들 둘은 처음부터 서현과 한세건의 도움을 받았기 때문인지 반짝이는 눈망울로 그들을 보고 있었다.

"으음."

"인간 마음이라는 게 간사해서, 막상 별일 없을 때는 도와주고 싶지만 이렇게 지속적으로 손이 가는 건 원하지 않는데."

"도메이 고속도로로 가야 해. 실베스테르가 먼저 도착했을지도 몰라. 어쨌든 지금 이곳의 사태는 곧 잦아들 거야. 아웃레이지의 뱀파이어들은 방사능에 특히 취약한 것 같으니까."

그렇게 말하던 한세건은 멈춰 섰다.

"설마……."

눈 안쪽, 뇌수 깊숙한 곳에 압정이라도 하나 들어가서 두개골 안에서 춤추고 있는 듯한 기분이 들었다.

"증식로를 폭주시킨 게 테트라 아낙스는 아니겠지?"

"음, 글쎄. 나야 모르지."

서현은 딴청을 피우면서 그렇게 답했다.

하지만 충분히 가능성 있는 이야기다. 과거의 고든은 그렇게 하고도 남을 인물이었고 고든의 기억, 고든의 염원을 이어받은 서린이 고든의 의식에 지배당하지 말라는 법은 없다.

설령 그게 아니더라도 권력자의 자리는 언제든지 사람을 타락하게 한다.

정의를 위해 고문에도 굴하지 않던 인권투사가 막상 권력을 쥐면 그 전보다 더한 독재자가 되는 경우가 이 세상에 얼마나 숱하게 있어온 일인가?

"일단 가능성은 충분히 생각해 두고… 이동하지."

"이 사람들은?"

"타츠미 효고가 챙기라지."

한세건은 미련 없이 사람들의 기대를 저버렸다.

"어……."

타츠미 효고를 포함한 생존자들의 표정이 굳어졌다. 한세건과 서현이 자신들을 구조해 주길 기대하고 있었던 것이다.

그때 웬 노파가 한세건에게 다가왔다.

"아니, 이봐! 어떻게 그럴 수가 있어! 응? 우리를 지켜줘야 할 거 아냐!"

"나랑 함께 있으면 당신들이 더 크게 다치니까."

"몰라! 당신 총칼을 들고 있는 걸 보면 어디 공직자 같은데 세금을 받아서 먹고살았으면 우리를 지켜줘야지."

"······."

왜 총칼을 들면 공직자지? 대체 어떤 논리의 비약인가? 흐르는 강물을 거꾸로 거슬러 오르는 연어처럼 논리가 팔딱팔딱 튀어 오르는 건가?

국제수배된 테러범에게 공복으로서의 자세를 요구하다니 그 것도 참 웃긴 일이다.

"아… 아줌마 저 친구는… 그게······."

주위의 다른 사람들이 극성부리는 할머니를 말리려고 했다. 그러나 그녀는 고집을 부렸다.

"아, 몰라! 얼른 우릴 지켜주라고! 난 내 자식을 만나러 가야 해!"

"…이런 건 한국에만 있는 게 아니었군."

한세건은 감동했다. 문화와 국경을 넘어서 어디나 이런 사람은 있다는 사실에서 인류의 보편성을 새삼스럽게 깨달았다. 여기서 더 나아가면 인류는 형제 우리는 하나 뭐 그런 머리에 총 맞은 소리도 나올 수 있겠지.

물론 한세건이 스스로를 미친놈이라고 자인하고 있지만 그 정도까지 미치진 않았다. 그는 더 이상 이 할머니나 다른 이들의 극성에 시달리지 않고 바이크에 올라타서 킥 스타터로 시동을 걸었다.

"따라와!"

한세건은 서현에게 그렇게 말하고 먼저 튀어 나갔다.

서현은 그런 한세건의 모습을 보고 한숨을 내쉬고 생수와 식량들을 좀 챙겨서 바이크에 싣고… 자신의 스마트폰을 바라보았다.

"대체 무슨 생각이냐, 서린!"

4

도메이 고속도로의 도쿄 IC에는 타츠미 트라이브의 하부 조직인 폭주우련대라는 폭주족들이 자리 잡고 있었다.

하지만 폭주족과 마약은 떼놓을 수 없는 불가분의 관계인지… 그들 역시 마약에 손대고 있었고, 몬주의 증식로가 폭주해 사방팔방으로 방사능 물질을 뿌려대자 그에 반응해 역시 뱀파이어와 커럽티드로 변해 버리고 말았다.

커럽티드들이 춤추는 것을 보면서… 배니싱 블러드의 생존자이자 현재로서는 앙리 유이의 충실한 콜택시 역할을 수행하는 에두아르도는 쓴웃음을 짓고 있었다.

다른 아웃레이지 중독자들이 쉽게 커럽티드로 타락해 버리는데 비해서 그는 아직 멀쩡하다. 앙리 유이가 그들을 유지시키기위해 특별히 조정제를 투여해 주기 때문이었다.

하지만… 그럼에도 불구하고 지금 눈앞에 벌어지는 저 커럽티드의 처참한 몰골은 에두아르도의 망막 밑바닥에 마치 빛이 필름 은판에 지워지지 않는 자국을 새기듯… 진한 각인을 남기고 있었다.

저건 그의 미래다. 앙리 유이가 계속 그를 필요로 해주면 오지 않겠지만 그럼에도 불구하고 무시할 수 없는 미래.

언젠가 반드시 다가올 그의 운명이었다.

물론 지금 현재로서는 저럴 일이 없다. 앙리 유이는 정말 아웃레이지를 강력하게 통제할 수 있었고 그의 가호를 받는 이들은 방사능 물질을 흡입하더라도 커럽티드로 변화하지 않으며… 다행인지 불행인지 모르겠지만 배니싱 블러드의 혈인 능력은 마법이나 기술 도구로 재현할 수 없는 유일하고 독창적인 힘이다.

그러나 만약 앙리 유이가 돌아버린다면?

앙리 유이 개인의 능력과 의지, 의사에 자신의 목숨이 걸려 있다면 당연히… 걱정하지 않을 수 없다. 자신의 목숨이 신이나 운명의 것이 아니라 한 개인의 것이라면 설령 그게 신과 운명의 소유일 때와 별반 다를 게 없다 해도…….

역시 불안하다.

"이봐, 콜택시. 뭔가 궁상을 떠는 표정인데."

아그니는 인근의 노점상이 버리고 간 상품 판매대에서 선글라스들을 꺼내서 이것저것 써보고 있었다. 여성용 선글라스를 끼고 거울 앞에서 이런저런 자세를 잡아보던 그는 어디서 구했는지 하늘색 고래가 잔뜩 그려진 남방을 입고 있었다.

"보나 마나 커럽티드를 보고 언젠가 자신도 저 꼴이 되지 않을까 그런 생각을 하고 있겠지? 궁상이 표정에 다 드러나 보이니까."

"네… 당신은 그런 걸 느끼지 않나 보군요."

에두아르도는 진마 아그니를 부러워했다. 적어도 그는 이 끔찍한 운명에서 한 발짝 벗어나 마음대로 살아갈 수 있다.

그와 다르게…….

"내 목숨이 신이나 운명의 손에 들려 있다면 쉽게 체념할 수 있을 텐데… 앙리 유이라는 한 개인의 손에 들려 있으니까 체념하기가 힘들군요."

"뱀파이어가 된 순간부터 그런 생각을 했어야지. 테트라 아낙스의 손에 우리의 미래 모두를 맡기고 있었으니까."

아그니는 쓴웃음을 지었다. 앙리 유이가 테트라 아낙스에게 저항하는 것은 아마도 이런 이유도 있을 것이다. 하지만 그로 인해서 앙리 유이가 다른 이들의 운명을 손에 거머쥔다면 앙리 유이에 저항하는 이가 나올 테고, 그러면 그의 손에 운명을 저당 잡혔다 생각하는 이가 새롭게 일어나겠지.

무한 연쇄. 그것도 아주 어이없는 무한 연쇄다.

"그래서 왜 우린 아직도 일본에 남아 있는 거지?"

아그니는 그 점을 물어보았다. CDC를 격파해 이 상황을 악화시킨다. 그게 처음의 목표였을 것이다. 아웃레이지를 일으키고 일본 정부를 붕괴시키고 이 상황을 수습하기 위해 접근하는 미국의 질병통제국과 미군을 격파한다. 그렇게 함으로써 월야를 유지해야 하는 테트라 아낙스의 부담을 늘리고 결과적으로 그를 파멸시킨다는 계획이었을 터.

하나 몬주 증식로 폭주로 현재 CDC는 혼슈 서쪽으로부터 철수하고 있는 중이었다.

이제 CDC의 중심은 동경도 서쪽 카나가와가 아니라 동쪽인 치바 쪽으로 옮겨질 것이다. 아니, 그들이 과연 일본을 구하려 하기나 할까?

만약 일본을 봉쇄한 채로 미국 행정부가 저들을 버려둔다면…
테트라 아낙스에게는 부담 될 게 아무것도 없다. 그냥 미지의 질
병, 끔찍하긴 하지만 바다 너머의 참담한 참사로 기억될 것이다.

"옮길 겁니다. 옮길 거예요. 이미 새로운 일이 시작되고 있습
니다. 하지만 여기엔 한세건이 남아 있지요."

"그를 확보하라 이건가. 정말 그가 필요하긴 한가?"

신을 만든다. 앙리 유이는 그런 목적을 가지고 있다 했다. 태
초의 영, 검은 영, 릴리쓰와 같은 존재를 만들어서 새로운 마법
체계를 만들면 그야 물론 위대한 업적이긴 하다.

그리고 그것을 위해서 오랜 세월 동안 사이키델릭 문으로,
VT인자의 변이체로 정련된 한세건이라는 샘플이 필요하다는
것도 논리적으로는 옳다.

그러나 앙리 유이의 행동이 마냥 논리적인가… 는 모르겠다.

아그니는 그 점을 의심하고 있는 것이다.

"일단 제가 아는 바로는 옳습니다. 하지만……."

에두아르도는 말꼬리를 흐렸다. 그를 포함해 앙리 유이의 콜
택시가 된 배니싱 블러드의 뱀파이어 놈들은 아그니나 다른 이
들을 옮겨다 주는 것 외에 전령의 역할도 수행하고 있다. 싫어
도 필요 이상으로 많은 정보가 그들을 통해서 옮겨진다.

아무 생각 없는 츠구미조차 알아선 안 될 것까지 눈치채게 마
련이다.

하지만 에두아르도라는 놈이 커럽티드를 보고 바싹 얼어버리
는 걸 보면 역시 그는 배반하지 못할 것이다. 앙리 유이가 그의

목숨줄을 쥐고 흔들고 있다는 걸 필요 이상으로 깊게 자각하고 있으니까.

커럽티드를 보면서 자신의 운명이 한 개인의 손에 들어갔음을 자각하고 한탄하긴 하지만 그건 어디까지나 싸구려 감성, 자기 연민의 일종일 뿐이다.

이 거대한 재앙을 일으킨 장본인의 손에 자신의 운명도 달려 있다는 걸 강조해서 스스로 가해자보다 피해자 선에 서는 것이겠지. 이런 소시민적인 놈은 절대 배신을 못 한다.

그래도 아그니는 물어보았다.

"그 아담이라는 놈 말이야, 설마 아담카드몬인가? 완성작인가 실패작인가?"

"⋯⋯."

아담카드몬, 연금술사들 사이에서는 최초의 인간이라 불리는 존재로 일각에서는 현행 인류보다 훨씬 더 신에 가까운 존재라고 여겨지고 있었다.

신을 만들고자 하는 마법사라면 당연히 아담카드몬에도 관심을 가질 터. 앙리 유이의 곁을 졸졸 따라다니는 놈의 이름이 아담이라면 당연히 아담카드몬과 뭔가 연관이 있을 것이다. 그렇지도 않고 아이 이름을 그따위로 지었다면 나중에 뭔 짓을 당해도 싸다.

"잘은 모르겠습니다만 한세건을 목표로 삼는다면 당연히 아담카드몬은 완성하지 못했을 것 같군요."

"그럼 여기서 나보고 한세건을 잡아달라는 건⋯ 낚시가 아니라 이거지?"

아그니는 하트 형태의 안경테를 가진 선글라스를 고르고 히죽거리며 거울을 보고 있었다.

"네. 제가 붙어 있잖습니까. 만약 뭔가 문제가 생기면 그때는 제가 함께하면 됩니다. 최근 제 능력이 점점 강해지고 있으니……."

과거 배니싱 블러드의 리더, 자인을 능가하는 엄청난 텔레포트 능력을 가지게 되었다. 기뻐해도 좋을 일이지만 에두아르도의 표정은 그리 밝지 않다. 재주는 곰이 넘고 돈은 딴 놈이 챙기는데 곰이 자기 재주가 좋아졌다고 기뻐할 이유가 무엇이겠는가?

"내가 패할 것을 미리 상정해 두고 있어서 기분이 나쁘군."

아그니가 그렇게 투덜거리자 에두아르도가 한마디 했다.

"아르곤이 돌아다니고 있으니 조심해서 나쁠 게 없지요. 그리고 만약 패한다면 패인은 틀림없이 그 엽기적인 선글라스 때문일 겁니다."

"오, 말 잘하는데. 주둥이에 아주 힘찬 기운이 감도나 봐? 내 앞에서 그렇게 함부로 이빨 연주한 애들치고 비운의 예술가 꼴면한 놈이 없는데……."

아그니가 그렇게 말할 때였다.

갑자기 커럽티드들이 일제히 독기를 뿜어내기 시작했다. 그와 동시에 도메이 고속도로 출구 부분에서 천둥번개가 내리쳤다.

실베스테르와 헥토르가 당도한 것이다.

第16夜

왕과 반역자

1

    일본 동경에 봉쇄 조치가 내린 후 세계 경제는 가파른 내리막 길을 고속 질주 하고 있었다.

    거대한 경제주체가 단번에 증발하고 일본 내각이 붕괴했으니 그 파장은 이만저만한 게 아니었다. 한 나라만의 문제가 아니라 전 세계가 막대한 자본과 시장, 경제주체를 잃어버린 것이니 향후 지속될 불경기가 예상되었다.

    그나마 만약 일본이 재기할 경우 토목 건설 등 사회 인프라의 재구축을 할 필요가 있다고 예상되어 건설, 토목주는 덜 빠졌지만 그렇다고 해도 사이드카가 발동할 만큼의 대폭락이었다.

    불경기가 예상되니 주가는 물론 원자재 가격까지 폭락해서 몇몇 투자자가 뉴욕 곳곳에서 투신자살을 할 지경이었다.

인류가 아등바등 쌓아온 경제 자산의 약 7%가 단 하루 만에 증발해 버린 셈이다.

그러나 인간들은 살아간다.

어차피 투자자들이 아니라면 바다 건너 남의 나라의 일, 전쟁이 터지든 역병이 번지든 방사능 재가 휘몰아치든 남의 일이다.

그리고 이건 인간의 본성이었다. 이런 본성이 있기에 인간은 언젠가 맞이할 죽음을 인지하지 못하고 하루하루 살아갈 수 있는 것⋯⋯.

왜 제3세계의 기아와 고통을 이해하지 못하냐고 사람들을 닦달해 봐야 소용이 없겠지.

2

깁슨 인베스트먼트의 오너, 로우 깁슨은 부잣집의 자손으로 태어날 때부터 이미 억만장자였다.

명문대를 나오지도 않고 다른 인간들과의 별다른 인맥도 없이 거대한 부를 상속받은 젊은 애송이라고 많은 이는 그의 성공을 시기하고 폄하하고 있었지만 할아버지인 키치너 깁슨의 재산을 상속받은 그의 행보는 놀라울 정도였다.

14년간 연 12%대의 수익을 안정적으로 올렸다.

즉 지난 14년간 그의 총자산은 4.8배 늘어난 것이다.

원래 거부였던 키치너 깁슨의 자산을 4.8배로 불려놓았으니 누구도 그가 단지 부모 잘 만난 애송이라고 폄하할 수가 없었다.

물론 그 실체를 알면 폄하해야 할지도 모른다.

로우 깁슨의 투자 실적은 그가 미래를 이미 알고 있기에 달성 가능한 일이었다. 왜냐면 그가 바로 아낙스의 수제자로 불리는 뱀파이어, 팬텀이었기 때문이다.

예지 능력을 가진 뱀파이어의 왕, 아낙스는 자신의 심복들에게 그 예지를 나누어 주었고 이는 그야말로 사기적인 특혜였다.

이미 미래를 알고 투자에 임한다면 이건 분석력도 승부사의 감도 필요 없는 야바위에 불과하다. 선량한 다른 개미 투자자들만 쪽쪽 빨아먹는 사기나 다름없다.

이번 동경 사태에서 그는 폭락하는 주가와 원자재에 대해서 대량의 풋 옵션을 매수해 두었고 가지고 있는 현금 자산 대부분을 금으로 바꾸었다.

이 정도로 노골적으로 투자하게 되면 동경 사태를 미리 예측하고 있다고밖에는 할 말이 없다. 정부 기관도 수상하게 여기고 조사에 들어갈지도 모른다.

하지만 아무도 깁슨 인베스트먼트의 해괴한 행보에 대해서 뭐라고 하지 않는다.

언론은 말할 것도 없고 이런 걸 관리해야 할 금융감독원이나 국토보안국, CIA 등에서 내사가 들어오는 일도 없었다.

왜냐면 트라이콘, 플렉스 재단, 디펀드 등의 회사들 역시 깁슨 인베스트먼트보다 훨씬 더 대규모의 자본을 투자해서 일본 폭락에 베팅을 걸었기 때문이었다.

이들은 모조리 테트라 아낙스가 지배하는 회사들이다. 하지만 일반 인간들은 도저히 그 연결 고리를 짐작하기 힘들다.

하나가 아닌 여럿이 움직였으니 누구 하나에게 책임을 물을 수도 없고 테트라 아낙스가 개입한 일이라면 사람의 마음을 조종해 수사 의욕을 증발시키는 것도 어려운 일이 아니다.

"무서운 녀석이군."

팬텀은 새로운 테트라 아낙스에 대한 감상을 솔직하게 말했다.

많은 뱀파이어는 서린이 테트라 아낙스의 자리를 차지한 후 보인 유화책들에 대해서 노골적으로 그를 무시했다.

새로운 테트라 아낙스는 예전의 고든처럼 폭군이나 엄군이 아니다. 그런 제스처를 보인 것만으로 그들은 서린을 무시했다.

무서울 것 없는 애송이.

조금만 으름장을 주면 아낙스의 힘으로 거대한 부를 그들에게 안겨주지 않을까?

이런 식으로 흥정의 대상으로 여긴 것이다.

지도자의 성향이 채찍과 당근 중 당근 쪽을 더 중시한다면 말을 고분고분하게 듣는 게 바보짓이다.

저항하면 저항하는 대로 많은 당근을 얻을 수 있을 텐데 왜 굳이 말을 듣는단 말인가?

그러나 지금 이 순간 서린은 일본 혼슈의, 못해도 수천만 명을 버려 버렸다.

물론 이는 예지 능력자, 정보 능력자가 가지는 특성 때문이다.

작은 디테일은 예지하지 못해도 큰 그림은 예지할 수 있는 이들이 있다.

두루뭉술하게 일본이 붕괴할 거라고 예측하는 건 그리 어렵지 않은 일이지. 반면 앙리 유이가 구체적으로 어떻게 행동할지 예측하는 것은 너무나도 어려운 일이다.

그러나 팬텀이 서린에게 주목하는 건 그런 점이 아니다.

서린은 사람들의 죽음에 기꺼이 베팅해서 수익을 올릴 만큼 냉철하다.

그리고 그 정도로 냉철한 예지 능력자는 다른 뱀파이어들이 생각하는 만큼 말랑말랑한 감수성을 가진 사춘기 소년일 수가 없다.

팬텀은 자신의 펜트하우스의 창문으로 도시를 굽어보면서 손목시계를 바라보았다.

새로운 테트라 아낙스, 서린과의 약속 시간이 얼마 남지 않았다. 하지만 접근하는 헬기도 없고 러시아워라 도로는 꽉 막혀 있으니⋯⋯.

그렇게 생각했을 때 그가 바라보고 있는 창문에 인영이 비춰졌다.

놀란 팬텀이 돌아보니 그곳에는 언제 도착했는지 서린이 와 있었다.

서린과 조반니 반테로, 그리고 긴 머리칼의 소녀, 스팅레이다. 서린을 제외한 둘은 빅토리아 시대의 집사 복장을 하고 있는데 스팅레이야 그렇다 쳐도 마약왕으로 불리던 조반니 반테로는 정말 어울리지 않았다.

"…어째서 그가?"

"콜롬비아의 치안이 안정화되고 마약을 소탕했잖습니까? 더 이상 그가 콜롬비아에서 활약할 필요는 없지요."

서린은 그리 말했다.

비가 오니 우산을 펼치지 않겠느냐는 말투였지만 조금만 생각해 보면 이게 얼마나 말이 안 되는 일인지 알 수 있었다.

"그는 마약왕이었습니다."

콜롬비아의 치안이 안정화되고 미합중국에 들어오는 마약 대다수는 로스세타스, 멕시코 라인을 통해서 들어온다.

그렇다고 해서 막대한 현금과 무력을 갖추고 있던 한 세력의 두목이… 한때 일국일성의 주인으로 온갖 부귀영화를 누리던 이가 이제 와서 돌아올까?

설령 원래 테트라 아낙스의 부하였다 해도 쉽게 이득을 버리고 다시 주인에게 돌아올 수 있을까?

그렇다면 무수히 많은 군웅담의 영웅들이 자기 부하들에게 배신당해 죽진 않았을 것이다.

그렇다고 조반니 반테로가 무슨 서린에게 애정을 느껴서 충성을 바치는 것도 아닐 터.

눈앞에 있는 이 아낙스의 화신은 남미 마약왕 자리를 차지하고 있던 이를 수족으로 부릴 만큼의 지배력, 절대적인 지배력을 가지고 있다.

그런 위험한 존재가 팬텀에게 다가와 창문 앞에 나란히 섰다.

"약속 시간에 늦을까 봐 무례를 범한 점 죄송하게 생각합니다. 함부로 가택 침입을 하다니."

"아니, 됐습니다."

팬텀은 쓴웃음을 지었다.

앙리 유이가 사건을 벌인 이후, 앙리 유이와 동문으로 긴밀한 관계인 팬텀의 입장이 난처해졌다.

그런데 테트라 아낙스가 텔레포트로 가택 침입 좀 했다고 뭐라고 할 처지가 아니지.

그리고 애초에 테트라 아낙스도 테트라 아낙스다.

가택 침입 정도로 사죄할 거면 남들을 예지 능력이나 천리안으로 감시하는 것도 심각한 사생활 침해가 아닌가?

존재 자체가 사생활 침해의 화신이면서 이제 와서 이런 사소한 걸로 사과를 하다니 아무리 생각해도 빈정거리는 걸로밖에 보이지 않는다.

"그래서 무슨 일이신지? 고명하신 테트라 아낙스께서 가택 침입을 할 정도면 뭔가 그럴듯한 문제를 들고 오신 것 같은데."

과거의 테트라 아낙스, 고든은 무리한 세포 증식을 하느라 몸이 상해서 휠체어 신세를 져야 했었다. 그 결과 대부분의 회동은 상대를 부르는 것, 그것도 아니면 텔레파시로 직접 연결하는 방식이었다.

그런데 이 텔레파시로 직접 연결하는 방식이 정말 대단해서 만약 그런 방식의 정보 전달을 어떤 통신 회사든 개발해 낸다면 돈방석에 앉을 게 틀림없다. 현실에서 직접 만나는 것 이상으로 의사 전달이 잘되기 때문이다.

그런 좋은 방법을 놔두고 굳이 텔레포트로 직접 만나러 왔다면…….

"아, 들켰군요. 자, 이거."

서린은 싱긋 웃으면서 약병을 꺼냈다.

"…뭡니까, 이건?"

"아, 원래 저희가 이제 슬슬 배포하려는 '아이스' 였어요."

"아이스?"

아이스라면 보통 '크리스털 매스', 다른 식으로 말하자면 필로폰을 말하는 은어다. 그런데 왜 그걸?

"아, 정식 명칭은 포르피린증 치료제예요. 제품명을 아이스로 하는 건 반대가 크지만… 어차피 포르피린증 치료제는 그렇게 수요가 큰 약도 아니고……."

포르피린증, 그것은 선천적, 후천적으로 태양광에 의한 대사 과정에 문제가 생겨 발생하는 질병이다. 태양광에 의해서 목숨을 잃을 수도 있기 때문에 뱀파이어들 사이에서는 자신들의 처지를 지칭하는 은어이기도 했다.

"그 말인즉슨……."

"이 약을 투약하면 뱀파이어가 태양광 아래를 걸을 수 있지요. 진마가 아니더라도, 에스콰이어가 아니더라도."

"……."

"그 외에도 인간을 필요로 하지 않는 인공 혈액도 만들어봤는데 현재로서는 단가가 인간 혈액보다 비싸고, 인간을 먹지 않으면 VT인자가 축적되지 않더군요. 말하자면 다이어트 콜라에 가까워요. 영양분은 없고 맛만 비슷하지만… 뱀파이어들이 흡혈할 때 느끼는 특유의 고양감도 주지 않지요."

테트라 아낙스가 여러 가지 신약을 만들고 있다고는 알고 있었지만 설마 그 성과물을 직접 들고 올 줄은 몰랐다. 팬텀은 그 약들을 받아서 테이블 위에 놓고 굴려보았다.

"이 약들은……."

"네, 아웃레이지와 놀랍도록 흡사하지요? 원래 앙리 유이의 계획은 우리가 이 약을 유통하면 그 안에 섞어서 이걸 뱀파이어들에게 뿌려서 거의 모든 뱀파이어를 지배할 생각이었을 거예요."

"그래서 제공하지 않았군요. 하지만 이런 약이 있다면……."

아웃로 뱀파이어들은 일광 아래에서 활동할 수 없기에 어둠의 세계로 흘러들어 갔다. 그들은 대낮에 마음 놓고 휴식할 수 있는 위치가 절실히 필요해서 어둠의 세계의 범죄자들과 손을 잡는다.

그리고 범죄자들과 손을 잡아 마음이 황폐해지면 결국에는 헌터들의 제물이 된다. 지금까지 아웃로 뱀파이어들의 말로는 모두 다 그래왔다. 그렇지만 이 약은 바로 그 아웃로 뱀파이어들의 굴레를 끊어버릴 만한 혁신적인 제품이다.

앙리 유이의 아웃레이지가 먼저 풀려서 의미가 퇴색하긴 했지만 아웃레이지는 일단 한번 복용하면 자신의 목숨을 저당 잡혀야 하는 것, 그러나 이 테트라 아낙스의 신약은 다르다.

모든 뱀파이어의 충성을 얻을 수 있는, 그런 위대한 약이 아닌가?

그러나 정작 서린은 시큰둥했다.

"앙리 유이가 똑같은 형태로 약을 뿌려 버린 이상, 이게 진짜라고 입증할 수 없는 상태예요. 마치 타이레놀 독극물 사건과 같군요."

타이레놀 독극물 사건은 1982년 누군가 의도적으로 타이레놀에 독극물을 주입한 사건을 말한다. 그때 타이레놀의 제조사인 존슨&존슨은 타이레놀을 전량 폐기하고 시장에 유통하지 않음으로써, 그리고 새로운 디자인의 약병과 약을 생산함으로써 상황을 해결했었다.

"하지만 그날 이후 약물 오염 사태를 막기 위해서… 제약 회사들이 다양한 노력을 기울였을 텐데요."

그 사건 이후 대부분의 약은 한번 개봉하면 원상태로 돌릴 수 없다. 알약을 알루미늄 캡슐 포장으로 덮고 캡슐에 과립형 약을 봉인하는 형태의 약들이 한번 캡슐을 분리하면 절대로 재조립이 될 수 없게 만들어져 있는 것도 그 때문이다. 이미 뜯은 오염 흔적이 있는 약이 유통되지 않도록 하기 위한 장치인 것이다.

"문제는 앙리 유이가 이 약을 제조한 설비가 단순한 마약상들의 가내수공업이 아니라 진짜 제약 회사 설비를 썼다는 거지요. 조잡한 복제약 따위가 아닙니다."

서린은 앙리 유이가 유통시키는 아웃레이지 약통을 들어 보였다. 진짜 제약 회사에서 포장한 약이라 플렉스 메디칼의 '아이스'에 비해서 포장의 완성도가 더 높으면 높았지 떨어지진 않았다.

"과연 포장 기술의 선진국 한국답습니다. 이렇게나 훌륭한 질소 포장. 세상에, 10개는 들어갈 것 같은 종이 박스를 뜯으면 그 안에 알약은 고작 7개 들어 있다니!"

서린은 호들갑을 떨며 그렇게 말했다.

"한국이 포장 기술의 선진국입니까?"

"아, 네. 어떻게든 제품을 덜 넣고 박스는 큰 척하는 데 있어서는… 어쨌거나 진짜 괜찮은 디자인이군요. 일반 싸구려 공장에서 가내수공업으로 만드는 알약들과는 차원이 달라요. 이런 게 유통되면 아이스는 유통시킬 도리가 없지요."

"그래도 그 존재를 알리면 다른 뱀파이어들에게 희망을 줄 수 있을 텐데요."

팬텀은 그렇게 생각했다. 테트라 아낙스가 아웃로를 구제할 수단이 있고 구제할 의사가 있다는 걸 알리는 것만으로도 앙리 유이의 세력은 한풀 꺾일 것이다.

현재로서는 앙리 유이의 우세승 같아 보이지만 그건 어디까지나 테트라 아낙스가 이 상황에서 왠지 손을 놓고 일방적으로 처맞고 있기 때문이지 테트라 아낙스가 그에 합당한 움직임을 보이기만 한다면 전통의 강호에게 기우는 건 당연한 노릇 아닌가?

그러나 서린이 고개를 갸웃거렸다.

"그런데… 문제는 제가 이 약을 아웃로들에게 유통시킬 생각이 없어졌다는 거지요."

"…네?"

팬텀은 당황했다. 그 역시 수천 년을 살아온 뱀파이어. 어지간한 일에는 놀라지 않을 정도로 나름대로 산전수전 다 겪었다고 생각했는데 이런 소리를 들을 줄은 몰랐다.

콰르릉…….

펜트하우스 위로 번개가 떨어졌다. 뉴욕 센트럴파크를 향해 바다로부터 거대한 먹구름들이 몰려온다.

"아웃로들을 구제할 생각이 있었지만 없어졌다. 그렇게 들리는데요."

"네!"

서린은 싱긋 웃었다.

그리고 폭풍우가 상륙했다.

3

아르곤이 건네준 자료는 테트라 아낙스가 아르곤에게 준 메일들을 그대로 저장한 것이었다. 테트라 아낙스는 앞으로 일어날 일들에 대해서 타임 테이블별로 패턴 A, 패턴 B, 패턴 C 이런 식으로 정리해 두었다.

각 분기마다 어떤 국면으로 접어들지 상세히 알려주는 자료였다. 이걸 통째로 넘긴 건지 아니면 일부분 지우고 넘겨준 것인지 모르겠지만 아르곤이 준 정보는 너무나도 자세하게 되어 있어서 분석하는 데 외려 많은 시간이 필요했다.

"이런 식의 대규모 예지 능력인가. 이런 건 나도 못 하겠는데."

서현 역시 아낙스의 능력인 예지 능력과 정보 능력을 사용할 수 있었다.

하지만 그가 사용하는 능력은 어디까지나 아낙스가 아낙스일 때의 수준, 아낙스가 고든이라는 오체 불만족의 노인으로 변모하면서 얻어낸 엽기적인 힘에는 미치지 못한다.

아낙스라는 영물이 스스로의 머리를 쪼개 넷으로 불리고 무수한 비늘을 뽑아내어 새로이 분신을 만들어내었다. 그 결과 광기가 그를 지배하게 되었지만 그 행동이 무의미하진 않았다. 힘을 늘리는 데는 충분했다.

'하지만 그 결과가 이건가? 이런 식의 대량 예지 정보라면 정말 미칠 만도 하겠군.'

서현은 이 예지를 보면서 소름 돋는 공포를 느꼈다. 그가 예지 능력을 사용할 때는 오로지 테트라 아낙스의 예지를 상쇄하기 위해 사용하는 역정보, 그것에만 힘을 사용해도 원기가 상할 정도로 혹사해야 했었다. 하지만 테트라 아낙스는 이런 대규모의 정보를 계속해서 처리해야 한다.

예지로 본 비전과, 그를 통해 회피한 현실들이 여러 가지 버전으로 뒤섞이면 뭐가 진짜 현실인지 현실감각이 떨어지게 마련이다. 이런 대규모 예지가 계속되면 정신분열증에 걸릴 거다.

"뭘 보고 있어?"

한세건이 서현에게 질문을 던졌다.

"야동."

서현은 무성의하게 답했다.

한세건은 쓴웃음을 지을 뿐 다시 앞으로 시선을 던졌다.

그때 도메이 고속도로 쪽에서 빛이 번뜩였다. 마치 전신에 조명을 단 심야의 무법자(보통은 견인차)가 도로를 관통하고 인터체인지를 지난 것 같았다.

물론 도심 쪽으로 소음 공해가 일어나는 걸 차단하기 위해 세운 방음벽이 빛을 막아주어서 더 가관이다. 탁한 사기로 가득 찬 하늘 아래 번쩍이는 불빛이 지나간다.

"이런 젠장. 늦었……."

"저게 헥토르인가?"

서현은 무심코 그렇게 말했다. 아르곤이 준 자료에는 물론 적의 자료도 들어 있었다.

카르나크 지방에서 잠들어 있던 동면형 진마 헥토르.

요주의 인물이다. 그가 지닌 혈인 능력은 전하 조종. 과학기술이 발달하지 않은 과거에는 그저 신기한 능력에 불과했었지만…….

과학기술이 발달한 지금 전하를 마음대로 컨트롤하는 게 가능하다는 건 정말 무시무시한 일이다.

'나 역시 쓸 수는 있지만 도저히 컨트롤이 안 되어서 포기했었는데.'

서현도 전하 조종은 가능하지만 어디까지나 장님 코끼리 더듬는 정도의 정밀도밖에 가질 수 없었다. 반면 헥토르는 한 가지 능력만을 꾸준히 팠을 테니 숙련도 면에 있어서 비교할 수 없을 것이다.

그나마 다행인 것은 헥토르가 동면형 뱀파이어라는 것이다. 동면형 뱀파이어는 일단 깨어나면 동급의 다른 뱀파이어들을 월등히 상회하는 능력을 지니게 되지만 그렇다 해도 수백 년 전 인물임에는 틀림없다. 지난 수백 년간 인류가 이뤄낸 발전은 석기시대에서 산업혁명 전까지 이뤄낸 성과를 뛰어넘는다.

자다 깬 놈이 단기간에 과외 좀 했다고 따라잡을 만한 진보가 아니다.

과연 동면형 뱀파이어가 토카막이나 강입자 가속기 같은 것을 재현할 수 있을 것인가?

'그렇다고는 해도 적의 무능함을 상정하고 안심하는 건 위험한 일인데 말이야.'

그런 생각을 하고 있었는데…….

다음 순간 갑자기 빛이 사라졌다.

"뭐지?"

"앙리 유이 파벌에는 텔레포터가 붙어 있어! 일단 실베스테르와 합류한다!"

한세건은 그리 말하고 바이크의 연료통에 직접 연료를 부어 넣고 통을 뒤로 휙 집어 던졌다.

"이해할 수가 없군."

곱슬진 금발을 길게 길렀지만 전체적으로는 무슨 회화 데생용 석고상의 인물을 그대로 현실에 끄집어낸 것 같은 용모의 남자, 진마 헥토르는 그렇게 중얼거렸다.

실베스테르 신부를 쫓아 동경까지 진입한 그는 현재 녹아버리다시피 한 전기차를 버리고 텔레포터인 츠구미와 함께 텔레포트해서 도쿄 IC 인근 쇼핑센터 아케이드 위에 착지했다.

실베스테르를 궁지에 몰아넣긴 했지만 헥토르로서도 실베스테르에게 단독으로 결정타를 꽂아 넣기엔 부족하다. 그래서 앙리 유이는 도쿄 IC 인근에 다른 진마, 아그니를 대기시켜 두었으니 그와 합류해서 일을 처리하라고 했었다.

그런데 막상 아그니를 만나보니… 헥토르는 고개를 갸웃거렸다.

"아무리 생각해도 넌 하인 아닌가? 어떻게 너 같은 열등한 놈이 진마가 되어 앙리 유이의 부하가 아니라 파트너가 될 수 있는 거지?"

그 말을 듣는 순간 아그니의 표정이 확 구겨졌다. 헥토르가 프랑스어로 말했지만 슬프게도 인도차이나반도 출신인 아그니는 프랑스어를 알아들을 수 있었다.

"식민지의 하인 아닌가?"

헥토르는 다시금 아그니의 성질을 긁어놓았다.

"……."

아그니는 지금 당장 눈앞에 있는 이놈이 진마사냥꾼보다 더 견딜 수 없었다.

감히 그를 하인 취급 하다니. 그것도 그게 너무나 확고부동한 진리라서 의심할 가치도 없다는 듯한 표정을 짓고 있는 걸 보면 분노가 치밀어 오른다.

광기의 헥토르, 처음 그 이명을 들었을 때 아그니는 코웃음 쳤다.

뱀파이어 중에 제정신 박힌 놈이 어디 있다고 그런 허접한 이명을 달고 다닐 수 있담? 소위 말하는 중2병 아닌가? 자신만 특별하다고 생각하는 건가?

아그니 자신도 잔혹한 살인귀, 필요하다면 동족도 거리낌 없이 잡아먹는 동족 살해자로 유명하다. 그런 아그니 앞에서 광기니 뭐니 뻗대려면 보통 미쳐 있지 않고서는 부족할 것이다.

그렇게 생각하고 있었는데…….

실제로 만나보니 아그니로서도 광기의 헥토르라는 이명에 손을 들어줄 수밖에 없었다.

그가 상상하던 것과는 전혀 다른 성질의 '광기'다.

"야, 세상이 바뀌었거든? 아니, 그전에 인도차이나에 프랑스 식민지가 있던 시절이면 프랑스혁명 이후잖아. 응? 민주주의 모르냐?"

"뭔 말을 하려는지 모르겠군. 하지만 하인치곤 교육이 잘되어 있나 보군. 괜찮은 발음이다."

헥토르는 아그니의 프랑스어 발음을 칭찬해 주었다. 어디까지나 우매한 하인들치고 발음을 잘한다는 의미에서의 칭찬이라 사실상 도발이지만 헥토르는 진심으로 칭찬하겠다고 꺼낸 말이다. 그게 더 아그니를 열받게 했다.

"이 새끼가!"

분노한 아그니가 손을 쓰려 했지만 헥토르는 그런 아그니의 발악을 신경도 쓰지 않았다.

그에게 있어서 아그니와 같은 인종은 하인인 게 너무나 당연해서 설령 그와 같은 진마라 하더라도 감히 그에게 저항하거나 반항하는 걸 상상하기 힘들었다.

어디 하인이 감히 지엄하신 주인님께 감히 손을 올리려 하겠느냐. 아마도 어디가 가려워서 긁으려고 저러는 게 아닐까? 아니면 모기를 잡거나.

그렇게 생각한 헥토르는 쓴웃음을 지으며 실베스테르가 있는 방향을 가리켰다.

"영민한 하인이지만 모든 걸 다 알지는 못할 테니 한 가지 충고를 하마. 저 신부는 보통 인간이 아니다. 혈인 능력을 직접 저자에게 타기팅하고 쓰면 저자의 몸에 그려진 마법진이 혈인 능력을 흡수해. 청백색의 빛을 발하는 게 바로 그거다."

그가 가리키는 손가락 끝에는 철골로 만들어진 바리케이드, 일본CDC가 방재벽을 세우기 위해 가져온 골재들 위에 서 있는 실베스테르의 모습이 보였다. 보통 사람들에게는 점으로밖에 보이지 않을 거리, 약 800미터 정도 거리지만 아그니와 헥토르 둘 다 보통 인간의 것을 월등히 상회하는 시력을 가지고 있었다.

실베스테르는 몰려드는 뱀파이어와 구울들을 상대로 은사의 진을 펼치고 저항하고 있었다. 주위의 가로등, 가로수와 방치된 차량, 일본CDC가 설치한 방재벽에 은사를 걸어서 거대한 거미줄 늪을 만들었다.

아무 생각 없이 구울들이 접근하면 그 순간 은사가 청백색의 빛을 발하며 진동해 토막 낸다.

"일단 전부 돌격시켜서 무디게 해!"

아웃레이지 약제의 공급을 미끼로 충성하고 있는 뱀파이어들이 혈안이 되어서 구울들을 보내고 있었다. 아웃레이지를 꾸준히 공급받지 않으면 커럽티드가 되어버린다는 사실이 그들을 초조하게 하고 있었다.

그러나 실베스테르의 은사는 고주파음을 내며 진동할 때마다 접촉한 시체를 잘라낼 뿐만 아니라 밖으로 튕겨낸다. 구울들의 몸에 있는 살점과 지방으로 무뎌지길 바랄 수 없는 상황이다.

"비켜봐! 이걸로 단번에!"

보다 못한 뱀파이어 중 제법 거구의 남자가 작은 경차 한 대를 머리 위로 들고 발걸음을 빨리하고 있었다. 은사에 차량을 집어 던져서 중량으로 은사를 끊어내려는 것일까?

하지만 그 순간 한 발의 총성이 울려 퍼지고 달려들던 뱀파이어의 머리통이 터져 나갔다.

뱀파이어의 몸이 쓰러지며 자신이 들고 있던 차량에 깔려 산산조각 났다.

"응… 이걸로 단번에……."

"단번에 작살나긴 하네."

주위의 다른 뱀파이어들이 그 모습을 보고 할 말을 잃었다. 하지만 산산조각 났던 뱀파이어가 순식간에 자신의 몸을 재구성했다.

재생력만은 이미 진마 수준에 달한 아웃레이지 뱀파이어들의 특징이다.

문제는…….

"으어… 윽…….."

"젠장! 시작이다!"

"피해!"

주위의 다른 뱀파이어들이 몸을 피하는 것과 동시에 쓰러졌다 재생한 뱀파이어가 커럽티드로 돌변했다. 양팔이 길게 늘어나고, 입에서 기다란 개구리 혀 같은 게 돋아나고, 등 쪽에 끔찍한 고름을 흘리는 돌기가 돋아나며 몸 전체가 거대한 두꺼비처럼 변모해 간다.

"크르르르르!"

그렇게 돌변한 커럽티드가 등의 고름 돌기에서 촉수를 뿜어내고 혀를 발사해 주변 뱀파이어와 구울들을 무차별적으로 습격한다.

"능숙하군. 저래서야 아무리 뱀파이어들이나 구울들을 가져다 박아봤자 털끝 하나 못 다치게 하겠어."

아그니는 실베스테르의 농성을 보고 그렇게 평가했다. 은사로 주위의 잡스러운 것들을 차단하고 총화기로 요소요소를 정확히 막는다. 그의 은사진을 부수려 드는 놈들, 뛰어올라서 은사진을 뛰어넘고 직접 접근하려 하는 놈들을 미리 제거해 버린다.

게다가 몬주 증식로 폭발의 영향도 크다. 아웃레이지 뱀파이어들은 아웃레이지를 계속 투약하지 않으면 불안정해져서 쉽게 커럽티드가 되는데 실베스테르의 공격은 요소요소에서 뱀파이어를 커럽티드로 바꿔 버린다.

이리되니 뱀파이어들은 나서려 하지 않는다. 이론상 실베스테르의 은사진은 동시다발적으로 뱀파이어들이 뛰어들면 파훼되는 것이지만…….

그건 어디까지나 지금의 뱀파이어들이 다들 목숨을 아끼지 않고 하나가 되었을 때 가능하다. 세상 어떤 미친놈이 자기 죽을 거 확실한데 먼저 뛰어들어서 목숨을 초개같이 버리겠는가?

"앙리 유이가 저들을 지배하고 있긴 하지만 마음속에서 충성을 얻은 건 아니지. '배신하지 않는다' 와 '충성을 다한다' 사이에는 일만 광년 정도의 거리가……."

"똑똑하군, 하인. 그럼 여기서는 우리가 저자를 잡아줘야겠지? 나도 다 쉬었다."

휴식을 충분히 취한 헥토르가 그동안 먹어치운 수십 개의 헌혈 팩을 뒤로 집어 던지고 손가락 관절을 뚜둑뚜둑 꺾으며 스트레칭을 시작했다.

이 고대 뱀파이어는 아그니의 성질을 긁는 데 타고났다고 해도 과언이 아니리라.

"야, 이 씨발… 시대정신 국 끓여 먹은 새끼야! 아직도 망상에서 못 벗어났나 본데 내 손에 죽어봐야 정신을 차리겠냐?"

분노한 아그니가 따지고 들었지만 그 순간 이미 헥토르가 실베스테르를 향해 달리기 시작했다.

"아오, 미친놈 상대해 봐야 나도 미친놈 될 뿐인가! 괜히 광기의 헥토르가 아니구만!"

아그니는 분개하면서 헥토르의 뒤를 따랐다.

헥토르는 달리면서 인근 가로등을 향해 손을 뻗었다. 아연도금 된 강철판으로 만들어진 가로등이 마치 수수깡처럼 쉽게 부러지고 그 일부가 전자기력에 의해 빨려 들어와 헥토르의 손 앞에 떠 있었다. 헥토르는 그것을 양손으로 붙잡아 어깨 위에 올리고 한 손으로 저편, 실베스테르가 저격으로 발화시킨 커럽티드를 향해 쏘았다.

"'부정한 자'는 위험하지."

헥토르의 말이 끝나는 것과 동시에 그의 앞에 눈부신 빛의 터널이 생겨나 쏜살같이 가로등을 가속시켜 쏘아내었다.

전자기력을 이용해 탄환을 쏘아내는 일종의 코일 건이다. 전자기력 능력자들에게 있어서는 일종의 상징과 같은 것이지만 사실 코일 건은 상당히 정밀한 제어가 필요한 것이다.

코친차이나 식민지 시절만 기억하고 있는, 시대정신에서 유리된 정신병자가 쓸 수 있는 것이 아니다.

그걸 헥토르가 시전하니 거대한 가로등용 아연도금철판이 눈부신 플라스마 불꽃으로 변해 커럽티드를 관통했다. 그 후 커럽티드를 중심으로 폭발… 폭염이 순식간에 커럽티드를 전체적으로 태워 버렸다.

"켁……."

아그니는 그 모습을 보고 입을 다물었다. 놀라운 위력, 거기에 정확도. 저런 큰 기술을 사용하고 나서 별다른 부담도 내비치지 않는 헥토르의 모습에 놀란 것이다.

'나도 저만한 살덩이쯤 단번에 태울 수 있지만 커럽티드는 VT인자가 폭주한 놈, 혈인 능력에 저항력이 있단 말이지. 저건 혈인 능력을 직접 부은 게 아니라 순수한 물리력으로 작용해서 가능한 건가? 어느 쪽이 되었든 이놈이 바로 앙리 유이의 히트맨이었군.'

무엇보다도 일반인들이 전자기력을 이해하지 못하던 시절의 인물이, 아니, 지금 시대의 일반인들이라도 이공계열이 아니라면 저렇게 부드럽게 코일 건을 사출하지 못할 텐데 매끄럽게 공격을 펼친다는 건…….

헥토르가 똑똑할 리는 없고 앙리 유이와 상당히 긴밀한 관계를 맺어서 직접 능력을 컨트롤하는 방법을 배운 모양이었다.

"놀랐나, 하인? 나는 진짜 고대 종족 중 하나다. 인간과 다른 계보를 타고난 고대 종족 흡혈귀의 정당한 계승자. 이 지상을 걷는 진짜 귀족이라고 할 수 있지. 그러니 나의 하인이란 자리는 그대의 민족이 오를 수 있는 가장 영광된 자리라 해도 과언이 아니다."

"…달팽이 똥꼬 빠는 소리 하고 자빠졌네. 나도 그 고대 종족의 계승자거든? 그리고 뱀파이어가 민족이나 인종 가지고 차별하는 거 웃기지 않냐?"

아그니는 앙리 유이와의 협정이 어찌 되든 간에 저걸 한 대

후려갈기고 싶은 마음이 굴뚝같아졌다. 그렇지만 아르곤이 가만히 있을 리 없으니 아르곤에게 던져 줘야겠다. 그런 생각을 하며 꾹 참았다.

그사이 커럽티드를 쓰러뜨린 헥토르가 다른 가로등에 손을 뻗었다. 가로등이 잘려서 헥토르의 손에 들리는 순간 실베스테르가 대물저격총을 이쪽으로 겨누었다.

"감도 좋군. 진을 위협하는 자는 이 정도 거리에서도 즉각 감지하는 건가?"

헥토르는 실베스테르의 민감한 반응에 놀라워했다. 하지만 상대가 총구를 겨누고 있는 데 비하면 무덤덤한 반응이다. 대물저격총이라면 진마에게도 꽤 위협적인 무기임에도 불구하고 말이다.

이게 자신감 과다여서인 건지 아니면 이놈이 정말 멍청해서 저게 뭔지 모르는 건지 모르겠다. 아그니가 그런 의문을 품었을 때 실베스테르가 방아쇠를 당겼다.

"옳지!"

실베스테르의 총격이 헥토르를 향한 걸 본 아그니가 주먹을 움켜쥐었다. 이거 참 응원하고 싶은 심정이다.

그러나 실베스테르가 총을 쏜 순간 헥토르는 가로등으로 실베스테르의 총격을 받아냈다.

아연도금강판을 둥그렇게 돌려서 접합해 만드는 가로등이 50구경 라이플의 일격에 두 동강 났지만 헥토르의 전자기력이 총탄을 밀어낼 정도로 힘을 약화시키는 데는 충분했다.

"상당한 집중력이군."

헥토르는 실베스테르의 공격이 매우 정확했다는 사실에 놀라며 다시 코일 건을 시전했다.

커다란 우체통도, 주철로 만든 소화전조차 일격에 철거해 버리는 대물저격총이라 해도 코일 건의 위력에 비하면 새 발의 피다.

그러나…….

탕!

다시 총격이 퍼부어졌고 막 가속에 들어가려 했던 코일 건 탄체, 즉 가로등에 명중했다. 무게중심 축이 흔들리자 코일 건 가속에서 빠져나온 가로등이 지면에 처박혀 버렸다.

"윽……."

그 순간 헥토르도 난감해했다. 코일 건 가속은 아무래도 복잡한 기술이라 일단 발사하려면 집중할 시간이 필요하다. 그런데 그 순간 탄체에 총을 쏴버리면 코일 건 발사가 실패해 버리는 것이다.

"강력한 위력을 가지고 있지만 이런 문제가 있군."

헥토르가 손으로 자신의 어깨를 쓸어 올리자 손가락 끝에서 전기불꽃이 번쩍였다. 이번엔 직접 전기로 공격하려는 걸까?

바지지직!

헥토르가 전기를 방출하자 주위의 구울들을 향해 전기가 날아갔다. 당연하다. 가까이에 있는 도체들을 무시하고 저기까지 날아갈 리가 없다.

그러는 사이 실베스테르의 사격이 헥토르의 전하결계를 뚫고 들어와 헥토르의 어깨에 맞았다.

"큭!"

놀란 헥토르가 뒤로 한 걸음 물러섰다.

"어이쿠. 귀족 나리가 고작 뱀파이어 헌터에게 고전하시네?"

아그니가 빈정거리자 헥토르가 아그니를 돌아보았다.

"요즘 총화기가 엄청 좋아졌군. 권총탄은 어떻게 막을 수 있었는데 이건… 그리고 보면 앙리 유이가 자네에게 총화기를 막는 신묘한 재주가 있다고 했는데… 하인으로서 나 같은 귀족을 위해 봉사할 영광된 기회를 주지."

"……."

말이나 곱게 하면…….

하지만 뭐 말을 곱게 해도 죽여서 잡아먹을 수 있는 놈이면 죽여서 잡아먹었을 거다. 헥토르가 짜증 나긴 하지만 기회를 봐서 잡아먹을 생각 만만인 아그니로서는 아직 싸워선 안 되겠지.

아그니는 천연덕스럽게 답했다.

"산개하자고, 우리. 응? 상대가 총을 쏘는데 둘이 함께 움직이는 건 바보짓이지. 안 그래? 이게 바로 총화기를 막는 신묘한 재주지!"

아그니는 헥토르의 말을 무시하고 옆으로 몸을 날렸다.

"미친… 겁나 많잖아?"

서현이 무수히 많이 깔려 있는 구울들을 보며 혀를 내두르고 있었다. 도쿄 인터체인지 인근은 이미 좀비 영화의 정점을 찍고 있었다. 너무 구울이 많이 깔려서 접근하기도 쉽지 않은 판국이었다.

"대부분의 구울이 뱀파이어의 피가 떨어져서 작동이 중지될 상황일 텐데… 그렇지 않은 건… 앙리 유이의 소행이겠지. 아웃레이지를 미끼로 충성심을 얻어낸 걸 거야."

한세건은 그리 말하고 가이거 계수계를 켜보았다. 여전히 높은 수치다. 방독면이 갑갑해서 벗고 싶은데 이래서야 벗질 못하겠다. 방독면의 렌즈가 어둡고 짧아서 쌍안경으로 뭔가를 보질 못하겠다.

하지만 쌍안경으로 볼 것도 없다.

쉬이이이익!

제트기 날아가는 것 같은 소리와 함께 거대한 불길이 일었다. 헥토르가 발사한 코일 건의 탄체가 플라스마화하면서 일어난 불길은 수십 킬로미터 밖에서 보일 정도로 밝은 빛을 냈다.

덕분에 그들도 고립된 실베스테르를 발견했다.

"…무모하네. 혼자서 저 좀비 군단을 상대하고 있어?"

서현은 실베스테르를 보고 그렇게 평했다.

"어찌 되었든 합류하지. 아마 우리의 조력을 기다리고 있을 거야."

"잠깐만……."

서현은 스마트폰을 들어서 현재 시각을 확인했다. 시간도 시간이지만 아르곤 일행이 도착하기로 한 시간을 확인하는 것이다. 서현 자신도 비록 만성적인 카타볼릭 상태에 빠져 있지만 라이칸스로프의 왕자로서의 자존심은 꺾이지 않았다.

그러나 저렇게 많은 뱀파이어, 게다가 까다로운 혈인 능력을 가진 아그니와 동면형 뱀파이어 헥토르를 상대한다면 아르곤의 조력 아닌 조력을 받는 게 중요할 것이다.

물론 한세건은 아르곤의 도움 따위 절대로 사양하겠지만……

'이건 도움이라기보다는 공동 전선이라고 하는 게 옳겠지. 그런데 이놈들 이미 도착했을 시간이잖아?'

서현이 의아해하면서 스마트폰을 끌 때였다.

실베스테르는 마지막 탄창을 라이플에 장전했다. 은사진을 무너뜨리려 하는 적들을 하나하나 제거하고, 헥토르에게도 한 발 먹이긴 했지만 그럼에도 불구하고 현재 궁지에 몰린 것은 그였다.

헥토르와 아그니, 두 진마만이 아니라 다른 뱀파이어들도 쇠 파이프나 돌, 심지어 일본 궁도의 활로 공격해 오는 놈이 있을 정도였다. 헛짓을 하는 놈들이 있을 때마다 대가리를 날려주었지만 그러다 보니 탄약 소모가 커져서 이제 남은 탄창은 5발들이 하나……

이거론 어림도 없다.

원래 계획대로라면 이렇게 은사진을 유지하고 저지하다가 틈을 봐서 탈출할 생각이었는데 포위의 압력이 약해지지 않는다.

뱀파이어들을 공격해 커럽티드화시키면 시키는 족족 헥토르와 아그니가 그걸 처단해 버리기 때문이었다.

'역시 공격적인 능력을 지녔다는 아그니와 헥토르답군. 일격에 커럽티드를 잠재우다니……'

실베스테르 자신도 화기를 충분히 갖추지 않으면 일격에 커럽티드를 잠재울 수는 없을 것이다. 능력 상성에 따라서는 진마들도 커럽티드에게 고전하게 마련… 그러나 저들은 어렵지 않게 저걸 해낸다.

슬슬 은사진을 버리고… 튀어야 할 때다. 일반적인 구울들을 피해서, 저들 사이에 있는 뱀파이어도 피해서 착지했다가 반대편 건물로, 상가 건물들과 오피스로 피신해야 한다.

하지만 헥토르와 아그니가 있다는 게 문제다. 서현이나 한세건이 온다고 해도 여기에 적이 너무 많아서 별 도움이 되는지……

그런 생각을 하고 있을 때였다.

거대한 트레일러가 질주하고 있었다. 도쿄 IC 출구 쪽, 도메이 고속도로의 출구로부터 거대한 탱크로리가 달려온다. 일본 도로법상 있을 수 없는 강철 범퍼에 슬렛지 바를 용접해서 붙여놓은 MAN사의 대형 트럭이 하이빔을 켜고 돌격해 오고 있었다.

게다가 저 탱크로리에 들어 있는 건 액화천연가스! 폭발할 경우 그야말로 끔찍한 재앙이 벌어질 것이다. 저 정도 양이면 이 일대가 전부 불바다가 되고도 남을 양이다. 구울들이 그런 트럭을 저지하기 위해 달려들었지만 소용없었다.

이미 개조된 탱크로리는 접근하는 모든 구울을 육편으로 만들며 질주한다. 길을 가로막고 있는 차들을 밀어서 옆으로 날려 버리고 타이어에 걸려서 차량을 정지시키게 되어 있는 바리케이드는 차에 접근하기도 전에 뭔가 무형의 힘에 휘말려 튕겨 나갔다.

"노골적이네."

아그니는 그 모습을 보고 혀를 찼다. 돌격에서 손상을 덜 입도록 개조된 탱크로리 차량이라니 뭘 노리는지 뻔하다. 여기서 아그니가 발화 능력을 한 방 먹여주면 저 안에서 놈들이 자폭하겠지만… 아그니의 계산상 안에 있는 놈은 아르곤과 그 일당일 것이다.

그리고 아르곤과 그는 얼음과 불, 설령 저 액화천연가스를 폭발시킨다 해도 아르곤을 죽일 수 있을지 의문이다.

'아르곤은 별로 죽이고 싶지 않기도 하고 말이지.'

다른 뱀파이어들은 별로 좋아하지 않는 그이지만 아르곤에게는 경의를 표하고 있었다. 물론 그렇다고 이걸 묵과할 수도 없다. 진마사냥꾼 실베스테르를 이만큼 몰아넣었는데 여기서 빠져나가게 할 수는 없는 것이다.

그런데…….

철컥…….

실베스테르 신부가 탄창을 삽탄하고 노리쇠를 전진시키는 게 아닌가?

"응? 뭐 하는 거지, 저놈? 설마?"

아그니는 그 모습을 보고 당황했다. 분명히 아르곤은 실베스테르를 돕기 위해 접근해 오는 것일 것이다. 저걸 보고도 모르는 놈은 바보 천치이거나… 배은망덕하기 짝이 없는 인간쓰레기일 것이다.

그러나 실베스테르의 신조가 '좋은 뱀파이어는 죽은 뱀파이어뿐'이라는 걸 알고 있다면 놀랄 이유도 없으리라. 최근에 한세건의 활약으로 묻힌 감이 있지만 실베스테르가 뱀파이어에게 보이는 적개심도 결코 작지 않다.

하긴, 그렇지 않으면 아무리 인간을 초월한 마인(魔人)이라 불리는 존재라 해도 진마를 죽일 수 있을 리 없지.

아그니의 경악을 찢고 실베스테르의 총구가 불을 뿜었다.

물론 현대적인 탱크로리에 액화천연가스는 총 한 발로 절대터지지 않지만… 실베스테르는 작정하고 연사했다.

강력한 화력을 자랑하는 대물저격총의 위력은 탱크로리의 외벽을 크게 찢어놓았고 충분한 양의 산소가 섞이도록 안을 휘저어주었다. 그리고 마지막으로 마력이 걸린 발화 능력의 탄이 탱크로리에서 사방팔방으로 쏟아지기 시작한 액화천연가스 위로 명중했다.

탱크로리가 폭발하며 불꽃과 충격파가 사방을 휩쓸었다.

이 모든 게 손쓸 틈도 없이 순식간에 벌어진 일이었다.

"나도 뱀파이어를 별로 좋아하진 않지만……."

서현은 놀란 눈으로 지면에 손가락을 박고 판초우의를 펼쳐 열풍을 차단하며 중얼거렸다.

"…이건 좀 아니지 않아?"

"무슨 헛소리를 하고 싶은 거냐? 저 탱크로리를 몬 건 사람이 아닐 텐데? 뱀파이어 아냐?"

"아니, 아무리 그래도 도우러 온 놈을 즉각 쏴버리는 건……."

"천만에. 거기서 늦게 대응했으면 아그니나 다른 놈들이 어떻게 했을 거야. 탱크로리를 가져온 건 터뜨려 달라는 뜻 아니냐? 빨리 터뜨리는 게 올바른 대응법이지."

한세건은 실베스테르의 호쾌한 결단을 옹호하며 엄지손가락을 세우고 있었다.

되게 좋아한다. 한세건이 이렇게 뭔가 좋아하는 표정은 처음 본다. 보통 사람 같았으면 무슨 복권 맞은 줄 알겠다.

'미안하다, 아르곤. 나보고 이런 미친놈을 제어해서 사람 만들어달라고 했는데 그건 무리겠다. 아니, 이 경우는 미친놈들이라고 복수형으로 지목하는 게 맞겠지? 그 스승에 그 제자라고…….'

엄밀히 따지면 실베스테르는 한세건이 뱀파이어 헌터가 되겠다고 했을 때 일종의 후견인이었지 직접 뭔가를 가르쳐 주진 않았다. 김성희가 훨씬 더 많은 것을 가르쳐 주었을 것이다.

하지만 세간의 사람들은, 헌터들은 한세건이야말로 실베스테르의 적전 제자라고 했었다.

왜냐면 실베스테르는 자신과 관련된 사람에게 헌터를 하라고 떠민 적은 단 한 번도 없었기 때문이었다. 대부분은 헛된 꿈을 꾸지 못하도록 방해했었는데 한세건만은 유독 허락했다 한다.

그 이유가 이거였나? 미친놈들끼리 통하는 게 있어서?

서현은 판초우의를 거두고 몸을 일으켰다. 아직도 폭발의 잔향이 남아 있다. 인근의 가연성 물질들에 불이 붙었고 뜨겁고 메마른 바람이 사방팔방에서 휘몰아치고 있었다.

하지만 그런 만큼 효과 또한 대단했다.

차량 인근의 구울들은 싹 쓸려 있었고…….

철근 콘크리트로 만들어진 도쿄 인터체인지와 인근 고가도로들의 상판이 덜렁거린다.

주위 상점가와 오피스 건물의 유리창은 성한 게 없고 지금도 유리 파편 쏟아지는 소리가 들린다. 구울들 말고 뱀파이어들은 좀 살아남은 것 같지만 너무나 큰 손상에서 회복하지 못했는지 상당수가 커럽티드화되기 시작했다.

덕분에 포위망은 완전 엉망이다. 뱀파이어들이 커럽티드로 변하면서 서로서로 치고받고 있고 커럽티드가 이렇게 많으면 진마인 헥토르와 아그니도 곤란할 것이다.

실베스테르는 그 폭염과 충격을 틈타서 포위망을 탈출했는지 보이지 않는다.

'은혜를 원수로 갚다니 정말 쓰레기 같은 놈들이다. 아니, 전쟁범죄자로 용병단을 이끌고 사전(私戰)을 벌인 내가 이런 소리를 하는 건 이상하지만 인간적으로 잘못되어 있는 거 아냐?'

인간성이란 단어가 저놈들 사전엔 없는 게 분명하다.

아니, 뱀파이어를 상대로는 절대 타협하지 않는 게 한세건과 실베스테르의 정책인가. 그렇다면 이건 실베스테르가 얼마나 미친놈인지 제대로 계측하지 못한 아르곤이 자초한 일이로군.

'남 이야기가 아닌데. 나도 뒤통수 조심해야겠어.'

서현은 문득 회의가 들었다.

그때 그런 서현을 향해 뭔가가 날아온다. 건물과 건물을 뛰어 넘으며 날아오는 검은 인영이었다.

실베스테르였다. 일격으로 탱크로리를 분쇄한 그는 빠르게 날아들어서…….

"와서 대기하고 있었군! 잘했다, 멍멍이!"

"아니, 별로……."

당신에게 칭찬받아도 전혀 기쁘지 않다.

이런 짓거리를 저지르다니… 아르곤이 신경 써준 일이 완전히 엉망이 되어버렸다.

가만. 그럼 이건 테트라 아낙스의 예지를 벗어난 일인가? 아르곤에게 전해 받은 자료에 의하면 이런 상황은 예지되어 있지 않았다.

두루뭉술하게 앞으로의 전개 방향에 대해서만 나와 있을 뿐이었는데. 그중에 이런 전개는 없었다. 아니, 테트라 아낙스가 한 일이다. 서현이 받은 자료는 이미 적당히 편집된 것일 수도 있겠다.

그리고 보면 왜 실베스테르나 한세건이 이렇게 극단적인지 알 수 있을 것도 같다.

예지 능력자, 아니, 단순한 예지 능력이 아니라 그 예지를 조정하고 미래를 주무르기 위해 물리력을 행사하는 테트라 아낙스에게 혈혈단신으로 맞서기 위해서는 그 자신을 어떤 관념의 화신으로 만들지 않고서는 버틸 수 없으리라.

서현이야 이미 초월적인 힘의 권화(權化), 라이칸스로프의 왕자이니 모르겠지만 인간으로 태어난 한세건이라면 관념의 화신이 되지 않고서는 버틸 수 없었으리라.

그렇다고는 해도… 이들은 순수한 헌터고 서현은 라이칸스로프. 아무래도 껄끄럽다. 이들의 극단성은 언제고 서현에게 칼끝을 돌릴지 모른다. 지금은 거래 상대지만 언젠가 적이 될지도 모르겠다.

"탄약은 있나?"

실베스테르는 서현을 뒤로하고 한세건에게 물어보았다. 한세건은 고개를 가로저었다.

"거의 없어요. 9㎜ 100발, 5.56㎜이 30발, 폭발물도 없고… 샷건도…….'"

"그럼 무리겠군. 나도 현재로서는 무리다. 방어 술식이 거의 다했어. 헥토르와 아그니의 공격은 절대 예사롭지 않으니까."

실베스테르도 자신이 지금 별다른 전력이 되지 않는다고 시인했다. 아그니와 헥토르도 이번 폭발로 타격을 입었을 테지만 그보다 지금 그들의 화력 부족이 더 심각한 문제다. 차라리 아그니와 헥토르가 멀쩡하고 그들 역시 온갖 장비를 다 쓸 수 있다면 해볼 만할 텐데…….

이 경우 아그니의 특수 능력이 문제다. 장비를 쓸 수 없게 만드는 그의 능력에 헥토르가 함께한다면 최악이다. 아니, 헥토르가 아니라 아르곤이라 해도, 아르곤이 아닌 다른 어떤 흡혈귀라 해도 곤란하다.

아그니의 능력에 대항할 힘이 없다면 차라리 지금 공격하는 게 나을지도 모른다. 하지만…….

"아르쥬나의 마스터와 함께 새로운 마법을 창안해야겠어. 아그니나 헥토르의 능력에서 탄약을 지킬 수 있는… 지금 당장 무모하게 때려 박는 것보다 그게 만들어지면 싸우는 게 낫겠군. 데이터는 모았으니."

실베스테르는 그리 말하고 물러났다. 지금 당장 뱀파이어를 두고 도망치는 것은 기분이 나쁘지만… 더 승률 높은 상황을 얼마든지 만들 수 있는데 당장의 치기로 돌격하는 것은 어리석은 짓이다.

"새로운 마법을 창안하는 건가. 대단하군, 그건……."

다만 서현은 총화기가 없으면 없는 대로 충분히 싸울 능력이 있다.

카타볼릭 상태라 해도 진마 상대로 꿀리지 않는다고 생각하지만 아르곤을 화끈하게 배반해 버리는 이 작자들 앞에서 괜히 자기 몸 깎아가며 싸우는 건 바보짓 아닐까? 그래서 서현은 입을 다물었다.

실베스테르는 서현의 흔들림을 아는지 모르는지 주위를 둘러보며 성한 차량을 찾기 시작했다.

"지금 이 자리에서 저 뱀파이어들에게 현혹당하는 건 되레 덫에 걸리는 거다. 일단 빠르게 이곳을 벗어나 일본을 탈출하자."

"무슨 뜻이지요?"

실베스테르의 말에 서현이 질문을 던졌다. 그러자 실베스테르가 인근 차량에 올라타면서 대답했다.

"몬주 증식로가 폭주한 바람에 앙리 유이의 계획이 크게 변경되었을 거다. 미합중국은 이곳을 폐쇄하는 정도로 놔둘 거고⋯ 그 폐쇄는 테트라 아낙스에게 유리하게 흘러갈 테지. 보는 눈이 적어지면 정보를 조작하기도 쉬워질 테니까."

"⋯⋯."

"설마⋯⋯."

한세건도 그 말에 당혹감을 느꼈다.

"놀라운 일이지. 처음에는 완전한 앙리 유이의 체크메이트라고 여겼는데 이건 정말 훌륭한 반격이었어."

실베스테르는 키박스를 뜯었다. 물론 요즘 차량은 도난 방지를 위해 키박스 회로가 암호화되어 있어서 케이블 점퍼 정도로는 시동을 걸 수가 없지만⋯ 실베스테르가 전선을 연결하자 그의 팔에 감춰져 있던 청은색 마법진이 빛을 발했다.

부르릉!

차에 시동이 걸렸다. 실베스테르는 키박스의 케이블을 구겨넣고 차를 운전하며 말했다.

"몬주 증식로를 폭주시킨 건⋯ 테트라 아낙스다!"

4

팬텀은 얼굴을 찌푸렸다.

갑작스러운 방문, 그리고 그가 말하는 것, 이 모든 게 마음에 들지 않는다.

눈앞에 있는 이 청년… 새로운 아낙스 서린이 테트라 아낙스의 자리를 계승할 때 팬텀은 그에 대해 지지를 표명했다.

이자라면 새로운 세상을 만들지도 모른다. 과거 아낙스가 원했던 진짜 세상을, 그가 타락하고 뒤틀린 존재가 되어 잊어버렸던 옛 비원을 이루어낼 수 있을지도 모른다.

그렇게 생각했었다.

그러나 지금 그가 더 이상 아웃로들을 구제하려 하지 않는다는 건 뭔가?

"진심인가?"

팬텀은 그렇게 물어보았다. 이미 왕에 대한 경외는 사라진 지오래, 아니, 눈앞에 있는 것의 정체를 모르겠다.

고든의 망집이 만들어낸 망령인가? 그게 서린의 몸을 차지하고 새로운 마왕이 되어서 다시금 이 세상을 지배하려는 것일까?

만약 그렇다면 팬텀은 싸울 준비를 해야 했다. 조반니와 스팅레이, 둘 다 위험한 존재다. 그들을 데려왔다는 것 자체가 저들에게 팬텀을 제거할 의사가 있다는 것일지도……. 팬텀은 여차하면 총을 뽑을 준비를 했다.

예지 능력자인 아낙스를 상대로 기습 공격은 무의미하겠지만 그가 가진 총은 비스트, 이거라면 아무리 아낙스라고 해도 우습게 봐선 안 될 것이다.

그러나 조반니가 쓴웃음을 지으며 서린의 앞을 가로막았다. 스팅레이는 이를 갈면서 팬텀을 노려본다.

게다가 서린 역시… 라이칸스로프면서 뱀파이어, 고든 시절의 나약하고 메마른 몸과 달리 젊고 활기 넘치는 청년의 몸이다. 그 진짜 역량이 어느 정도일지는 팬텀 자신도 짐작하기 힘들었다.

"자, 모두 그만……."

서린은 자신의 호위들의 흥분을 가라앉히며 말했다.

"다시 말하지요, 팬텀. 저는 아웃로 뱀파이어들을 구하지 않을 겁니다!"

"……."

"뱀파이어의 사회에는 구조 조정이 필요해요. 우리가 이 장생불사의 힘을 누리는 것 자체가 인간들에게는 섭리를 벗어난 불평등입니다."

서린은 그렇게 말했다. 말하는 모습에서 고든의 느낌은 받을 수 없다. 그래서 팬텀도 약간 기세를 누그러뜨렸다. 아무래도 그는 무력 격돌을 위해서 찾아온 것 같지는 않다.

서린은 말을 이어나갔다.

"그 어떤 부자도, 권력자도 죽음 앞에서는 평등했는데 우리에게는 죽음조차 평등하지 않은 겁니다. 이런데 뱀파이어들의 입장만 헤아린다는 건 말도 안 돼요. 이제는 달라져야 합니다."

"그게······."

설령 당신 손으로 직접 죽여서라도 말인가? 앙리 유이와의 싸움을 핑계로 뱀파이어들을 구조 조정 하겠다고?

그렇다면 이건 정말 신의 놀이다. 개개의 목숨을 장기말, 아니, 그 이하로 취급하면서 신 기분을 내는 게 아닌가?

팬텀은 분노했다.

그러나 그다음에 이어진 말이 팬텀의 정신을 번쩍 들게 했다.

"당신의 클랜에··· 판타즈마고리아에 TO(Table of Organization:정원)를 늘려 드리지요. 한 일천 정도······."

"······."

"무슨 뜻인지 아시겠습니까?"

클랜원이 천? 말도 안 되는 수치다. 대부분의 클랜 정원은 많아봐야 50여 명 정도··· 폭력 조직을 꾸려 나가고 있는 파군이나 예전의 자인 같은 경우는 클랜 정원을 가득 채우고도 모자라서 더 TO를 늘려달라고 성화를 부렸었지만 대다수의 진마는 그러지 않았다.

"아웃로를 당신의 클랜원으로 흡수하세요. 새로운 뱀파이어를 만들어서 천을 채우라는 게 아닙니다. 아웃로를 당신의 클랜으로 받아들여서 구제하세요."

"네?!"

팬텀은 그 말을 듣고 당황했다. 팬텀의 판타즈마고리아는 뱀파이어 클랜 중에 정말 손꼽히게 수가 적은 조직이다.

팬텀 자신이 사실 많은 사람을 끌어들이고 싶어 하지 않는다.

그런 그에게 이런 사명을 내리다니?

"정말 아웃로 구제를 원한다면 그 정도는 할 수 있겠지요?"

"……."

빌헬름이 이 자리에 있다면 펄펄 뛰며 반대했을 것이다. 그러나 팬텀으로서는 외통수나 다름없었다.

'테트라 아낙스에게만 모든 걸 떠넘기지 말고 너희도 희생해라, 이 위선자 놈아.'

마치 그렇게 말하는 것 같았다. 정신이 번쩍 든다. 그제야 자신이 서린에게 느끼는 분노가 얼마나 어처구니없는 위선이었는지 깨닫게 된다.

그러나…….

아웃로를 클랜에 받아들인다. 그건 수천 년간 이어 내려온 뱀파이어 클랜들로서는 있을 수 없는 일이다.

간단한 예를 들어서 매우 경건한 유대교 신자인 유대인 가족에게 아랍계나 투르크계 아이를 입양하라고 하는 행동, 혹은 한국 유명한 성씨의 종갓집에 아프리카계 아이를 입양하라고 하는 소리나 같다.

귀족적 프라이드로 가득 찬 클랜에게 어디서 굴러먹다 왔는지도 모를 잡스러운 뱀파이어를 무작정 받아들이라고 하는 것은 무리다.

자연발생형 흡혈귀, 혹은 용모가 엄청나게 준수하다든가 너무나도 특출 난 재능, 재주를 가진 이라면 종종 그 출생에 관계없이 클랜에 받아들이는 경우가 있었지만 그건 매우 특이한 경우다.

보통은 그렇게 특출 난 재능과 재주, 용모를 가진 이를 뱀파이어들이 습격해서 자기 클랜으로 강제로 만들어 버리지.

뱀파이어에 미남미녀가 넘쳐나는 이유기도 하다. 이런 게 일상화되어 있는 뱀파이어 사회에서 이제 갑자기 민주화 혁명이 시작되었으니 과거의 기득권을 버리고 우월 의식이나 귀족적인 자존감도 버려 버리고 평등하게 천 명 채우라고 하는 건 무리다. 아무리 테트라 아낙스의 명이라 해도 받아들일 리가 없다.

다만 방금 전 아웃로를 버리겠다고 선언한 테트라 아낙스에게 진심으로 분노했던 팬텀으로서는 심정적으로 받아들일 수밖에 없다.

이건 완전히 사기나 다름없다. 함정을 파놓고 끌어들이다니…….

"다른 뱀파이어도 전부 다 TO를 늘려줄 겁니까?"

팬텀은 혹시나 싶어서 그렇게 물어보았다. 그러자 서린이 어깨를 으쓱해 보였다.

"그럴 리가요. 나름 엄선해서 선택한 겁니다. 차이니즈 마피아인 파군은 안 됩니다. 범죄 조직을 이익의 기반으로 삼고 있는 자들은 안 되고… 클랜원을 무분별하게 늘리고 싶어 하는 자들도 안 돼요. 뱀파이어 총인원수를 늘리는 게 아니라 어디까지나 아웃로 중 쓸 만한 이들을 건져 올리라는 거지요."

서린은 그리 말하고 쓴웃음을 지었다.

"사실 에스프리에는 무한대로 TO를 허락해 주었는데… 아웃로들이 별로 내켜하지 않더군요."

"아……."

그야 뭐 에스프리는 사실 아웃로나 마찬가지인 조직이니까.

"전 뱀파이어 세계의 구조 조정을 단행할 겁니다. 이건 세상을 위해서도, 뱀파이어들의 삶의 질을 위해서도 중요한 일입니다. 아울러 테트라 아낙스의 업무량을 줄여서 제 정신 건강을 유지하는 데도 좋은 일이지요. 하지만 그렇다고 앙리 유이의 수단을 용납하겠다는 건 아닙니다."

"……."

말만 들어보면 확실히 그럴싸하다. 그러나 뱀파이어의 수명은 거의 무한대이며 그렇기 때문에 구조 조정이란 용어에는 필히… 인위적인 뱀파이어의 죽음이 필요하다.

앙리 유이의 반란은 결과적으로 뱀파이어의 수를 줄일 것이다. 서린은 도덕적으로 그런 앙리 유이의 수단을 용납할 수 없다고 말하고 있지만… 이게 진심인지 아닌지 의심스럽다.

'아이스'를 개발해서 뱀파이어들을 일광에서 자유롭게 한다.

클랜의 TO를 늘리고 아웃로를 클랜으로 흡수시킨다.

이 모든 건 과거에도 할 수 있었던 일이다.

그런데 앙리 유이가 아웃레이지를 뿌린 뒤에, 그가 반기를 든 뒤에 이런 짓을 하는 게 과연 의도되지 않은 우연이란 말인가?

그럴지도 모르지. 그가 테트라 아낙스가 아니라면. 하지만 예지 능력이 있는 테트라 아낙스는 우연을 핑계 삼을 수 없는 자다.

"몬주 증식로 폭발로 인한 민간인 피해는 어쩔 겁니까?"

"이제부터 그걸 수습하러 가야겠지요."

서린은 미소를 짓고 물러났다. 조반니가 그와 스팅레이의 어깨에 손을 얹었다.

"그럼 가보겠습니다. 바빠지겠군요. 당신과 연락하는… 다른 뱀파이어들에게도 말을 잘 전해주시길."

서린은 그 말을 남기고 떠나갔다.

5

진마 아르곤이 탱크로리 폭발 정도로 죽을 리 없다.

하지만 지금… 아르곤은 바닥에 쪼그려 앉아서 무릎을 끌어안고 모자를 쿡 눌러쓴 채 한껏 디프레션을 겪고 있는 중이었다.

"아. 다 싫다, 진짜."

보다 못한 래트가 궐련을 제시했다.

"대장, 마리화나 피울래?"

"나에겐 안 들어. 저리 치워. 히피 냄새 밴다."

아르곤의 몸이 기울면서 옆에 서 있는 트럭 범퍼에 쿵 하고 닿았다. 하지만 아르곤은 몸을 가누지 않고 쪼그려 앉아 있었다. 키가 상당히 큰 그가 그러고 앉아 있으니 몰골이 우스꽝스럽기 그지없다.

"으이구! 진짜! 개궁상 떨지 말고 당장 복수합시다! 이거! 못 참겠군!"

몬터는 땅을 차면서 으르렁거렸다. 기껏 뱀파이어와 구울들에게 고립된 녀석 도와주겠다고 돌진했더니 다짜고짜 총질로 갚은 실베스테르는 역시 용납할 수가 없다.

그러나 몬티가 말을 꺼내기 시작하면 아르곤은 활기를 되찾고 몬티가 하자고 하는 것의 정확히 반대 방향으로 질주하는 것이 보통이었다. 지금도 마찬가지라서 아르곤은 트럭 옆에서 영차 하고 몸을 일으켰다.

"뭐, 생각해 보면 터뜨리려고 가져온 탱크로리가 터졌으니 목표 달성인가."

"…그런 웃기는 목표 달성법이 어딨습니까?! 탱크로리를 터뜨리려고 가져오긴 했지요! 우리가 안전히 피신한 다음에!"

"지금도 안전하지 않은 건 아니잖아?"

"결과론적으로 그렇지 결국 정보를 주고 뒤통수를 맞았잖아요! 아니, 그리고 지금 저 화내는 걸 보고 즐기는 거 아닙니까? 왜 매번 제가 하자고 하는 것은 항상 반대로 갑니까?"

"……."

이건 입이 열 개라도 할 말이 없다. 몬티가 말하는 대로 아르곤은 몬티가 반대하면 생기가 돌기 시작한다. 이 정도쯤 되면 중병이다.

"뭐, 지나간 일은 넘어가자고. 그리고 설령 누구라 해도 진마 사냥꾼이 그렇게 득달같이 총질하는 건 막을 수 없을걸. 자, 그럼… 일본 일은 이 정도로 끝인가."

"끝?"

래트가 의아해하면서 주위를 둘러보았다.

"아직 좀비 천국인데?"

"우리가 여길 정리하는 동안 앙리 유이의 주력은 다른 데로 옮길 거야. 몬주 증식로가 폭주했으니 방사능 물질이 폴폴 폴아웃~ 할 테고. 한세건이 여기 계속 남아 있을 리도 없겠지."

"…폴폴 폴아웃. 좋은데."

래트는 아르곤의 말을 수첩을 꺼내서 받아 적기 시작했다.

"요즘 세상에 수첩이라니."

"앙리 유이 세력이 이렇게 크게 일을 벌여놓고 여기를 떠날까요? 뭔가 노리는 게 있다든가……."

몬티는 그렇게 물었지만 그때 그들의 스마트폰에 메일이 동시에 도착했다. 아르곤이 폰을 꺼내서 살펴보니 테트라 아낙스 쪽에서 보내온 새로운 소식이었다.

"플렉스 메디칼 의료팀과 실무진이 합류한 의료지원선이 현재 치바에 도착… 우리도 철수할 때가 되었군."

아르곤은 모자를 고쳐 쓰고 그간 약탈한 청바지나 몇몇 제품을 집어 들었다.

6

동경타워 위에서 내려다보면 도시는 매끈하다. 높은 탑 위에서는 지면에 깔려 있는 바리케이드도, 버려져 방치된 차들도, 쌓여서 썩어가는 시체들도 보이지 않는다. 어제 밤사이 잠깐 내린 소낙비가 모든 걸 씻어 내려서 공기도 맑다. 도저히 그런 끔찍한 재앙이 아직도 현재진행형으로 이 도시를 좀먹고 있다고 생각하기 힘들다.

그 탑 위에서 앙리 유이는 하늘을 바라보며 점괘를 뽑기 위한 쟁반을 거두었다.

"이번에도 실패인가."

앙리 유이는 동경도에서 뱀파이어들에 의한 대량 학살 사건을 일으켰다. 그로 인해서 무수히 많은 사람이 살해당하고 전 세계에 충격과 공포를 주어 막대한 영적 에너지를 끌어내었다.

그 영적 에너지를 이용해 필요한 마법을 만들어내고 인류에게 환상을 각인시킨다. 의심, 도시 전설, 광신, 어떤 형태로든 인간의 정신이 집중되면 그것은 마법의 기반이 된다.

원래는 발동을 위해서 막대한 희생을 필요로 하던 마법도 일단 이런 환상 각인에 성공하면 간편한 마법으로 변해가는 것이다.

동경을 습격해 대량 학살 사건을 일으키는 것은 물론 일본 정계 거물 대다수를 갈아 마셨다. 일본 천황가조차 살해한 대사건… 이런 거대한 걸 제물로 삼았으니 기적조차 쉽게 이룰 수 있는 강력한 환상을 인류의 무의식에 각인할 수 있을 것이다.

그렇지만 실패했다. 곁가지로 각인한 마법들은 성공했지만 정작 가장 원하던 마법은 만들 수 없었다.

검은 영, 새로운 릴리쓰를 제작하는 것은 할 수가 없었다.

"장고 끝에 악수 둔다고… 여기서 더 길게 준비해 봐야 이보다 더 좋은 결과를 내긴 힘들었을 것 같군."

앙리 유이는 그 말을 남기고 동경타워의 전망대 위쪽, 전파탑에서 뛰어내렸다.

"반란은 이제 겨우 시작… 그뿐이니까."

第17夜

New Brand Hero

1

    일본 동경을 쑥대밭으로 만든 미지의 질병은 비셔스 바이러스(Vicious Virus)라는 이름이 붙었다.

    공기와 타액을 매개로 감염되며 바이러스가 정상 세포를 점령하기 시작하면 변형 프라이온을 생산해 내 면역 체계를 파괴하고 인간의 뇌세포를 녹이며 흉포화시켜서 숙주가 다른 인간을 공격하게 하고 그로 인해서 감염자를 늘려 나간다.

    공기감염은 감염율이 떨어지지만 변형 프라이온이 섞인 타액을 통해서 감염될 경우 감염율은 100%. 그렇게 감염된 신체는 주위의 인간을 최대한 많이 공격하다 결국 바이러스가 너무 퍼지게 되면 바이러스 감염으로 RNA가 손상된 세포들이 무한 증식 하면서 일종의 암세포로 돌변하는 것이다.

그리되면 숙주는 자신의 생명을 유지하기 위해 인근의 유기물을 무작정 섭취한다. 그게 같은 인간이라도…….

즉 폭력과 식인을 유발하는 바이러스인 것이다.

공기감염성 바이러스이니 그런 게 퍼진 동경이 단번에 그 기능을 마비당하는 것도 이상하지 않다. 아니, 단번에 일본 내각을 파괴한 것을 보면 이것은 어느 특정 국가의 테러일지도 모른다.

물론 그것은 새빨간 거짓말이다.

비셔스 바이러스의 정체는 월야의 진실을 은폐하기 위해 테트라 아낙스가 대중에게 공개한 생물병기, 플렉스 메디칼이 심혈을 기울여 만들어왔던 강력한 생물병기의 일종이었다.

쓰지도 않은 생물병기를 대중에게 공개하다니 아무리 그 치료법이 아직 발견되지 않은 것이라 해도 이것은 막대한 손해다. 그동안의 연구 개발비를 생각하면 있을 수 없는 일. 그러나 월야의 수호자인 테트라 아낙스로서는 그 정도면 오히려 싸게 먹힌 것이다.

수백만의 사람 앞에서 식인귀들이 인간을 물어뜯었다. 뱀파이어들이, 괴물들이 거리를 활보하며 사람들을 죽이고 폭주하는 커럽티드들이 일본 내각을 파괴했다. 도저히 이해할 수 없는 광기가 사람들을 집어삼켰다.

그 와중에도 사람들은 모든 일에 자신이 납득할 수 있는 어떤 논리를 원한다. 그것이 미신이든, 광신이든 간에 미지보다는 낫다. 납득할 만한 해답이 아무것도 없다면 사람들의 호기심이 진실을 찾기 위해 배회하게 되며 이는 인간을 기만해야 하는 테트라 아낙스로서는 위험한 일이다.

그러니 테트라 아낙스는 그들에게 논리를 제공해 주었다.

특수한 바이러스, 강력한 생물병기. 어느 국가, 아마도 북한이나 기타 국가, 혹은 일본 국내의 불만 세력이 저지른 생물학테러라는 논리.

물론 그것만으로 납득할 수는 없을 것이다. 어떤 바이러스가이렇게 호쾌하게 사람을 변이시키고 문명을 파괴한단 말인가?

하지만 테트라 아낙스는 자신이 가진 정보 조작 능력을 활용해서 그들의 정신을 뒤튼다.

납득할 만한 논리가 있다면 인간들의 의식을, 믿음을 그쪽으로 밀어 넣기가 쉬워진다. 약간의 텔레파시를 사용한 것만으로도 사람들의 인식을 통제할 수 있게 되는 것이다.

"놀라운 일이로군. 이거 지는 거 아냐?"

배니싱 블러드의 일원이던 츠구미는 그리 중얼거리며 자신의 휴대폰을 들어 보였다. 일본 혼슈 전역에서 먹통이었던 휴대폰이 어느새 해상에서도 작동한다. 이는 통신 회사의 센터 허브가회복되었음을 뜻한다. 통신망을 먼저 수복시키는 건 재해 복구의 상식이지만 좀비 아포칼립스 상태로 만들었는데 이렇게 빨리 통신망을 회복시킬 줄이야.

"역시 테트라 아낙스는 대단하군요."

에두아르도도 감탄하면서 힐끔 시선을 돌렸다. 진마 헥토르와 아그니, 그리고 앙리 유이와 의문의 소년, 아담이 어선 한편에 서서 사나운 바닷바람을 맞고 있었다. 아그니는 입에 담배를 물고 불을 붙이더니 힐끔 고개를 돌렸다.

"궁금하면 그냥 물어보지 노골적으로 말 돌리지 마라. 누굴 병신으로 아냐?"

아그니는 에두아르도의 심정을 파악하고 그렇게 말했다.

"테트라 아낙스의 수완이 대단하신데. 며칠 전까진 앙리 유이, 당신이 이길 것 같다고 생각했는데 테트라 아낙스가 손 한 번 쓰니까 말끔하게 정리되는군. 일본 내각을 말아먹는 어마어마한 짓을 저질렀는데 말이야. 이런 상황에 대해서 소감 한마디 해주지그래?"

"충실한 하인은 의문을 품지 말고 봉사하는 게……."

헥토르는 아그니가 앙리 유이에게 해명을 요구하는 것을 보고 불쾌한 듯 한마디 했다.

"…야, 내 프랑스어가 안 먹히는 거냐? 병신아, 병신아, 병신아, 병신. 못 알아듣겠어? 난 네놈들 하인이 아냐!"

"너무 놀라서 정신착란을 일으키고 있나 보군."

참다못한 아그니가 불붙은 담배를 들어서 헥토르의 눈에 쑤셔 박으려 했다. 그러나 그때 앙리 유이가 그들 사이에 끼어들어 막았다. 팔꿈치에 가죽 패딩을 덧댄 요즘엔 도저히 유행하지 않을 옛날 방식의 슈트 차림 남자가 놀랍도록 민첩한 움직임으로 두 진마 사이에 끼어들었다.

"그만둬. 너희들이 싸우면 이 배가 부서진다."

"하지만……."

"헥토르, 이자를 존중해라. 이자는 진마니까."

"진짜인가? 내가 잠들어 있는 사이 세상이 변했나 보군!"

"파군에겐 잘 대했잖아?"

"파군은 여자잖아? 난 레이디에겐 항상 도리를 지키지."

"······."

둘의 대화를 듣고 있던 아그니는 배가 부서지든 말든 아작 내고 싶어졌다. 그러나 그런 아그니에게 헥토르가 머리를 숙이고 사죄했다.

"미안했다. 내가 세상 물정을 몰라서 그대에게 무례를 범한 모양이군."

"···뭐 그런 거 있지? 울고 싶을 때 뺨 때려준다고 막 폭발하려고 하는데··· 갑자기 김을 빼버리는 거. 더 짜증 나는데? 내가 네놈이 사과하면 무조건 받아줘야 하는 군번이냐?"

아그니는 한창 들이받기 직전에 사과해 버리는 헥토르를 보고 짜증을 냈다. 그러나 어찌 되었든 현재 그들은 한배를 탄 몸이다. 당장 짜증 난다 하더라도 납득할 수 없다 하더라도 일이 이리된 이상 둘이 싸우진 못할 것이다.

"불안해하는 건 알겠지만 애초에 일본 공격은 시간 끌기 작전이었을 뿐이다. 그리고 나는 인간들을 해치는 것만으로 강력한 마법을 만들 수 있어. 특히 일본 신토의 핵심이던 천황 일가를 살해한 것은 굉장히 강력한 마법을 당연하게 만들 수 있게 해줬지. 이건 굉장히 큰 성과라네."

"···성과는 있었다 이건가?"

"그리고 테트라 아낙스는 우리가 저지른 일의 사후 처리에 매여 있게 될 거야. 이라크전을 봐서도 알겠지만 저항을 분쇄하고 점령하는 건 쉬워. 그러나 점령 후 사후 처리는 점령전보다 훨씬 더 많은 자원을 소비하는 법이지."

"하지만 사후 처리는 CDC에 맡겨두고 테트라 아낙스는 빠져나온다면?"

아그니는 그 점을 지적했다. 상대는 테트라 아낙스만이 아니다. 인간들 역시 테트라 아낙스의 편에 서 있다. 정확히는 테트라 아낙스가 인간들을 조종하는 것이지만 그들에게 방재 작업이나 그런 일들을 떠맡긴다면 그다음은?

"그럼 다시 돌아가서 CDC와 미군 의료지원선을 파괴한다. 미국 CDC를 분쇄한다는 건 전 세계 CDC 공조 체계를 무너뜨린다는 뜻이고 미지의 바이러스가 출몰한 지금 CDC 공조 체계가 파괴된다는 건 인간들에게 충격과 공포, 불안을 안겨주는 일이야."

앙리 유이의 처음 계획에도 분명 CDC 공조 체계를 파괴하기 위한 계획이 수립되어 있었다. 그렇다면 지금 앙리 유이가 하는 말은 결코 허풍이 아니다.

"그걸 위해서 텔레포터들이 필요하지. 배니싱 블러드의 친구들, 그대들에게 쓰이는 아웃레이지는 결코 일반 놈들의 것처럼 방사능에 노출되었다고 그렇게 쉽게 변이되는 게 아니야. 안심해도 좋다."

앙리 유이는 불안해하고 있는 츠구미와 에두아르도에게 그렇게 말했다. 배니싱 블러드의 기동력이 없으면 테트라 아낙스가

CDC에 방재 작업을 맡겨두고 다른 곳으로 이탈할 경우, 빠르게 돌아와 공격한다는 방법을 쓸 수가 없다.

한때 진마 자인도 500미터 정도 이동하는 게 고작이던 텔레포트 능력이 왜 그렇게 중요한가 의문일 수도 있겠지만 지금 츠구미와 에두아르도의 텔레포트 능력은 한계 거리가 수 킬로미터에 달하며… 그들은 그 능력을 이용해서 어선과 어선 사이를 텔레포트해 가며 빠르게 대한해협을 건너고 있는 것이다.

"결국 테트라 아낙스는 싫어도 좋아도 일본의 방재 작업과 사후 처리에 묶여 있겠군."

아그니도 납득이 간다는 듯 고개를 끄덕였다.

"그래. 테트라 아낙스가 유능하다는 건 부정하지 않겠어. 하지만 우리는 여전히 우세하다. 그가 지켜야 하는 입장이고 우리는 공격하는 입장이니까. 쉴 새 없이 공격에 공격을 계속해 나가면 반드시 테트라 아낙스는 무너진다."

"체크를 연속으로 남발하면서 공세에 공세를 거듭하는 게 체스에서 정말 유리한 상황으로 쳐주던가?"

"안심해. 이는 내가 천 년 이상 준비한 행마(行馬)다. 무작정 믿어달라고는 못 하겠지만 아그니, 넌 여기서 네가 원하는 걸 충실히 얻을 수 있을 거다."

앙리 유이는 그리 말하고 바다를 바라보았다. 어느새 어선은 다음 어선과의 접경 지역까지 이동하고 있었다.

2

진마 아르곤과의 협력 관계를 단번에 엉망으로 만든 실베스테르 신부는 아직도 일본에 갇혀 있었다. 어이없게도 그는 파문당한 주제에 정식 교구를 가진 성당의 지하를 통째로 빌려서 사용하고 있었다. 교회의 성직자들이 그들에게 편의를 제공하기위해 다른 피신자들을 되돌려 보내는 걸 보면 실베스테르는 성직자들 사이에 자신의 조직을 가지고 있음이 분명했다.

그러나 그 조직은 현재 일본에서 벗어날 방도를 제공할 수 없었다.

일본에 비셔스 바이러스란 생물병기가 사용되었다는 의심이 있는 이상 공항 어디서나 방역 방재 작업을 철저히 해야 했다. 게다가 일본의 공항 대부분이 현재 엉망진창이다.

동경의 하네다 공항은 비셔스 바이러스 사태의 중심지이자 방사선이 너무 높아서 현재 폐쇄되었고…….

나리타 공항은 원래부터 만성적인 용량 부족에 시달리고 있다.

센다이 공항에 임시로 국제선 수십 편이 이동했지만 센다이를 비롯, 도후쿠 지방 역시 방사능 오염으로 대부분의 공항이 갑자기 밀려든 수요를 감당할 수가 없었다.

이렇게 공항의 수용 능력이 급격히 떨어진 데 반해 공항을 이용하려는 수요는 거침없이 늘어나고 있었다.

당장 CDC와 플렉스 메디칼이 물자를 항공수송 하기 위해 공항 활주로를 쉴 새 없이 쓰는 데다가…….

다국적기업들의 일본 주재원들이 현지 철수를 시작했다.

그들뿐만이 아니다. 내각 붕괴 때에 운 좋게 살아남은 고관대작들, 일본에서 부를 쌓아 올린 부호들, 그들이 일본에서 탈출하려 하고 있었다.

비셔스 바이러스 사태가 잠잠해지고 재해 복구가 완료될 때까지 세계 각지에 있는 일본인 커뮤니티 지역으로, 브라질이나 하와이, 아니면 한국 부산이나 용산 이촌동으로 피신하려는 이들이 공항 비행기 표를 선점하고 자기 차례를 기다리고 있었다.

이런 상황이니 당연히 항공권을 구하기도 힘들다.

선박도 사정은 별반 다르지 않다. 몬주 고속증식로가 있던 곳은 후쿠이, 이곳이 터지면서 혼슈 전역이 오염 지역이 되어 일반적인 여객선 운항은 죄다 중지되었다.

덕분에 한세건과 서현, 실베스테르 셋 다 일본에 고립되었다. 원래는 일본에도 존재하는 뱀파이어 헌터들의 도움을 받을 수 있을 거라 생각했지만 이번 아웃레이지 사건이 워낙 큰지라 뱀파이어 헌터들의 네트워크가 붕괴해 버렸다. 마약을 접하기 쉬운 범죄 조직들은 아예 아웃레이지에 중독되어 사태 악화에 일익을 담당했으니… 밀입국 루트도 완전히 공중분해되었다.

총체적 난국이다.

서현 입장에서 보면 이런 때는 차라리 테트라 아낙스에게 손을 벌려야 한다. 지금 이 순간도 센다이 공항, 나리타 공항에는 테트라 아낙스 소유의 전세기, 전용기, 수송기 가릴 거 없이 많은 비행기가 오가고 있었다.

테트라 아낙스의 도움을 받기만 하면 된다.

그러나 한세건도, 실베스테르도 뱀파이어와 타협하느니 차라리 인류가 멸망하는 걸 받아들일 기세였다.

"이거 너무 바보 같지 않아?"

서현은 투덜거리며 휴대폰을 들어 보였다. 통신망이 회복되어 현재 상황을 좀 더 자세히, 인터넷을 통해서 알아볼 수 있었다. 그렇지만 그렇게 해서 알게 된 사실은 절망적이었다.

일본 혼슈의 방사능 오염이 심해지면서 관서 지방에도 퇴거 명령이 내려진 상태다. 일본 내각은 완전 붕괴, 치요다 구의 재앙 이후 책임질 수 있는 사람이 아무도 없었다. 오사카 지사가 뭔가 열심히 하고 있긴 하지만 그 혼자서 이 많은 일을 처리할 수도 없다.

현대의 문명국가, 그것도 선진국이 뱀파이어 몇 놈에게 농락당하다니… 그야말로 대재앙이라 할 수 있었다.

"이런 상황에 갇혀 있다니. 차라리 보트라도 하나 구해서 배를 저어 가면 어때? 손으로 젓는 카약이래도 대한해협쯤은 간단히 돌파할 수 있을걸?"

서현이 그렇게 물어보았다. 그러자 한세건이 코웃음 쳤다.

"여기서 카약으로 저어 가려면 쿠로시오 해류를 역류해서 우선 일본 혼슈를 선회한 다음에 그다음에 한국에 가야 하는데? 상당한 거리고 멍청한 짓이야. 일단 쉬고 있어. 비행기 우선순위는 낮지만 반드시 우리에게 차례가 온다. 그동안 출입국 기록을 위조해야 해."

한세건은 그리 말하고 직접 도장을 파고 있었다. 출입국 관리를 위한 스탬프를 만들기 위해 직접 고무도장을 파고 있는데 디지털 장비를 이용해서 상당히 정밀하게 만들고 있었다. 여권과 각종 서류 등을 위조하고 있으니 시간이 좀 걸릴 것이다.

한세건이 그 작업을 하는 동안 실베스테르는 성당 지하실에 마법진을 그리고 산화, 열화를 막기 위한 마법을 연구하고 있다. 긴 은발을 포니테일로 묶어서 정리하고 안경을 쓴 실베스테르가 공학용 계산기를 두들겨 가며, 100회 이상 성사에 쓰인 은 십자가를 깎아 은가루를 만들어가면서 마법진을 만들고 있는 모습은 놀랍다. 그가 단순 무식 칼잡이가 아니라 고도의 마법사라는 것을 알게 해주었으니까.

분명히 이건 헛되이 시간을 보내는 것은 아니다. 필요한 절차들이다. 그러나 서현은 그 모습이 답답했다.

그가 이들에게 온 시발점이 서린의 당부였기 때문에 테트라아낙스에게 너무 우호적으로 생각하는 건가? 그런 의문도 들었지만 아니다.

지금 상황이 분명히 잘못되어 있었다.

"할 게 없으면 나가서 놀다 오지그래? 아니면 마법 구성에 좀 도움이 되든가. 너라면 할 수 있겠지?"

한세건은 그렇게 물어보았다. 서현의 마법적 재능은 한세건의 것 이상일 것이다. 카타볼릭 상태에 빠져 있어서 마법을 함부로 다룰 수는 없겠지만 그가 지닌 영감만으로도 실베스테르를 많이 도와줄 수 있겠지.

"젠장. 이러는 시간이 너무 아까운데."

서현은 투덜거리면서 실베스테르에게 다가갔다.

많은 사람이 항공편을 구하지 못해 애먹고 있을 때.

테트라 아낙스의 적극적인 지원을 받는 에스프리 클랜의 리더, 진마 아르곤은 나리타 공항의 특급 라운지에 앉아서 다음 비행기 시간을 기다리고 있었다.

"…여기 당신들의 여권입니다. 그리고 오염되지 않은 '아이스'지요."

그들의 앞에 선 양복 차림의 플렉스 재단 직원들이 이미 완전히 조작된 여권과 '아이스'를 내주었다. 태양광에서 뱀파이어가 멀쩡히 생존할 수 있게 하는 약, '아이스'. 그건 정말 마약 같은 약이다. 아르곤이야 진마이니 괜찮지만 래트와 몬티에게는 필요하다. 아니, 설령 진마라 해도 일광이 아주 무해한 건 아니니까 아이스는 필요하다.

테트라 아낙스가 만든 약을 믿을 수 있다면 이야기지만.

아르곤은 그 여권과 약을 받아 들면서 코웃음 쳤다. 매끈한 양복 차림의 백인과 동양인 남자들은 아르곤에게 물건을 넘겨주면서 그를 꺼려 하는 기색이 역력했다.

이들은 싸우지 않는 뱀파이어다. 미친 달의 밤을 걷는 대부분의 뱀파이어로서는 놀랍겠지만 테트라 아낙스 휘하의 상당수는 싸우지 않는 뱀파이어로 구성되어 있었다.

이들은 사무직에서 일하며 테트라 아낙스의 세계 경영에 이바지한다. 그들이 월야의 다른 뱀파이어들을 바라보는 시각은 클랜 멤버가 비클랜 멤버, 아웃로 뱀파이어를 보는 시각과 비슷하다.

절대적인 우월감. 물론 진마인 아르곤을 상대로 절대적인 우월감을 가질 간 큰 놈들은 없지만… 최고참 백정을 대하는 변호사같이 군다.

아르곤은 살짝 기분이 상했지만 내색하지 않고 여권과 약을 받았다.

"항공권이 없군?"

"플렉스 메디칼 사장단이 쓰는 비즈니스 제트를 준비했습니다. 기종은 봉바르디에 글로벌 6000입니다."

"흠……."

아르곤은 쓴웃음을 지었다. 청바지에 티셔츠 차림으로 사장단이 타고 다니는 비즈니스 제트를 타라 이건가?

"내가 왜 이렇게까지 해줘야 하지?"

아르곤은 플렉스 메디칼의 뱀파이어들에게 그렇게 물어보았다.

그가 테트라 아낙스와 긴밀한 관계가 있어서 다른 뱀파이어들은 그를 테트라 아낙스의 히트맨이라고 부른다. 그러나 아르곤은 어디까지나 자신의 의사대로 움직이는 뱀파이어다. 그의 조직인 에스프리가 히피즘 뱀파이어로 가득 차 있는 것은 아르곤의 인간의 자유의지, 뱀파이어의 자유의지를 중시하는 성향이기 때문이었다.

"모든 지원을 아끼지 않겠습니다."

"아니, 그런 게 아니라 비셔스 바이러스라……. 생물병기잖아, 그건? 테트라 아낙스가 가지고 있던 생물병기를… 뭐 그걸로 사람을 해치진 않았지만 생물병기를 태연히 끄집어내서 위장까지 하시는데 말이야, 난 이번에 실베스테르에게 완전 농락당했다고. 그런 내가 과연 도움이 되긴 되는 거야?"

아르곤은 쓴웃음을 지으며 라운지에 준비된 캔 커피를 땄다.

테트라 아낙스는 월야를 지키기 위해 이 사태를 신종 바이러스에 의한 사고로 만들었다. 하지만 그 증거가 될 바이러스는? 그런 건 갑작스럽게 날조할 수 없을 것이다. 즉 다시 말하자면 저 비셔스 바이러스라는 건 플렉스 메디칼이 이미 만들고 있던 생물병기임에 틀림없다.

자신들이 쓰려고 만들던 생물병기를 내놓고 천연덕스럽게 자연 발생한 바이러스라고 이야기를 돌리고 있는 것이다.

그런 테트라 아낙스를 믿을 수 있을까? 새로운 테트라 아낙스는 밝고 명랑한 성격의 청년인 줄 알았는데 그런 놈이 생물학병기를 만들고 있었다니… 흥이 팍 깨진다.

물론 이성적으로 생각해 보면 생물학병기가 뚝딱하고 튀어나오는 게 아니니 이걸 만든 건 이전의 테트라 아낙스고 서린은 단지 그걸 이용했다는 것을 알 수 있었다.

그러나 어느 쪽이든 간에 생물학병기를 폐기하지 않고 보유하고 있었다는 비난은 피할 수 없다.

"생물학병기를 만들고 보유하고 있고 필요한 때 끄집어내서 사태를 수습한다. 아주 좋아. 테트라 아낙스답게 훌륭해. 그러나 내가 서린이라는 이에게 기대한 것은 테트라 아낙스로서는 어수룩하니까, 내가 돕고 싶다는 뜻이었어. 이렇게까지 잘나서 잘하시는 분을 부족한 내가 도울 필요는 없잖아?"

"그렇다면 당신들은 다시 그 이상한 보트를 저어서 쿠로시오 해류를 역류해 독자적으로 행동하실 겁니까?"

플렉스 메디칼의 뱀파이어들은 아르곤에게 그렇게 물어보았다.

"쿠로시오를 역류하는 건 우리가 인도네시아로 간다는 뜻이잖아? 이대로 태평양을 가로질러 돌아가는 방법도 있을 텐데?"

"…이제 와서 말씀드리긴 죄송하지만 당신들의 보트는 도난 당했습니다."

뱀파이어들은 그렇게 말하고 부두의 CCTV 영상을 보여주었다. CDC의 방재 작업이 시작되어 동경은 안정되어 있지만 많은 사람이 일본을 탈출하고 싶어 하고 있었다. 하지만 비셔스 바이러스라는 미지의 생물병기가 발견된 이상 완전한 방역 작업이 끝나기 전엔 당연히 다른 곳으로 사람들을 보내줄 수 없다.

그래서일까? 웬 젊은이들이 우르르 몰려와서 아르곤들이 타고 온 보트를 훔쳐서 달아나는 영상이 찍혀 있었다.

"미쳤다……."

몬티의 단평이 이러했다.

"저 보트를 타고 온 우리 입장에서 말하자면 솔직히 뱀파이어여도 좀 힘들었어. 그렇지?"

아르곤도 그걸 인정했다. 물론 그들은 바다가 얼어붙을 지경인 베링 해 한류를 타고 일본 북쪽으로 접근해 오는 미친 짓을 했다. 배를 저으며 수 미터에 달하는 파도를 뛰어넘어야 했고 그때마다 튀어 오른 물줄기가 스킨스쿠버용 러버슈트 위에 달라붙어서 얼어붙으면 몸을 움직일 때마다 얼음 깨지는 소리가 날 정도였다.

저들이 베링 해를 가로지르려고 배를 훔쳐 간 건 아니겠지만… 저걸 타고 어디 20킬로미터나 제대로 갈까 의문이다.

"오… 불쌍한 사람들."

몬티와 래트, 아르곤은 자신들의 물건이 도난당한 것보다 그걸 훔친 이들의 운명을 걱정했다.

"동정할 필요 없습니다. 동경 방역 센터를 탈출해서 밖으로 나가려 하는 놈들입니다. 굉장한 이기심이지요."

질병에 걸린 자들은 최대한 방역 체계에 호응해 줘야 한다. 방역 시스템을 갖추고 있는데 기다리기 싫다고 밖으로 탈출해 버리면 기껏 격리해 둔 바이러스가 다시 전 세계로 확산되는 결과를 맞이한다. 하지만 인간의 이기심이나 충동이라는 건 원래 제어가 쉽지 않다.

"그러고 보면 모 온라인 게임에서 질병이 발생했을 때 이런 짓 하는 놈들 있지 않았나? 질병을 여기저기 퍼뜨리려고 애쓰는 멍청이들이 있었지?"

플렉스 메디칼의 직원들은 그렇게 말하며 쓴웃음을 지었다. 인간들에 대한 경멸이 엿보인다. 이들은 역시 뱀파이어들이면서 엘리트 의식이 너무 강하다. 테트라 아낙스의 부하라는 게 이들에게 주는 자부심이 대단한가 보다.

"뭐, 좋아. 조건을 제시해 봐. 듣고 안 듣고는 내가 결정하지."

아르곤은 그리 대답하면서 눈을 빛냈다.

"목적지는 자카르타의 수카르노 하타 국제공항입니다. 그곳에서 앙리 유이 세력이 미사일 사이트를 건설한 곳으로… 수마트라 섬으로 다시 국내선을 타고 이동하셔야 합니다."

"…비즈니스 제트를 타고 왜 국내선으로 환승할 필요가 있지?"

"수마트라의 북부, 아체 지방에는 스팅거나 재블린 같은 대공 미사일이 있을 소지가 큽니다. 괜히 항공기 한 대를 버릴 이유는 없지요."

"……."

위험한 곳이니 그곳부터는 따로 가라는 이야기였다. 굉장히 싸가지 없는 말투지만 아르곤은 묵묵히 그들의 말을 들었다.

3

말라카 해협은 5분마다 상선이 한 대씩 통과할 정도로 번잡한 항로로 그야말로 운하나 다름없는 곳이었다.

이곳을 통과하지 않고 인도양에서 태평양으로 이동하기 위해선 수천 킬로미터를 우회해 인도네시아 군도를 돌아가야 하며 이는 연료와 시간의 낭비를 의미한다. '시간=돈'인 해운업계에서 연료와 시간을 낭비하는 일은 있을 수 없다.

덕분이 이 말라카 해협에서 가장 안정적인 치안과 공공서비스를 자랑하는 싱가포르는 해운업과 물류업, 중계금융으로 발달할 수 있었다.

아시아에 진출하려는 많은 기업이 교역의 중심지, 싱가포르를 일종의 교두보로 생각하게 된 것은 당연한 일. 플렉스 메디칼도 우선 싱가포르에 아시아 지사를 설립한 뒤 일본, 한국 등으로 브랜치를 확장해 나가는 방식으로 아시아 진출을 꾀한 바 있었다.

하지만 한국 지사 건물을 통째로 테러리스트에게 공격당한 플렉스 메디칼은 현재 무분별한 확장을 중지하고 싱가포르 지사에 모든 역량을 집중하고 있었다.

그 싱가포르 플렉스 메디칼 지사가 앙리 유이의 공격 목표가 된다면?

옛날 유럽 건축양식을 본떠 만든 성당의 지하에는 쓰지도 않을 거면서 커다란 지하실이 만들어져 있었다. 중세 와인 셀러, 혹은 무슨 독일 맥주홀로 쓸 법한 널따란 지하실에 인터넷 회선과 전력을 끌어다 놓고 국제수배자인 한세건, 역시 국제 전범인 서현과 파문 성직자 실베스테르가 오늘도 시간을 충실히 쓰고 있었다.

컴퓨터 장비와 방사능 물질을 거르기 위한 공기청정기(놀랍게도 일반 시판형) 돌아가는 소리가 요란하다.

그 상황에서 서현은 노트북을 열고 스카이프로 볼코프를 호출했다.

"앙리 유이는 인도네시아의 수마트라 섬, 아체 지방에 있을 거야."

서현은 아르곤에게 받은 파일을 그의 외조부인 볼코프 레보스키에게 전송하면서 그렇게 말했다.

—그럴 것 같군. 플렉스 메디칼의 싱가포르 지사는 싱가포르 남단, 해안가의 마천루 지대에 위치해 있으니까… 순항미사일을 거기에 꽂고 싶다면 남에서 북으로 쏘는 게 정상이겠지. 그리고 말레이시아는 치안이 괜찮아. 반면 인도네시아는 분리독립주의자들이 끊이지 않고 있지. 미사일 꽂을 각도로 보나 사회적 여건으로 보나 인도네시아라고 보는 게 타당하겠지.

이제 용병이 된 볼코프 레보스키는 그렇게 말하며 서현이 보낸 파일을 받기 위해 노력하고 있었다. 하지만 영상통화를 하는 것만으로 인터넷 회선의 패킷이 가득 차서 파일 전송이 거의 되지 않고 있었다.

"그래서 배나 비행기가 필요한데 뭐 없을까요?"

—비스트나 실베스테르가 뭔가 확보하지 못했나?

"이들은 비행기 표 순번만 기다리고 있습니다. 기다리는 동안의 시간을 헛되이 하지 않고 있는 것 같기는 한데……."

—러시아 마피아 놈들이 동태 어선을 이용해서 재밌는 장난감들을 실어 나르고 있다고 했는데… 지금 일본에 그런 게 들어가는 걸 기대하긴 힘들겠지? 순번을 기다리는 게 합리적일 것 같군.

역시 볼코프도 뾰족한 수가 없는 건가?

—아니면 배를 저어 오든가.

이래서야 아르곤 수준이군. 서현은 잠시 생각해 봤지만 역시별로 하고 싶지 않다. 포기하고 비행기를 기다리는 게 빠르겠다.

"그보다 앙리 유이와 손을 잡은 녀석들은 어떤 놈들인지 감이오는 게 있습니까? 용병 일 하고 있을 텐데 입질이 온다든가, 새로 얻은 정보도 있을 법한데요?"

—인도네시아 쪽 말인가? 분리독립주의자들이 있긴 하지만 그들은 외국인 용병을 쓸 처지가 아니지. 해적질을 해서 수입을 올리는 쪽도 있지만 그런 건 위험한 일이지.

"위험하다?"

라이칸스로프 용병대가 작정하면 그들은 말라카 해협 인근의 상선에 수영으로 잠입해서 선원들을 포박하고 해운사에 몸값을 요구할 수 있을 것이다. 그렇게 한참 들쑤시다가 쑥 빠지면 그 일대에 살 수밖에 없는 생활 밀착형 해적들만 토벌당하고 그들은 이미 돈만 챙겨서 빠져나갈 수 있겠지. 그런데 그런 게 왜 위험하단 말인가?

—말라카 해협은 해적질하기 좋은 공간이지만 그만큼 토벌하려는 이들의 의지도 강하다. 당장 유조선이나 LNG선이 말라카에서 탈취당한다면 일본이나 한국, 대만 등등의 나라는 생명을 위협받겠지. 그럼 그들이 절대 가만히 있지 않을 거다. 반면 아프리카의 어디 광산이 탈취당한다 해도 그렇게 여러 나라가 발작적으로 덤벼들진 않아. 그런 차이가 있지.

즉 말라카 해협은 너무 중요해서 용병 장난을 함부로 할 곳이 못 된다는 소리였다.

"그렇다면 어쩌면?"

—앙리 유이라는 놈이 일본에서 벌인 일은 여기서도 회자되고 있지. 그 녀석은 굉장한 쾌락 파괴범이야. 테트라 아낙스의 싱가포르 지사 정도로 만족할 것 같지는 않군.

"흠……."

—그럼 패킷 다 써서 끊지. 부하들도 인터넷을 써야 해서. 빌어먹을 위성 인터넷, 엄청 비싸구만.

서현은 볼코프가 연락을 끊는 걸 보고 한숨을 내쉬었다.

"생각해 보니까 굳이 영상통화를 할 필요는 없었지……?"

볼코프는 통화를 끊었다.

"굳이 영상통화를 요구하다니 역시… 뭔가 예리한 친구군요. 하지만 정말 예지 능력을 금하고 있나 보군요."

금발의 남자가 볼코프의 뒤에서 모습을 드러내었다.

레온, 크림전쟁 시절부터 살아왔다는 라이칸스로프다. 크림전쟁 시절의 인물이면 슬슬 라이칸스로프로서라도 생명의 한계에 도달했을 텐데 그는 아직도 젊은 모습 그대로다.

아무리 생각해도 수상한 녀석이다. 지금도 냄새를 맡으면 라이칸스로프 그대로의 냄새가 나지만… 육향(肉香)과 다른 정신적인 면에서 이 녀석은 이질적인 존재라는 게 느껴진다.

"녀석은 다른 방식으로 한계에 도전하는 거지. 라이칸스로프라기엔 너무 이질적인 감수성이 풍부한 녀석이거든. 내 딸아이의 영향을 많이 받았나 보군. 신기한 일이지. 자식과 부모라는 건… 그렇게 오래 같이 있지도 않았는데 그 영향이 평생을 간다니."

"용병 일은 재미있으십니까, 장군?"

레온은 주위를 둘러보았다. 말라리아모기로부터 몸을 지키기 위해 펼쳐진 방충망과 레이저로 모기를 요격하는 신형 방재 시스템이 갖춰진 텐트 막사에는 라이칸스로프와 군 출신의 용병들이 득시글거리고 있었다. 군사 쿠데타에 가담해 국제범죄자가 되어서 어쩔 수 없이 이곳에 남아 있는 사람도 있다. 이게 짭짤한 벌이라서 남아 있는 사람들도 있다. 그러나 볼코프가 저지르고 있는 짓은 절대로 묵인할 수 없는 강력한 범죄였다.

그들은 다국적기업의 제3세계 자원 개발을 의도적으로 방해하며 수익을 올리고 있었다. 끝없이 전쟁이 벌어지는 땅, 아프리카에 온 것은 그들의 영혼이 이미 구제받을 수 없을 정도로 망가져 있다는 증거. 그 두목인 볼코프는 쓴웃음을 지었다.

"전범인 나에게 할 수 있는 일은 몇 없지. 국제적으로 수배된 내게 이건 생업이다. 그리고……."

볼코프가 씩 웃으며 이를 드러내었다.

"라이칸스로프의 천직이기도 하고."

지금 이곳에 와 있는 볼코프의 처지만 특별한 건 아니다. 과거 라이칸스로프 중 이름 있는 강자들은 언제나 전란의 한복판에서 살아왔다.

"이건 재미있어. 자칭 문명국이라는 저 미국이나 그 휘하의 국가 사람들이 얼마나 많은 사람의 피를 빨아먹고 사는지 여실히 알 수 있거든? 물론 이 짓을 하는 시점에서 난 그들을 비난할 자격이 없지. 하지만 난 그들에게 약간 단가를 올려 받을 수 있도록 이들을 무장시키고 싸우게 하고 훈련시킬 뿐이야. 그 와중에 약간의 점심 식사를 챙기고."

볼코프는 달관한 자, 혹은 전쟁에 미친 자만이 지을 수 있는 피비린내 나는 미소를 지었다.

"하지만 이제 와서 나약한 인간들을 상대하는 건 지겹지 않으십니까? 다시 한 번 모든 걸 손에 넣을 기회가 있는데."

레온이 중얼거린다.

"멍청한 놈이군. 너도, 네 뒤에 있는 앙리 유이도. 아니, 네가 앙리 유이 뒤에 있는 건가?"

볼코프는 쓴웃음을 지으며 일어났다. 거구의 그가 일어나면서 실수로 랩탑을 손으로 눌러 버리자 플라스틱으로 만들어진 랩탑이 무슨 쿠킹 호일처럼 찌그러져 버렸다.

"하지만 격에 맞는 전장은 나쁘지 않아."

"그리고 앙리 유이는 그걸 증명해 보였지요. 일본을 부숴 버렸을 때……. 매력적이라고 생각하지 않으셨습니까?"

레온은 볼코프를 잘 알고 있었다. 냉전의 끝에서 쿠데타를 일으켰던 남자가 이제 와서 어린애 손목 비틀기나 다름없는 지역 분쟁으로 만족할 리가 없다.

"전쟁의 단물은 빨아먹으면서 그 너머 문명국가란 이름의 라인 너머에서 안심하고 있는 자들을 전쟁으로 처넣는 건 군인의 의무지."

볼코프는 그렇게 말하고 하늘을 향해 손가락을 겨누고 방아쇠를 당겼다. 물론 그의 손에는 총이 들려 있지 않았지만… 레온은 볼코프가 달을 향해 방아쇠를 당겼다는 사실을 깨달았다.

"자, 그럼… 라이칸스로프답게 살아볼까."

볼코프는 막사를 향해 걸어 들어갔다. 레온은 싱긋 웃고는 볼코프의 뒤를 따랐다.

뱀파이어의 조직력은 언제나 라이칸스로프를 크게 위협했다. 테트라 아낙스가 나타난 이후 뱀파이어들은 언제나 라이칸스로프에 우세를 거두었다. 물론 간혹 라이칸스로프 중 매우 뛰어난 군장이 나타나 뱀파이어를 포함한 인류 전체를 위협하는 경우는 있었다. 그러나 뱀파이어에 비해 짧은 수명을 가지고 있는 라이칸스로프는 언제나 유성처럼 잠깐 밝게 타오르고 사라질 뿐이었다.

월야의 세계는 굳건했다. 하지만 라이칸스로프들에게 앙리 유이의 도전은 테트라 아낙스가 더 이상 굳건할 수 없다는 것을 보여주었다. 뱀파이어들은 앙리 유이가 뿌린 아웃레이지가 핵에, 방사능에 취약하다는 것, 그리고 그 약으로 노예가 될 수도 있다는 사실에 진저리를 쳤지만 라이칸스로프들은 달랐다.

그들의 야수성은 흥분하고 있었다.

4

서현은 한세건과 실베스테르를 피해 성당 밖으로 나갈 준비를 했다.

아르곤과의 거래로 서현은 자신이 한세건과 실베스테르와는 아예 다를 수밖에 없다는 걸 절실히 깨달았다. 한세건은 뱀파이어와 절대 타협하지 않는다. '합리적이라고 생각하는 길을 선택하다 보면 결국 처음의 목표를 벗어난다'. 그런 한세건의 말은 타당하다고 생각한다. 그렇기에 일개 인간에 불과했던 한세건이 이 월야에서 자신의 뜻을 관철하며 살아갈 수 있는 것이라는 것도 알겠다.

그러나 그런 길의 끝엔 뭐가 있나?

서현은 자신이 한세건처럼 온전한 헌터가 될 수 없다는 걸 알고 있었다. 그는 절대로 한세건처럼 강력한 아이덴티티를 가질 수 없었으니까. 인간도 헌터도 아니고 그렇다고 온전한 라이칸스로프인 것도 아니다.

"마음에 안 들어."

서현은 방독면을 쓰고 가이거 카운터를 켠 뒤 성당 창문, 창틀에 대보았다. 방사능 수치는 며칠 전보다 많이 내렸다. 테트라 아낙스가 플렉스 메디칼의 각종 첨단 장비, 엑소 스켈레톤이나 파워로더, 그리고 그 첨단 장비들 사이에 숨겨둔 초능력자들, 아마도 뱀파이어나 실험체들을 이용해서 몬주 증식로의 폭주를 붙잡았다.

수천 도로 달아오른 노심에서 용융되어 합쳐진 연료들을 마치 빵 반죽 자르듯 잘라서 임계질량 밑으로 낮추고 폭발하는 나트륨들을 공기로부터 분리하는 작업을 끝마친 것이다. 계속해서 멜트다운하는 연료봉들을 제어하는 데 혈인 능력이나 초상 능력들을 사용해 빠르게 일을 정리하는 건 테트라 아낙스만이 할 수 있는 재주겠지.

선과 악의 경계가 모호하다. 인류를 기만하고 사육하는 뱀파이어의 왕이 자신의 체제를 지키기 위해 솔선수범한다. 물론 넓게 보면 자기 밥그릇을 지키기 위한 몸부림이지만 그렇다 해도 인정할 만한 성과긴 하다. 이런 게 기분 나쁘다. 테트라 아낙스가 그의 형제라는 것도 마음에 들지 않는다. 혈육의 정을 쌓을 만큼 오랜 시간 교류한 것도 아닌데… 그런데도 테트라 아낙스를 온전히 미워할 수가 없다. 그가 미워할 만한 화끈한 악으로서 존재한다면 형제고 뭐고 기꺼이 목을 따버리겠는데 저렇게 어정쩡한 모습으로 선악이 모호한 존재로 살아 있으니 의욕이 나지 않는다.

그런 생각을 하며 성당을 나오니 꽤 인기척이 많다.

성당 앞에는 성직자들과 신도들이 난리 통에 물자가 부족한 사람들에게 물과 식량, 그리고 모포를 나누어주고 있었다.

사회시스템이 잘 굴러갈 때는 저런 건 노숙자가 아니면 관심도 안 가질 물건들인데… 앙리 유이에 의해 문명 시스템이 망가지자 다들 혈안이 되어서 줄을 서 있었다. 그러다 보니 분쟁이 일어났다. 몇몇 사람이 새치기 문제로 서로 싸우고 있는데 한눈에 보아도 다른 사람들보다 덩치가 큰 자가 언성을 드높이고 있었다.

가톨릭 신부와 복사들은 아무래도 성직자다 보니 그런 폭력적인 사람을 처리하지 못하고 있었고 그러다 보니 이 남자는 기고만장하다.

"어차피 너희들 물건들 다 WHO에서 지원받은 거잖아! 어째서 종교 단체에서 멋대로 선교하면서 나눠주는 거야? 당장 쌓아두고 가져가게 하면 될 걸 줄 세워서 받아 가게 하다니 그렇게까지 좋은 척 생색내고 싶은 거냐?!"

"아니, 이봐요. 줄 서면 해결될 문제 아니에요?"

"제대로 필요한 사람들에게 물자가 가도록 신부님이랑 복사

님들이 고생하는……."

주위 사람들이 그 청년을 말리려고 했지만 이 청년은 다른 사람보다 머리 하나는 더 크고 근육질이다. 피부를 태닝한 게 무슨 성인 비디오 배우같이 생겼다.

"아, 닥쳐, 할망구! 응? 살날이 뭐 얼마나 남았다고 모포를 받아 가려는 거야? 엉? 얼른 뒈지라고! 연금도 곧 끊길 테니까!"

남자는 여전히 행패를 부려댔다. 마침 할 짓도 없겠다 심심한 서현이 그들의 새치기 문제에 끼어들었다.

"시끄러우니까 주둥아리 닥치지 않을래?"

"뭐? 이……."

남자는 자신보다도 더 큰 체격의 서현을 보고도 대뜸 주먹을 날려왔다. 선수필승, 일단 한 대 먹여서 때려눕힐 심산이었을까?

"이런 절망적인 상황에서도 참 활기찰 정도로 멍청하군."

서현은 날아드는 주먹을 붙잡고 가볍게 아래로 짓눌렀다.

"아……."

남자의 무릎이 푹 꺾인다. 서현은 그를 내려다보며 쓴웃음을 지었다.

"그래. 이렇게 나오면 신나게 짓밟아줄 수 있지. 그게 아니면 영 꺼림칙하단 말이야."

"어… 으아아악! 아, 알겠습니다. 잘못했습니다."

"시끄럽네."

서현은 반대쪽 손으로 남자의 입을 가렸다. 그러자 이제 비명도 새어 나오지 않았다.

"너한테 사과 들으려고 한 거 아니야. 네놈의 말 따윈 아무 가치도 없어. 중요한 건 행동이지. 안 그래?"

서현은 그대로 그 남자를 질질 끌고 갔다. 기분이 너무 더러워서 뭐라도 부숴 버려야 속이 풀릴 것 같은데 잘되었다 싶었다.

하지만… 그때 지린내가 서현의 코를 찔렀다.

서현의 힘에 끌려가던 남자가 참지 못하고 소변을 지렸던 것이다. 다 큰 남자가 고작 끌려가는 정도로 벌벌 떨다 못해 지리다니… 라고 생각할 수도 있겠지만 이 남자 입장에서는 무슨 악어에 물려서 늪으로 끌려 들어가는 기분이었을 것이다. 서현과 인간의 완력의 차이는 그야말로 하늘과 땅 차이. 가볍게 잡고 끌고 가는 것만으로도 생명의 위협을 느낄 수밖에 없다.

"음… 뭐 이건 어쩔 수 없네."

서현은 그대로 그를 놓아주고 밖으로 걸어 나갔다. 성직자와 복사들이 쓰러진 남자를 부축하는 걸 보며 서현은 실소했다.

"이것도 아냐. 전혀 즐겁지 않군. 난 대체 뭘 하고 있는 거지?"

서현은 그리 중얼거리며 길을 돌아보기로 하고 걸어 나왔다. 그런데 막 사람들의 시선을 피해 골목길 모퉁이를 돌았을 때, 전혀 의외의 인물을 만나게 되었다.

서린이 있었다.

"…제정신이냐?"

서현은 그렇게 물었다. 한세건이 바로 여기서 수백 미터 안에 있다. 실베스테르 역시 그렇다. 그들이 자신들의 수백 미터 안에 테트라 아낙스가 와 있다는 걸 알면 뭐라고 생각할까?

"이게… 리림인가."

그런 서린의 곁에서 붉은 머리칼의 미녀가 모습을 드러내었다. 정장 차림의 여성. 테트라 아낙스의 일원인 레베카다. 그녀뿐만이 아니다.

"실례. 그 이상 접근하지 말아주게."

거구의 라틴아메리카계 남자가 단정히 자른 머리, 넥타이와 조끼 차림으로 서린의 앞을 막아섰다. 마치 웨이터 같은 복장이다. 그뿐만이 아니라 긴 머리카락을 늘어뜨린 기묘한 소녀가 어째서인지 모르지만 교복 차림으로 서현을 바라보며 으르렁거리고 있었다.

"…호위는 꽤 충실히 데려왔군."

"한국에서 가난하게 살 때 말이야."

"응?"

"눈앞에 지갑이 떨어져 있으면 틀림없이 주워서 돈은 가지고 지갑만 원래 주인에게 돌려줬을 거야. 나는 소시민이라서 말이지."

"그래서?"

"형과 세건 형 앞에… 지갑이 떨어진 채로 있어주면 곤란하잖아? 피곤하기도 하고."

그렇게 말하는 서린의 눈 밑에는 정말 뱀파이어에게서 보기 드문 다크서클이 생겨 있었다. 아무래도 앙리 유이의 준동으로 피곤해하는 것 같았다.

"예언자 체면이 말이 아니군그래?"

"누구 씨가 열심히 테트라 아낙스를 도발해 준 덕분에 예언이 한 클릭씩 늦춰지고 있어. 병목현상이 일어나고 있기도 하고 테트라 아낙스의 예지라는 게 원래 너무 광범위하기도 해서."

과거 서현이 테트라 아낙스에게 도전했던 걸 말하는 걸까?

"앙리 유이가 뿌린 독도 작용하고 있고……."

"아웃레이지의 본질은 VT의 동위 이성질체, VT와 비슷하면서 다른 구조를 가진 걸 거야. 그게 테트라 아낙스의 예지 능력을 침식하나?"

서현은 자신이 세운 가설을 서린에게 확인차 물어보았다.

"그래. 예견의 힘으로 그걸 봐버린 오라클들이 아웃레이지를 체내에서 생성해서 중독되거든. 극히 낮은 확률이지만 정밀 기기에서 그런 오차가 발생하면 곤란해."

"그래서 여기엔 무슨 일이지? 아르곤을 통해서 정보는 받았어. 굳이 네가 올 필요가 있나?"

간만에 본 형제가 반갑긴 하지만… 이 경우 반가워하면 안 되겠지? 서현은 어찌 되었든 뱀파이어 헌터고 서린은 뱀파이어의 왕이다. 두 형제는 여전히 운명의 강을 사이에 두고 있었다.

"보나 마나 시간을 헛되이 쓰고 있을 것 같아서 티켓을 주려고."

"…나는 헛되이 써도 저들에겐 필요한 시간인데?"

서현은 할 짓이 없어서 놀고 있지만 실베스테르와 한세건은 각자 충실한 시간을 보내고 있다. 그걸 중지시키면 안 되는 것 아닐까?

"이제 곧 김성희는 아그니의 탄약과 화약을 농화시키는 광역 발화에 대한 방어 주문을 완성할 거야. 테트라 아낙스가 하는 말이야. 시간이 맞을 거라는 확신이 생기지 않아?"

서린은 지친 표정으로 말했다. 그러나 그 태도는 왕으로서의 자신감이라고 해야 하나? 절대적인 자신감으로 가득 차 있었다.

확실히 신뢰감이 생길 수밖에 없다. 테트라 아낙스는 뱀파이어의 왕이며 예언자들의 왕, 그의 말은 천금의 가치가 있다. 그렇지만 서현은 고개를 갸웃거렸다.

"네가 이런 녀석이었던가?"

서린에게 이런 녀석이다 저런 녀석이다 할 만큼 서현과 서린의 관계는 깊지 않다. 혈연이 있긴 하지만 그 혈연 이상의 인연은 없다. 그렇다고는 하더라도 서현은 지금의 서린이 예전과 다른 존재가 되었다는 걸 안다.

"아… 나도 멍청한 질문을 했군. 알면서 묻다니 최악이야."

서현은 즉각 자신의 멍청한 질문에 대해서 사죄했다. 서린은 고개를 끄덕였다.

"싫어도 고든의 기억은 날 변화시켜."

서린도 자신이 변해가고 있다는 걸 부정하진 않았다.

"다행히 난 낙천적인 성격이라서 정신병에 대해서는 매우 강력한 저항력을 가지고 있지만 역시 이대로는 언젠가 한계에 달하게 될 거야. 그 전에 처리할 일이 너무 많아. 뱀파이어의 수를 줄여야지."

서린은 자신의 상태를, 그리고 뱀파이어를 줄이겠다는 목적을 고백했다. 그의 곁에 서 있던 레베카가 움찔하는 걸로 보아서 서린이 말하는 건 진짜 그의 약점임에 분명했다. 뭐, 서현도 이미 충분히 예측하고 있던 사실이지만 그걸 자신들의 입으로 말해선 안 된다는 고집이 있나 보다.

"뱀파이어의 수를 줄이겠다라… 뱀파이어의 왕이 입에 담아선 안 될 말 아닌가?"

"물론 뱀파이어들 앞에서 노골적으로 그렇게 말하진 않지. 하지만 형, 뱀파이어의 수가 많으면 많을수록 테트라 아낙스의 부담은 커져. 그리고 애초에 이건 잘못된 일이야. 영생불사의 힘 따위는 있어선 안 돼. 하물며 그게 피로 인해서 전염되는 거라니……."

"……."

뱀파이어의 왕이 자기 부정을 하다니. 그런 모습을 보고 서현은 아랫입술을 깨물었다. 이래선 안 된다. 서린이 하고자 하는 건 사실 아주 오래전 서현이 테트라 아낙스의 자리를 빼앗아 하려고 했던 일이다.

그 자신이 하고 싶었던 일을 착실하게 수행하는 서린을 보면서 서현은 더더욱 목표를 잃는 기분이 들었다. 이런 동생이 있어서야 진심으로 뱀파이어 헌터의 길을 걷기도 힘들겠다.

그런데…….

"형."

서린이 나직이 서현을 불렀다.

"응?"

"…몬주 증식로를 폭주시킨 건 나야."

서린은 너무나 담담하게 자신이 한 짓을 고백했다.

"왜 그걸 나에게 말하지?"

처음 그걸 들었을 때 서현은 놀라는 대신 서린의 의도를 물어보았다. 이미 예상하던 일이니까. 실베스테르가 말한 것도 있고. 그러니까 놀라운 건 서린이 몬주 증식로를 폭주시켰다는 게 아니다.

"왠지 그걸로 형이 고민할 것 같아서 말해주는 거야. 내가 무골호인이라고 생각하진 말라고."

"네가 무골호인이라고는 전혀 생각한 적 없어. 원래 서린이야 그랬을지 몰라도 지금의 너는 아무래도 예전 같은 존재는 아닐 거 아냐?"

서현의 말을 들은 서린이 쓴웃음을 지었다. 서린 자신이 이전의 자신이 아니라는 걸 그 이상 명확하게 구분 짓는 말이 있을 수 없다. 그러니 서린은 자신이 변한 존재라는 걸 실감하게 되는 것이다.

"하지만 내가 형에게 도와달라고 한 건 진심이야."

"그래. 왜 몬주 증식로를 폭주시켰지?"

"애초에 나트륨 냉각 방식은 내가 굳이 손대지 않더라도 망가지게 되어 있었고 그때 방사능 분진을 뿌려주지 않았으면 앙리 유이는 동경에서 발생한 아웃레이지만으로 신을 창조할 수 있다는 결론에 도달했으니까. 빠르게 아웃레이지의 커럽티드를 유발시켜서 그를 막아야 했어."

"덕분에 다른 아웃로들은 앙리 유이에 대한 신뢰를 잃고?"

서린은 서현의 말에 대답하는 대신 티켓을 손가락 끝에 걸고 튕겼다. 일수꾼들 명함 날리듯 파라락 회전하면서 티켓이 서현의 손으로 빨려 들어왔다. 희미하게 피 냄새가 나는 티켓이었다.

"아낙스는 계속 릴리쓰와 싸워왔어. 신과 싸워왔지. 이 세상을 이능력과 마법, 뱀파이어와 라이칸스로프로 계속 혼탁한 세계로 만들려고 하는 마신과 싸워온 거야. 앙리 유이는 그래서 테트라 아낙스라면 도저히 무시할 수 없는 방식으로 테트라 아낙스에게 싸움을 걸고 있는 거지."

자신을 낳은 릴리쓰의 존재조차 용납 못 하는 아낙스가 앙리 유이가 만들어낼 새로운 신을 용납 못 하는 건 당연하다.

"이건?"

"항공기 티켓이야. 그 티켓은 아무리 마법적, 주술적으로 투사해도 뭔가 나오지 않을 거야. 죽어 마땅한 불한당의 것을 빼앗았거든? 그걸 가져가면 세건 형이나 실베스테르는 형이 사람을 죽이고 표를 빼앗았다고 생각할걸."

"항공권은 여권과 연동되는 거라 그냥 빼앗아봤자……."

"그건 C—130 수송기의 번호표일 뿐이야. 긴급 상황을 위한 특별 수송편이지. 일반 여객 항공사의 것이 아니니까 여권과 연동되지 않아. 목적지는 한국 오산 공항."

"흠……."

"거기서 인도네시아로 넘어와 줘. 앙리 유이의 세력은 인도네시아에 있으니까."

"수마트라 섬이겠지."

아르곤에게 받은 자료에도 그곳에서 미사일이 조립되고 개보수 작업이 진행 중이라고 했다.

"좋아. 알겠어. 그런데 정말 넌 최고의 동생이구나, 서린."

"……."

"형에게 이렇게 의욕을 불어넣어 주다니."

서현은 쓴웃음을 지으며 그렇게 말했다.

"…물러……."

이상하다고 생각한 조반니가 서현과 서린 사이를 가로막았다.

그 순간 서현이 움직였다. 서현의 빠른 손이 손바닥, 손날, 팔꿈치, 주먹, 온갖 공격 방식으로 날카롭게 조반니를 습격한다. 그리고 조반니가 그걸 막느라 정신 팔린 사이 사각에서 날아든 발차기가 혹 킥, 갈고리처럼 조반니의 뒤통수를 스치고 지나갔다.

"억……."

조반니는 상당한 거구지만… 서현의 발차기에 맥없이 쓰러져 버렸다. 후두부가 킥에 걸린 것만으로도 한 움큼 통째로 떨어져 나갔다.

"텔레포터가 직접 육탄전에 뛰어들면 어쩌자는 건지……. 뭐, 서린 널 지키기 위해선 피신할 수 없는 처지니 어쩔 수 없겠지만."

서현은 킥에 맞아서 휘청거리는 조반니를 팔꿈치로 후려쳐 몸통을 아예 수직으로 일도양단했다.

"으으윽!"

스팅레이가 강력한 텔레파시 염파를 마치 송곳처럼 예리하게 다듬어 서현에게 걸었지만 서현 역시 텔레파시를 써서 스팅레이가 보내는 염파를 중화시키고 스팅레이의 몸통에 발차기를 날렸다.

서린이 스팅레이의 앞을 막아서서 서현의 발차기를 막았다.

"신사로구나, 서린. 테트라 아낙스가 호위병을 지키려 몸을 던지면 어쩌자는 거야?"

서현은 발차기로 서린을 밀고 잽싸게 권총을 꺼내어 서린을 쏘았다.

킥 앤 숏, 상대를 발로 밀어버리고 거리를 벌린 뒤 몸통에 두 발, 머리에 한 발을 맞춘다. 킥에서 사격의 동작 연계가 너무나 정확해서 서린도 속절없이 총탄을 맞을 수밖에 없었다.

"이!"

레베카가 분노해서 이빨을 드러냈다. 그러나 서린이 그런 그녀를 제지했다.

"그만."

레베카가 뛰어들려던 곳에 서현의 나이프가 번뜩였다. 허공을 벤 서현은 싱긋 웃으며 나이프를 거두었다. 나이프만이 아니라 권총도 거둔다.

"…그래. 넌 신이 아니고 나 역시 신의 소유물은 아닌 모양이군."

서현은 그렇게 말하며 거리를 벌렸다. 자신의 공격으로 부상을 입은 이들이 재생할 수 있도록 시간을 주는 것이다.

"너, 너무하잖아?"

서린이 퉁명스럽게 말하며 상처 부위에서 총알을 뱉어냈다. 두 동강 났던 조반니도 다시 몸을 일으키고 있고 스팅레이만이 털을 곤두세운 고양이처럼 서현을 노려보고 있었다. 서현이 공세를 멈춘 덕에 상처를 회복할 수 있었다.

"신에 의해서 태어났고 계속 내 주변에서 마음대로 커다란 일들이 오가고 있으니까. 내가 자유의지를 가진 존재이고 이 모든 게 우연의 산물이라는 확증이 필요해서 한 일일 뿐이야. 그게 아니더라도 예전부터 동생을 좀 때려주고 싶었지."

"……."

이걸 동생을 때리는 형 정도로 표현할 수 있을까?

"덕분에 우울한 기분은 많이 가셨군. 역시… 난 이러는 게 어울려."

서현은 그렇게 말하고 한 걸음 뒤로 더 물러나며 말했다.

"호위병은 좀 더 많이 데리고 다녀. 테트라 아낙스 체면이 말이 아니잖아?"

방금 전까지 살기등등하게 공격하던 서현이 부드러운 미소를 짓고 서 있었다.

"형이 스팅레이나 조반니에게 지나치게 상성이 좋은 거야. 세건 형이나 실베스테르였다면 이렇게 되진 않았을 거야."

스팅레이의 능력에 저항력이 있는 자는 아마 서현 정도일 것이다. 서현은 티켓을 다시 확인하고 돌아섰다.

"그럼… 좋아. 내 방향은 새로 정했어. 일단 앙리 유이의 궁둥짝을 후려 차주고 이 세상의 새로운 구세주나 되어볼까. 물론 지금 내 공격조차 너의 예지 안에 있는 것이고 이게 연기일 수도 있겠지만… 몸소 맞아가면서 예지를 실현시키려는 성의가 있다면 속아 넘어가 줘야지."

후련한 표정으로 돌아가는 서현을 보며 레베카와 조반니는 이를 뿌득 갈았다. 나름 마약 카르텔의 중진이었던 조반니로서는 정말 끔찍한 굴욕이었다.

"오, 성모마리아시여. 대체 저 미… 흠흠, 하여튼 저놈은 왜 저러는 겁니까? 아까 전까지 우울해하는 것 같던데."

"너무나 신적인 동생을 물리력으로 뛰어넘어서 자신의 자유 의지가 제대로 작동하는지 시험해 본 거지요. 정말 야만적인 작자로군요. 폭력으로 자신의 존재 의의를 확인하다니 누가 야만 스러운 라이칸스로프 아니랄까 봐……."

레베카는 그리 답하고 서린을 돌아보았다. 테트라 아낙스가 직접 공격당해서 피를 흘리다니 있어서는 안 될 일이다. 테트라 아낙스의 철혈의 이미지를 관철하는 게 얼마나 중요한 일인가. 앙리 유이에게 도전받는 이런 때야말로 이미지 전략이 중요하다.

그렇게 잔소리를 하려고 했는데…….

서린은 흡족한 듯 웃고 있었다.

"어휴."

레베카는 잔소리하길 포기했다. 대신 혼잣말을 중얼거릴 뿐 이었다.

"저런 야만적인 자가… 세상의 운명을 좌우할지도 모른다니 기분 나쁘군요."

• ☾ See You Next Moon •